परमाणु करार के खतरे

ऊर्जा के बहाने संप्रभुता का सौदा

(विकल्प-विमर्श शृंखला-2)

परमाणु करार के खतरे

संपादक
महाश्वेता देवी
अरुण कुमार त्रिपाठी

उत्तम प्रकाशन

ISBN : 81-88720-83-6

उत्तम प्रकाशन

2/27, त्रिलोकपुरी, दिल्ली-110091

द्वारा प्रकाशित

प्रथम संस्करण : 2012

मूल्य : 250.00

शुभम ऑफसेट, शाहदरा, दिल्ली-110032

द्वारा मुद्रित

प्रकाशन, वाणी प्रकाशन की सहयोगी संस्था

समर्पण

उन वामपंथी, समाजवादी और गांधीवादी कार्यकर्ताओं को जो इस करार के विरोध में उठ खड़े हुए हैं।

संपादकीय

'भारत-अमेरिका नाभिकीय करार' पर केंद्रित पुस्तक आपको सौंपते हुए हमें हर्ष हो रहा है। नाभिकीय करार पर यूपीए सरकार और विपक्षी दलों के बीच खींचा-तानी और जोड़-तोड़ की आतुरता और वामपंथियों के विरोध ने कम-से-कम इतना तो साफ़ कर ही दिया है कि यह मुद्दा जितना संवेदनशील है, उतना ही जटिल भी। प्रधानमंत्री मनमोहन सिंह ने जिस आत्मविश्वास के साथ आईएईए और उसके बाद एनएसजी में जाकर समझौता करने की घोषणा कर दी है, उससे यह स्पष्ट है कि वामपंथी दलों के समर्थन वापस लेने पर भी वह अपनी सरकार बचा लेंगे। क्योंकि जिस तरह से समाजवादी पार्टी और अन्य छोटे दलों ने उनके प्रति निकटता दिखाई है उससे जाहिर है कि सितम्बर 2008 में दो हफ्ते के लिए होने वाले अमेरिकी संसद के सत्र तक वह अपनी सरकार बचाए रखेंगे। जुलाई से सितम्बर के बीच करार पर आईएईए और एनएसजी से मंजूरी ले ली जानी है। हालांकि अमेरिकी विदेश विभाग ने समझौते को मंजूरी दिए जाने की समय सीमा 20 जनवरी, 2009 तक दी है। जबकि भारतीय संसद के चुनाव मई 2009, में होने हैं। नवम्बर में भी अमेरिकी संसद की एक बैठक होनी है। जिसमें इस समझौते को मंजूरी मिलने का अवसर है। इस बीच वामपंथी दल यह जोर दे रहे हैं कि उन्हें सरकार वह मसविदा दिखाए जो वह आईएईए में पेश करेगी। लेकिन सरकार उसके लिए तैयार नहीं है। फिलहाल इन नाटकीय दांवपेंचों से अलग मामला भारत के अमेरिकीकरण और अमेरिका की साम्राज्यवादी इच्छा को मंजूरी देने और उसके विरोध का है। यह बात अब शीशे की तरह साफ है कि इस समझौते का परमाणु ईंधन या ऊर्जा जरूरत से कोई खास लेना-देना नहीं है। क्योंकि अगर ऊर्जा जरूरत ही पूरी करनी होती तो यूपीए सरकार ने, ईरान से आने वाली 7.4 अरब डालर की गैस पाइप लाइन योजना पर, पाकिस्तान और ईरान से मतभेद दूर करने के लिए जो 45 दिन का समय लिया था उसे गंवा न दिया होता। यह समय सीमा 29 अप्रैल, 2008 को भारत आए ईरानी राष्ट्रपति मोहम्मद अहमदीनेजाद उस 2700 किलोमीटर पाइप लाइन के लिए तय कर गए थे, जो इस देश की ऊर्जा समस्या का बड़ा समाधान बन सकती है। आखिर सरकार ने उसके लिए

इतना उतावलापन क्यों नहीं दिखाया? दरअसल पंडित जवाहर लाल नेहरू ने जिस तरह से भाग्य वधू से भारत को आजाद कराने की एक प्रतिज्ञा की थी और उसे 15 अगस्त, 1947 को पूरा किया। उसी तरह मनमोहन सिंह और उनके पीछे खड़े भारतीय मध्यवर्ग ने अमेरिकी राष्ट्रपति जार्ज बुश को भारत के अमेरिकीकरण का एक वचन दिया था और उसे वे हर कीमत पर 2008 में पूरा करके मानेंगे। भारतीय राजनीति में शायद उसे रोक पाने की सामर्थ्य नहीं दिखती। वामपंथी दलों ने अपनी संसदीय ताकत के बूते पर जितना विरोध करना था किया। अब यह मामला भारतीय जनता के हाथों में है कि वह अपनी आंदोलन की विराट शक्ति और मताधिकार के प्रयोग से इस प्रक्रिया को कहाँ तक रोक सकती है। यह संकलन उसी उद्देश्य के लिए चेतना को जगाने एक प्रयास और साम्राज्यवाद का विरोध करने वाली ताकतों को एकजुट करने का एक आह्वान है।

इन स्थितियों को ध्यान में रखते हुए इस पुस्तक में नाभिकीय ऊर्जा की साम्राज्यवादी राजनीति, उसके आर्थिक और वैज्ञानिक पक्षों पर विस्तार से चर्चा की गई है।

यह पुस्तक हिंदी पाठकों की तथ्यों और विश्लेषण की बौद्धिक भूख को लेकर तैयार की गयी है, क्योंकि उसके तथाकथित मित्र के रूप में तेजी से बढ़ रहा प्रिंट या इलैक्ट्रॉनिक मीडिया उसे इन गंभीर और बेहद जरूरी मुद्दों की जानकारी देने से ही परहेज करता है तो विश्लेषण की बात ही दूर है। उसने या तो करार का आक्रामक समर्थन किया या फिर इसे मनोरंजन का विषय बना दिया। ऐसे में अंग्रेजी में लिखे गए कई गंभीर और लंबे लेखों का अनुवाद कर सुशील गुप्ता ने इस पुस्तक में बहुमूल्य योगदान दिया है। अतुल कुमार और अनिल चौधरी ने इस अंक के लिए भी भरपूर सहयोग प्रदान किया है।

जुलाई 2008

महाश्वेता देवी
अरुण कुमार त्रिपाठी

अनुक्रम

123 करार और हाइड एक्ट की खास बातें और घटनाक्रम

–अतुल कुमार

*** क्या है 123 समझौता?**

* यह समझौता अमेरिका के परमाणु ऊर्जा अधिनियम 1954 की धारा 123 के तहत किया गया है। इसीलिए इसे 123 समझौता कहते हैं। 17 अनुच्छेदों के इस समझौते का पूरा नाम है–**भारत सरकार और संयुक्त राज्य अमेरिका की सरकार के बीच नाभिकीय ऊर्जा के शांतिपूर्ण प्रयोग के लिए सहयोग का समझौता**। इसके स्वरूप पर 1 अगस्त 2007 को सहमति हुई।

*** हाइड एक्ट क्या है?**

अमेरिकी कांग्रेस से एक निजी सदस्य बिल के रूप में पास हुआ हाइड एक्ट का पूरा नाम है–हेनरी जे हाइड संयुक्त राज्य-भारत शांतिपूर्ण परमाणु ऊर्जा सहयोग अधिनियम 2006।

*** क्या 123 समझौते और हाइड एक्ट में कोई रिश्ता है?**

आमतौर पर कहा जाता है कि हाइड एक्ट एक घरेलू कानून है और इसका 123 समझौते से कोई रिश्ता नहीं है या यह उसके रास्ते में रुकावट नहीं है। लेकिन हाइड एक्ट (अधिनियम) की धारा 104 और 123 समझौते की धारा 2 को देखने से साफ हो जाता है कि अगर 123 समझौता भारत को नाभिकीय ईंधन मिलने का मार्ग आसान करता है तो हाइड एक्ट उसके रास्ते में बाधा डालता है।

हाइड एक्ट की धारा 104 कहती है–

"परमाणु ऊर्जा अधिनियम की धारा 123 के तहत हुए भारत से सहयोग के बावत किसी समझौते और इस शीर्षक के उद्देश्य के तहत किसी करार के सिर्फ सब पैरा (बी) को छोड़कर के लागू होने की स्थिति के बावजूद भारत की नाभिकीय या नाभिकीय ऊर्जा से संबद्ध सामग्री, उपकरण या प्रौद्योगिकी का भारत को निर्यात रद्द किया जा सकता है अगर..."

123 समझौते की धारा 2 कहती है कि–

"हर पक्षकार इस समझौते को लागू की जा सकने वाली संबंधित संधियों, राष्ट्रीय कानूनों नियमनों और शांतिपूर्ण उद्देश्य के लिए नाभिकीय ऊर्जा के प्रयोगों के लिए लाइसेंस की आवश्यकताओं के अनुरूप इस समझौते को चालू करेगा।

*** और क्या कहता है हाइड एक्ट?**

भारत कितना भी दावा कर ले कि वह महाशक्ति बन गया है। और उसकी एटमी शक्ति को दुनिया ने मान लिया है। पर हकीकत यह है कि उसे युरेनियम संवर्धन का अधिकार नहीं है। क्योंकि पी-5 देशों की श्रेणी में उसे स्थान नहीं दिया गया है। यह बात हाइड एक्ट के अनुच्छेद 103 से स्पष्ट है–

अनुच्छेद 103 (अ) (1)–

"नाभिकीय अप्रसार संधि में शामिल या उससे बाहर के किसी गैर परमाणु शस्त्र संपन्न राज्य द्वारा परमाणु हथियार बनाने की क्षमता विकसित करने का विरोध करना।"

अनुच्छेद 103 (ब) (1)–

पाकिस्तान और चीन द्वारा नाभिकीय विस्फोट के लिए विखंडनीय पदार्थ उत्पादन करने पर शीघ्रातिशीघ्र रोक लगाना।"

अनुच्छेद 103 (ब) (7)–

"जब तक बहुपक्षीय प्रतिबंध या संधि लागू न हो तब तक भारत को इस बात के लिए प्रोत्साहित किया जाए कि वह असुरक्षित नाभिकीय स्थानों पर विखंडनीय पदार्थों का उत्पादन न बढ़ाए।"

हाइड एक्ट किस प्रकार भारत की स्वतंत्र विदेश नीति को प्रभावित करता है?

हाइड एक्ट की धारा 102 में कहा गया है कि अमेरिका भारत जैसे एक गैर-एनपीटी देश के साथ नाभिकीय सहयोग का समझौता इस आधार पर कर रहा है कि, "उसके पास एक विदेश नीति है जो अमेरिका के अनुरूप है और वह अप्रसार से संबंधित प्रमुख नीतिगत कार्यक्रमों पर अमेरिका के साथ काम कर रहा है।"

हाइड एक्ट के अन्य प्रावधान इस प्रकार हैं–

धारा 104 जी (2) ई (आई)–

विदेश नीति संबंधित कई मामलों पर अमेरिकी राष्ट्रपति अमेरिकी कांग्रेस को रिपोर्ट करेंगे। उदाहरण के लिए "क्या भारत पूरी तरह से और सक्रिय रूप से ईरान को नाभिकीय हथियार बनाने से रोकने, अलग-थलग करने और जरूरी हुआ तो उस पर प्रतिबंध लगाने और उसे रोकने में अमेरिका और अन्य अंतर्राष्ट्रीय प्रयासों में मदद कर रहा है।"

(धारा 104 जी (2) के)–

अंतर्राष्ट्रीय पानी में जहाजों का निषेध करने की अवैध नीति सहित अमेरिका

की बेहद विवादास्पद सुरक्षा पहल में भारत को भागीदारी और अमेरिका को समर्थन देने की औपचारिक घोषणा।

भारत द्वारा उन विभिन्न द्विपक्षीय और बहुपक्षीय समझौतों का समर्थन करना जिसका अभी वह भागीदार नहीं है। उदाहरण के लिए यू एस मिसाइल टैक्नालाजी कंट्रोल रिजीम (एमटीसीआर) और आस्ट्रेलिया समूह वगैरह। (धारा 104 सी, ई, एफ जी)

दोहरे उपयोग की प्रौद्योगिकी

इस प्रौद्योगिकी का अर्थ ऐसी प्रौद्योगिकी से है जिसका उपयोग शांतिपूर्ण और सैन्य दोनों उद्देश्यों के लिए किया जा सकता है। तमाम तरह के नाभिकीय रिएक्टर विखंडनीय पदार्थ उत्पन्न करते हैं। उनमें प्लूटोनियम एक प्रकार का बाय प्रोडक्ट है जिसका प्रयोग नाभिकीय अस्त्र के निर्माण में किया जा सकता है। 123 समझौते के अनुच्छेद 5 का सतही अध्ययन भी यह बताता है कि हमें संवर्धन, पुनर्शोधन, भारी जल, दोहरे उपयोग और संवेदनशील नाभिकीय प्रौद्योगिकी उपलब्ध नहीं कराई गई है। अनुच्छेद 5 इस प्रकार कहता है।

''दोहरे उपयोग की सामग्री का हस्तांतरण जिसका इस्तेमाल संवर्धन प्रक्रिया, पुनर्शोधन या भारी पानी के उत्पादन में लगाया जा सके, संबंधित पक्षों के कानूनों नियमों और लाइसेंस नीतियों से संचालित होगा।''

महत्त्वपूर्ण संस्थाएं और उनकी भूमिका

- **आइएईए क्या है?**

इस संस्था का पूरा नाम इंटरनेशनल एटामिक एनर्जी एजेंसी है। यह नाभिकीय क्षेत्र में सहयोग का अंतर्राष्ट्रीय केंद्र है। इसका गठन 'संयुक्त राष्ट्र परिवार के भीतर शांति के परमाणु' के रूप में 1957 में हुआ था। यह संस्था शांतिपूर्ण और सुरक्षित नाभिकीय प्रौद्योगिकी को बढ़ावा देने के लिए सदस्य देशों और अन्य सहयोगियों के बीच काम करती है। इस संस्था का मुख्यालय वियना में स्थित है और बाकी क्षेत्रीय कार्यालय जिनेवा, न्यूयार्क, टोरंटो और टोक्यो में हैं। इस संस्था के सचिवालय में 90 देशों के 2200 प्रोफेशनल काम करते हैं। अभी इस संस्था के महानिदेशक मोहम्मद अल बारदेई हैं। इसके अलावा इसमें छह उप महानिदेशक हैं जो बाकी विभाग देखते हैं। आईएईए की गतिविधियों की रपटें समय-समय पर संयुक्त राष्ट्र के एक विशेष करार द्वारा संबद्ध है। इस संस्था के तीन मुख्य काम इस प्रकार हैं—सुरक्षा, विज्ञान और प्रौद्योगिकी और सुरक्षा व संपुष्टि (वेरिफिकेशन)। 2007 में इसका नियमित बजट 283611000 यूरो था। जबकि स्वैच्छिक सहयोग 8 करोड़ डालर का था।

- **न्यूक्लियर सप्लायर्स ग्रुप (एनएसजी) क्या है?**

यह नाभिकीय ऊर्जा की सामग्री सप्लाई करने वाले देशों का ऐसा समूह है जो नाभिकीय सामग्री के निर्यात पर दिशानिर्देश लागू कर नाभिकीय हथियारों के अप्रसार में अपना योगदान देता है। इसके दिशा निर्देशों को हर भागीदार देश अपने कानूनों और परंपराओं के अनुसार लागू करता है। निर्यात के आवेदनों पर निर्णय राष्ट्रीय निर्यात लाइसेंस जरूरतों के अनुसार राष्ट्रीय स्तर पर लिया जाता है। इस समूह का गठन 1974 में तब किया गया जब एक ऐसे देश (भारत) ने परमाणु विस्फोट किया। जिसे नाभिकीय हथियार वाला देश नहीं कहा जाता था। क्योंकि इससे पता चला कि शांतिपूर्ण उद्देश्य के लिए दी गई नाभिकीय प्रौद्योगिकी का दुरुपयोग किया जा सकता है। इस समय इस समूह में 45 देश है। इसका पहला दिशानिर्देश 1978 में आईएईए (अंतर्राष्ट्रीय परमाणु ऊर्जा एजेंसी) के दस्तावेज के रूप में तैयार किया गया था। इस प्रकार नाभिकीय सामग्री प्राप्त करने के लिए भारत को इस समूह के पास जाना पड़ेगा। लेकिन वहाँ वह तभी जा सकता है जब उसका आईएईए से रिएक्टरों की निगरानी और सिविल व सैन्य कार्यक्रमों के अलगाव का एक समझौता हो जाए। एनएसजी ने क्रमशः 1990, 1992, 1995 और 2000 में अपने दिशानिर्देशों को संशोधित कर उन्हें नया और प्रभावी बनाया है। इनमें सामग्री और प्रौद्योगिकी के हस्तांरण के दिशानिर्देश विशेष तौर पर महत्त्वपूर्ण हैं।

• 123 भारत अमेरिका नाभिकीय समझौते की जरूरत क्यों आई?

क्योंकि भारत को अपने परमाणु सयंत्रों को चलाने के लिए ईंधन (रेडियोधर्मी पदार्थ) और प्रौद्योगिकी चाहिए। वह अमेरिका की सहमति के बिना मिल नहीं रहे थे। यह समझौता इन चीजों की प्राप्ति के मार्ग को सुगम बनाता है। भारत के पोखरण विस्फोटों के बाद अमेरिका ने कई प्रतिबंध लगा दिए थे। और एक तरह से इस क्षेत्र भारत का बायकाट शुरू कर दिया था। कहा जा रहा था कि भारत नाभिकीय रंगभेद की नीति का शिकार हो गया है। अमेरिका ने न्यूक्लियर सप्लायर्स ग्रुप को अपने कब्जे में कर रखा है। दुनिया का कोई देश अमेरिका या इस समूह के बिना नाभिकीय प्रौद्योगिकी या ईंधन नहीं पा सकता।

• समझौता करने के पीछे किन समूहों का आर्थिक हित है?

भारत के निजी क्षेत्र और मंदी के दौर से गुजर रहे अमेरिकी उद्योग इस समझौते के पीछे असली प्रेरक पक्ष रहे हैं। इसके कारोबार में तमाम तरह की आपूर्ति से उनका फायदा होगा।

• पाबंदियों और नाभिकीय रंगभेद से निकलकर सरकार को ईंधन और प्रौद्योगिकी प्राप्त करने के लिए क्या रास्ता अपनाना है?

सबसे पहले अमेरिकी सहमति लेने के उसके साथ समझौता। जो 123 समझौते के रूप में हो चुका है। उसके बाद आईएईए से भारत संबंधी सुरक्षा करार। फिर एनएसजी के साथ एक करार। इन सारे चक्रों से गुजरने के बाद दोबारा अगर

अमेरिकी कांग्रेस उसे मंजूरी देती है तो वह समझौता लागू हो जायेगा।

परमाणु करार के महत्त्वपूर्ण घटनाक्रम

जुलाई, 2005 : प्रधानमंत्री मनमोहन सिंह और अमेरिकी राष्ट्रपति जार्ज डब्ल्यू बुश के बीच परमाणु समझौते पर सैद्धांतिक सहमति। इस समझौते से अमेरिका की तीस साल पुरानी वह नीति पलट जाएगी जिसके अनुसार भारत के साथ परमाणु सहयोग पर रोक लगी हुई है। क्योंकि भारत ने अंतर्राष्ट्रीय नीतियों के विरुद्ध परमाणु हथियार विकसित किया। साथ ही उसने कभी अप्रसार संधि पर दस्तखत भी नहीं किया।

मार्च, 2006 : बुश की तीन दिवसीय भारत यात्रा के दौरान भारत नागरिक और सैन्य परमाणु संयंत्रों को अलग करने की योजना पर सहमत हुआ। यह मुद्दा परमाणु करार पर आगे बढ़ने के लिए अहम था।

दिसंबर, 2006 : अमेरिकी कांग्रेस ने भारी बहुमत से समझौते को मंजूरी दी। इसके साथ ही तीन अन्य संस्थाओं से भी प्रस्ताव का अनुमोदन आवश्यक हुआ। ये हैं—45 देशों के परमाणु आपूर्ति समूह, अंतर्राष्ट्रीय परमाणु ऊर्जा एजेंसी। और तीसरी संस्था अमेरिकी कांग्रेस है जहां से इसे दोबारा अनुमोदित होना है।

दिसंबर, 2006 : अमेरिकी परमाणु ऊर्जा अधिनियम में संशोधन के कांग्रेस से पारित विधेयक को बुश ने मंजूरी दी।

जुलाई, 2007 : समझौते पर दोनों देशों के बीच महीनों के कड़े मोलभाव के बाद दोनों देशों ने अंतिम रूप लेने की घोषणा की। भारत ने समझौते में जोड़े जाने वाली नयी शर्तों के प्रति कड़ा विरोध दर्ज कराया और कहा कि इसे वह कतई स्वीकार नहीं करेगा।

अगस्त, 3 : समझौते से संबंधित मसौदा समझौता-123 नाम से दोनों देशों में एक साथ सामने आया। भारतीय विश्लेषकों और परमाणु विशेषज्ञों ने इसे भारतीय माँगों के अनुरूप बताया।

अगस्त, 7 : वामदलों ने समझौते की शर्तों को भारत की संप्रभुता का हनन करने वाला करार देते हुए सरकार से इसे रद्द करने की माँग की।

11 अगस्त : प्रधानमंत्री ने वाम की माँगों को मानने से इनकार करते हुए चुनौती दी कि अगर चाहे तो समर्थन वापस ले ले वाम।

13 अगस्त : संसद में प्रधानमंत्री ने करार का बचाव करते हुए कहा कि यह देश की ऊर्जा जरूरतों और सुरक्षा के लिए महत्त्वपूर्ण है।

17 अगस्त : अमेरिका की ओर से मुख्य वार्ताकार सहायक विदेशमंत्री निकोलस बर्न्स ने कहा, समझौते पर दोबारा सौदेबाजी संभव नहीं।

18 अगस्त : भारत सरकार को वामदलों की ओर से गंभीर परिणाम भुगतने

की चेतावनी।

25 मार्च, 2008 : भारत ने कहा कि वह समझौते को पूरा करने के लिए अमेरिका के अनुसार कोई समय सीमा तय नहीं कर सकता क्योंकि उसकी घरेलू दिक्कतें हैं।

19 जून : प्रधानमंत्री मनमोहन सिंह ने कहा कि हम वामपंथी दलों के बिना समझौते को पूरा करने का कदम उठाएंगे।

20 जून : वामपंथी दलों ने कहा कि आईएईए से समझौते के लिए एक कदम बढ़ाया तो समर्थन वापस ले लेंगे। इस दौरान प्रधानमंत्री ने सोनिया गांधी से इस्तीफे की पेशकश की।

25 जून : यूपीए और वामदलों के समन्वय समिति की बैठक बेनतीजा खत्म हो गई। दोनों पक्षों ने अपने रुख में कोई ढील देने से इंकार किया।

30 जून : प्रधानमंत्री मनमोहन सिंह ने स्पष्ट किया कि वह आईएईए और एनएसजी में समझौता करने जाएंगे और उसके बाद वे उन समझौतों को संसद के सामने रखेंगे। जबकि माकपा ने कहा कि हमारा पॉलित ब्यूरो ऐसी हालत में समर्थन वापसी का निर्णय ले चुका हैं और इससे पीछे नहीं हटेंगे।

(लेखक हिंदुस्तान, नई दिल्ली से संबंद्ध हैं)

शांति की पाइप लाइन बनाम अशांति का करार

संप्रभुता पर एटमी बादल घिरने की राजनीति

–अरुण कुमार त्रिपाठी

अपनी स्वाधीनता के 60 वें वर्ष, 1857 की डेढ़ सौवीं जयंती और भारत पर औपनिवेशिक शासन का आरंभ करने वाली प्लासी की लड़ाई के 250 वें वर्ष में हम कठिनाई से प्राप्त की गई अपनी संप्रभुता और स्वाधीनता का कोई क्षरण नहीं होने देंगे। इसके विपरीत हम इसे मजबूत करेंगे। (पीपुल्स डेमोक्रेसी, 26 अगस्त 2007)

जून 2008 के अन्त तक यह तय हो गया कि प्रधानमंत्री मनमोहन की सरकार हर हाल में अमेरिका से परमाणु करार करेगी। अगर वामपंथी दल समर्थन वापस लेंगे तो भी वह संसद में बहुमत का इंतजाम कर लेगी। उसके लिए समाजवादी पार्टी, राष्ट्रीय लोकदल या अन्य कई छोटे दल पटा लिये गए। नरसिंह सरकार में वित्तमंत्री के रूप में अपना राजनीतिक कैरियर शुरू करने वाले मनमोहन सिंह ने उदारीकरण और वैश्वीकरण के नाम पर भारतीय अर्थव्यवस्था का जो अमेरिकीकरण शुरू किया था उसे उन्होंने 2008 में आकर 123 परमाणु करार के माध्यम से राजनीतिक रूप से भी संपूर्ण कर दिया। इस तरह भारत की अर्थव्यवस्था और राजनीति के अमेरिकीकरण का एक चक्र पूरा हुआ। आश्चर्य की बात है कि जो काम चाहकर भी भारतीय जनता पार्टी के जनाधार वाले नेता नहीं कर पाए वह काम जनाधार विहीन मनमोहन सिंह ने कर दिखाया। यह अमेरिकी शक्ति का ही प्रताप है। इस तरह भारतीय विदेश नीति पूरी तरह उल्टी दिशा में घूम गई। उसका निर्गुट और बहुध्रुवीय सिद्धांत अमेरिका से सैन्य गठजोड़ के रूप में परिवर्तित हो गया। इससे दक्षिण एशिया का रणीनीति वातावरण बिल्कुल बदल जाएगा। भारत अमेरिका रक्षा सहयोग और 123 समझौता इस दिशा में एक ठोस कदम है। इस समझौते से भारत

की विदेश-नीति की स्वतंत्रता कमजोर होगी। इस इलाके का सैन्यकरण बढ़ेगा और यहाँ ज्यादा खतरे के साथ अस्थिरता आएगी। प्रोफेसर कमल मित्र चेनाय अनुराधा चेनाय के अनुसार, अमेरिका द्वारा भारत के प्रति विशेष रुचि दिखाने के पाँच प्रमुख कारण हैं—

1. 21वीं सदी में अमेरिकी हित को ध्यान में रखते हुए अमेरिका अपना सम्पूर्ण सैन्य प्रभुत्व जमाना चाहता है। उसके लिए वह कई सहयोगियों को जोड़कर हर दिशा में सैन्य गतिविधियों की पूर्ण स्तंत्रता चाहता है। उसके लिए वह भारत को प्रमुख रणनीतिक सहयोगी के रूप में देखता है।
2. अमेरिका अब भारत और पाकिस्तान के बीच में संतुलन कायम करने की नीति से आगे बढ़ना चाहता है। हालांकि वह पाकिस्तान को अभी भी अपना सहयोगी बनाए रखना चाहता है। पर वह अलकायदा को काबू करने में उसके कामों से संतुष्ट नहीं है।
3. अमेरिका, चीन और भारत को प्रमुख बढ़ती हुई शक्ति के रूप में देखता है पर ताईवान, उत्तर कोरिया, मानव अधिकार, लोकतंत्र और एटमी प्रसार के मुद्दे पर उसके चीन से मतभेद हैं। इसलिए वह चीन को रोकने के लिए इस इलाके में एक शक्ति संतुलन चाहता है। यानि वह एशिया में नाटो जैसा एक नया संगठन चाहता है जिसके लिए भारत एक उपयुक्त सैन्य सहयोगी दिखाई पड़ता है। उसे लगता है कि चीन रूस के साथ बहुध्रुवीय विश्व में विश्वास करता है जो उसके लिए माफिक नहीं है।
4. अमेरिका मानता है कि रूस आर्थिक सुधारों में नाकाम रहा है। इसके अलावा वह नाटो को पूर्वी इलाके में विस्तार देने में भी सहायक नहीं हो सकता। अमेरिका न सिर्फ रूसी लोकतंत्र का आलोचक है बल्कि वह राष्ट्रकुल के स्वतंत्र देशो में सत्ता परिवर्तन भी कराता रहता है। मध्य एशिया में अमेरिकी अड्डों, जार्जिया, अजरबेजान, और उक्रेन में अमेरिकी दखलअंदाजी, रूस से होकर गुजरने वाली पाइप लाइन अमेरिकी नियंत्रण पर रूस चिंतित रहता है। इसके अलावा ईरान, इराक और कोसोवो पर भी दोनों पर मतभेद है। संघाई सहयोग संगठन भी अमेरिकी को रास नहीं आता।
5. इराक पर कब्जे अंतर्राष्ट्रीय न्यायालय क्योटो संधि कृषि सबसीडी, डब्ल्यूटीओ, नरसंहार के हथियार आदि मुद्दों पर यूरोपीय संघ का नजरिया अमेरिका को रास नहीं आता।

इतने ठोस कारण होने के बावजूद वामपंथी विरोध के कारण मार्च 2008 में यह लगने लगा था कि 25 जुलाई 2007 को मनमोहन सिंह मंत्रिमंडल ने जिस भारत अमेरिका सिविल नाभिकीय करार को मंजूरी दी थी वह अब ठंडे बस्ते में चला जाएगा। उसे पुनर्जीवित करने के लिए अगले साल यानी सन् 2009 में भारत और

अमेरिका में बनने वाली नई सरकारों को प्रयास करना होगा। तब यह किस रूप में हो पाएगा यह उस समय की सरकारों के रुख से पता चलेगा। यह स्थिति अमेरिका के दौरे पर गए भारत के विदेश मंत्री प्रणव मुखर्जी और अमेरिकी प्रशासन के 2 मार्च, 2008 को दिए गए बयानों से स्पष्ट हो गई। प्रणव मुखर्जी 23 मार्च (रविवार) की सुबह अमेरिका पहुंचे और 25 मार्च यानी मंगलबार को उन्हें अमेरिका के राष्ट्रीय सुरक्षा सलाहकार स्टीफेन हेडली से मिलना था। समय था शाम तीन बजे से 3.25 तक। लेकिन जब प्रणव मुखर्जी तीन अन्य अधिकारियों के साथ उनके दफ्तर पहुँचे तो हेडली ने अपने दफ्तर में उनसे कोई बात नहीं की। उन्हें भारत की स्थिति पर नाराजगी थी इसलिए वे उन्हें अपने कार्यालय में बिठाने की बजाय साथ लेकर राष्ट्रपति जॉर्ज बुश के दफ्तर चले गए। वहाँ पणव मुखर्जी, जॉर्ज बुश और अमेरिकी विदेश मंत्री कोंडालिजा राइस की बात हुई। इस मुलाकात के बाद व्हाइट हाउस के प्रेस सचिव डाना पेटिनो ने कहा, "एटमी डील पर हाँ या ना करने से पहले हमारे पास काफी समय है। इस मामले पर भारत के साथ काम करने के लिए हमारे पास कई महीने बचे हैं।"

उधर विदेश मंत्री प्रणव मुखर्जी ने अमेरिकी विदेश मंत्री कोंडालिजा राइस से बातचीत में कहा कि यूपीए सरकार की एटमी समझौते में रुचि है। उसे यह भी मालूम है कि यह समझौता संपुष्टि के लिए जुलाई तक अमेरिकी कांग्रेस के समक्ष होना चाहिए। पर हमें अभी भी कई मुद्दों को हल करना है। जब तक वे मुद्दे हल नहीं हो जाते तब तक कोई समय सीमा तय करना कठिन है। वामदल का उल्लेख किए बिना कहा कि राजनीतिक आमराय के बिना करार पर आगे बढ़ना मुश्किल है। प्रणव मुखर्जी ने अमेरिकी प्रेस के सामने कई और बातें स्पष्ट की। उनका कहना था, "हमारे घरेलू मोर्चे पर कुछ समस्याएँ हैं विशेष कर सहयोगी दलों के साथ। हम उसे दूर करने की कोशिश कर रहे हैं। पर उसमें कुछ समय लग सकता है।" उनसे जब यह पूछा गया कि क्या सहमति न होने पर वे सरकार को कुर्बान कर देंगे उनका कहना था, "करार या सरकार को कुर्बान करने का सवाल ही नहीं है।"

इन बयानों के अलावा अमेरिका में भारतीय विदेश मंत्री और अधिकारियों के जिस प्रकार कार्यक्रम रहे उनसे यह स्पष्ट हो गया कि एटमी करार को आगे बढ़ाने की बजाय वे अपनी मजबूरी बताते गए हैं और अमेरिका उन्हें लेकर ज्यादा गर्मजोशी दिखा भी नहीं रहा है। क्योंकि प्रणव मुखर्जी (रविवार से मंगलवार) 23 मार्च से 25 मार्च तक अमेरिका में रहे और इस बीच वे अमेरिकी प्रतिनिधि सभा के किसी सदस्य से नहीं मिले। इसकी सफाई में उनका कहना था कि चूंकि अमेरिकी संसद का कोई सदन सत्र में नहीं था इसलिए किसी से मिलने का कोई प्रयोजन नहीं था। हालांकि यह बात जाहिर है कि भारत के विपरीत अंतर्राष्ट्रीय समझौतों को अमेरिकी संसद से मंजूरी मिलना जरूरी है। इसके अलावा जिस प्रकार सोमवार की रात यानी 24

मार्च को भारत के विदेश सचिव अमेरिका से भारत लौट आए उससे भी लग गया कि भारतीय प्रतिनिधिमंडल अमेरिकी प्रशासन को अपनी मजबूरी जताने गया था। उससे पहले भारत के दौरे पर आए अमेरिकी सीनेटर जानकेरी ने नाभिकीय करार के विधिवत हो पाने की जो समय सीमा बताई उसे प्रारंभ करना मुश्किल लगा। इसीलिए यह समझौता लटकता हुआ दिखाई दिया। केरी के अनुसार उस पर अमेरिकी सीनेट में विधिवत बहस हो। इसके लिए कम से कम मई तक उसके और उसके आनुसंगिक दस्तावेज वहाँ पहुँच जाने चाहिए। लेकिन वामपंथी दलों ने कहा कि अंतर्राष्ट्रीय परमाणु ऊर्जा एजेंसी के साथ सरकार की जो बातचीत हुई है उसके अध्ययन के लिए दो से तीन महीने चाहिए। फिर वामपंथी दल उसके अध्ययन के बाद उसे मंजूरी ही देंगे इसकी संभावना कम है। लेकिन अगर यूपीए और वामपंथी दलों का पैनल इसे मंजूरी दे भी दे तो आगे के तीन चरण पूर करने होंगे। दूसरे चरण में भारत आईएईए को सूचित करेगा कि हम समझौते के लिए तैयार हैं। तब वह अपने बोर्ड के सदस्यों को मसविदा भेजेगा। जिसे वे मंजूरी देंगे। तीसरा चरण एनएसजी द्वारा लगे प्रतिबंध उठाने का होगा। इसके लिए भारत लगातार जोर दे रहा है। चौथा चरण अमेरिकी कांग्रेस द्वारा 123 समझौतों को मंजूरी दिए जाने का है।

लेकिन यह सारी स्थितियाँ वाममोर्चा के रुख पर निर्भर हैं। क्योंकि वाममोर्चा के सरकार से हाथ खींच लेने पर दुनिया का कोई देश या संगठन अल्पमत सरकार के साथ समझौता करना नहीं चाहेगा। इसीलिए विदेशमंत्री प्रणव मुखर्जी को कहना पड़ा कि, "हमें वामपंथियों की मदद लेनी ही पड़ेगी क्योंकि वे सरकार का समर्थन कर रहे हैं। अगर सरकार ही नहीं बचेगी तो समझौता कैसे होगा? क्योंकि एक अल्पमत सरकार ऐसा महत्त्वपूर्ण समझौता कर नहीं सकती और उसे करना भी नहीं चाहिए।"

हालांकि सरकारी खेमों में यह खुसुर-फुसुर भी काफी रही कि विदेश मंत्री प्रणव मुखर्जी भी इस समझौते के समर्थक नहीं हैं इसीलिए वह जहाँ जाते हैं वहाँ से निराशा हाथ लगती है। इस बात की भी चर्चाएँ चलीं कि प्रधानमंत्री मनमोहन सिंह उन पर पूरा विश्वास नहीं करते इसीलिए उनके पीछे विदेश सचिव श्यामशरन को भी लगा देते हैं। इन दुविधाओं के बावजूद यह स्पष्ट है कि भारत और अमेरिका के रिश्ते और विश्व परिस्थितियों में बदलाव लगातार इसी दिशा में जा रहे हैं कि भारत अमेरिका का एक स्थानीय सहयोगी बन जाए। हाल फिलहाल ईरान पर अमेरिकी घेरा कस गया है। अमेरिकी सुरक्षा एजेंसी एफबीआई की इस स्पष्टता के बावजूद कि ईरान के पास परमाणु बम नहीं है अमेरिकी राष्ट्रपति बुश यह मानने को तैयार नहीं हैं। अमेरिका ने संयुक्त राष्ट्र सुरक्षा परिषद द्वारा ईरान पर प्रतिबंध लगवा ही दिए हैं। ईरान द्वारा भारत की गतिविधियों और विशेषकर अमेरिका के साथ बढ़ते साझीदारी की आलोचना करने का कोई आत्मगत कारण नहीं है। उसकी ठोस वजहें हैं और भारत का पुराना मित्र होने के नाते ईरान को यह पीड़ा स्वाभाविक है कि भारत

क्यों लगातार उसके हितों के खिलाफ काम कर रहा है।

जनवरी 2008 के तीसरे हफ्ते में भारत ने फिर ऐसा काम किया जिसके नाते ईरान उससे कुछ कदम दूर जाता हुआ दिखा। भारत के प्रतिष्ठित अंतरिक्ष संस्थान इसरो ने इजराइल के जासूसी उपग्रह का प्रक्षेप कर दिया। टेक्सार या पोलसिस नाम के इस उपग्रह के कक्षा में स्थापित होने के बाद ईरान पर इजराइल की निगरानी या जासूसी क्षमता काफी बढ़ गई है। अब वह ईरान के नाभिकीय कार्यक्रम पर सीधे निगरानी रख सकते हैं। इस उपग्रह में ऐसा कैमरा लगा हुआ है जो ईरानी धरती की तस्वीरें आसानी से उतार सकता है। प्रत्यक्ष तौर पर अमेरिका ने इजराइल को इस तरह का उपग्रह छोड़ने से रोका था। लेकिन जब इजराइल ने ज्यादा जिद की तो अमेरिका ने भारत से कह दिया कि वह ईरान को घेरने में उसकी मदद करे हालांकि भारत का तर्क था कि वह यह काम व्यावसायिक स्तर पर कर रहा है। पर ईरान ने भारत के इस कदम की आलोचना करते हुए अपनी नाराजगी जता दी। उसने कहा, ''भारत को इस काम के राजनीतिक आयाम को समझना चाहिए था। हमें उम्मीद थी कि भारत जैसा विवेक संपन्न स्वतंत्र देश अपनी अंतरिक्ष प्रौद्योगिकी का उपयोग ईरान के खिलाफ जासूसी के काम के लिए नहीं होने देगा।''

ईरान अमेरिका के साथ हुए भारत के नाभिकीय करार की भी आलोचना करता रहा है। उसका तर्क है कि एक तरफ उसके एटमी कार्यक्रम को रोकने के लिए तरह-तरह की सख्ती की जा रही है तो दूसरी तरफ भारत के एटमी कार्यक्रम को जारी रखने के लिए उसे रियायत दी जा रही है। इन्हीं स्थितियों के बीच भारत ने ईरान से होने वाले प्राकृतिक गैस पाइप लाइन के करार की वार्ताओं को ठंडे बस्ते में डाल दिया है। पाकिस्तान से होकर आने वाली इस पाइप लाइन के सौदे में पाकिस्तान का भी एक पक्ष है। वह अभी भी इस सौदे को आगे बढ़ाने और मध्य पूर्व के ऊर्जा स्रोत का लाभ उठाने की तैयारी में है। पर भारत ने एक अनिश्चित नाभिकीय ऊर्जा के लिए ऊर्जा के निश्चित भंडार को त्याग दिया है। जाहिर सी बात है कि उस पर ईरान के सौदे को छोड़ देने का भारी अमेरिकी दबाव था तभी तो उस सौदे को आगे बढ़ाने का प्रयास करने वाले केंद्रीय मंत्री मणिशंकर अय्यर का विभाग ही बदल दिया गया। उनकी जगह पर मुरली देवड़ा को पेट्रोलियम मंत्रालय दिया गया जो भारत में अमेरिकी लाबी के बड़े पैरोकार समझे जाते हैं।

नाभिकीय करार के पक्ष में सत्ता प्रतिष्ठान का उत्साह आमतौर पर कम बोलने वाले और अतिशयोक्तियों से नितांत दूर रहने वाले प्रधानमंत्री डॉ. मनमोहन सिंह ने भारत-अमेरिकी एटमी करार का विज्ञापनी अंदाज में प्रचार किया। दिसंबर 2006 में प्रधानमंत्री ने कहा, ''आज पूरी दुनिया में नाभिकीय पुनर्जागरण की चर्चा चल रही है। हम इस बहस को नहीं छोड़ सकते। हम इस अंतर्राष्ट्रीय विकास में पीछे नहीं रह सकते।'' नाभिकीय करार पर आने वाली तमाम अड़चनों के बावजूद

प्रधानमंत्री मनमोहन सिंह उसकी पैरवी में आज भी डटे हुए हैं। मार्च 2008 में संसद में दिए गए बयान में उन्होंने भारतीय जनता पार्टी के वरिष्ठ नेता अटल बिहारी वाजपेयी को भीष्म पितामह की संज्ञा देते हुए उनसे नाभिकीय करार को सफलता के अंजाम तक पहुँचाने के लिए मदद करने की अपील की। यूपीए की अध्यक्षा सोनिया गांधी ने हरियाणा के जींद की एक रैली में तो यहाँ तक कह दिया, "जो नाभिकीय करार के विरोधी हैं वे विकास के विरोधी हैं।" उधर इस करार के प्रमुख वार्ताकार और अमेरिका में भारत के राजदूत रोनेन सेन ने न सिर्फ एक अतिशयोक्ति पूर्ण आकलन किया बल्कि एक ऐसी तीखी टिप्पणी कर दी जिसकी गूंज भारत की संसद तक रही। रोनेन सेन ने कहा, "भारत के प्रति इतना दोस्ताना रवैया रखने वाला जॉर्ज डब्ल्यू बुश जैसा राष्ट्रपति न आज तक आया है और न ही भविष्य में आएगा।" लेकिन वे यहीं नहीं रुके बल्कि उन्होंने रेडिफमेल के एक पत्रकार को दिए इंटरव्यू में उन लोगों को 'हेड लेस चिकन' (सिर कटे मुर्गे) कह डाला जो इस समझौते का विरोध कर रहे हैं। इस मामले पर काफी विवाद हुआ और रोनेन सेन पर संसदीय विशेषाधिकार का मामला चला। इस मामले में उन्होंने भारतीय संसद में अपनी सफाई दी कि उनका इरादा सांसदों को लांछित करने का नहीं था। बल्कि उन्होंने यह बात पत्रकारों को लक्ष्य करके कही थी। इस सफाई के बाद जाकर मामला खत्म हुआ।

दूसरी तरफ इस करार को करने के लिए अमेरिकी उत्सुकता भी देखने लायक है। मार्च में भारत आए अमेरिकी विदेश उपमंत्री वाउचर ने यहाँ तक घोषणा कर दी कि अमेरिका भारत की अल्पसंख्यक सरकार से भी करार कर सकता है। मार्च के महीने में भारत आए अमेरिकी नीति के विशेषज्ञ और पूर्व विदेश मंत्री स्ट्रोब टालबाट ने भी चेतावनी दे दी कि हो सके तो यह करार जल्दी पूरा कर लो वरना अमेरिका में नए प्रशासन के आने के साथ माहौल बदल जाएगा।

'इंडियन एक्सप्रेस' के संपादक शेखर गुप्ता ने टालबाट से पूछा कि सीनेटर जोय बिडेन की यह बात सही है क्या कि अगर अमेरिका में डेमोक्रेटिक पार्टी का शासन आया तो इस करार पर फिर से वार्ता होगी। टालबाट का कहना था, "मुझे ऐसा होने में संदेह है। लेकिन अगर बराक ओबामा, जान मैकेन या हिलेरी क्लिंटन में से कोई भी सत्ता में आता है और राष्ट्रपति बनता है तो इनमें से हर राष्ट्रपति नाभिकीय मुद्दे पर नए नजरिए से काम करेगा, हो सकता है उनका वह नजरिया सीटीबीटी (व्यापक परमाणु परीक्षण प्रतिबंध संधि) में आकार ले।" उन्होंने यह भी कहा कि अगर डेमोक्रेट सत्ता में आए तो सीटीबीटी और एफएमसीटी जैसी दो संधियों पर जोर हो सकता है। "ऐसा मेरा अनुमान है। अगर ऐसा हुआ तो इससे अपने आप परमाणु करार को देखने का संदर्भ बदल जाएगा। इसका मतलब यह नहीं है कि इस पर दोबारा वार्ता होगी। कुल मिलाकर इसका मतलब यह है कि भारत यानी प्रधानमंत्री मनमोहन सिंह इसे जल्दी से जल्दी पूरा कर लेना चाहते हैं ताकि उसका

कार्यान्वयन शुरू हो सके। क्योंकि अगर भारत उसे कर लेता है तो अमेरिका की नई सरकार उसे एक नियति (संपन्न कार्य) मानकर चलेगी और अधर में लटकी हुई चीज नहीं मानेगी।'' अमेरिका कितना उत्सुक है और इधर के उत्सुक भारतीयों की पीठ किस तरह से थपथपायी जा रही है यह भी टालबाट के बयानों में दिखाई पड़ता है। अमेरिकी सीनेटरों ने क्या समझ कर उस करार के पक्ष में मतदान किया। जिससे सैद्धांतिक तौर पर वे सहमत नहीं हैं। यह पूछे जाने पर टालबाट का जवाब रोचक था, ''उन्हें पहली बार यह लगता है कि यह ऐसा करार है जिस पर भारतीय पक्ष ने काफी होशियारी से बातचीत की है। अमेरिका की तरफ से कुछ कमियाँ रही हैं और हमने उसके बारे में पहले बात भी की है। एक तरफ भारत को विशेष रियायत दी जानी है तो दूसरी तरफ उसके लिए अपवाद की व्यवस्था करते हुए अंतर्राष्ट्रीय अप्रसार व्यवस्था को जिंदा भी रखना है। इस बीच दुनिया के और भी देश हैं जो इस रियायत की मांग करेंगे। लेकिन वे नाभिकीय हथियारों के विश्वसनीय अभिभावक नहीं हो सकते। करार का अमेरिकी पक्ष अपना काम कर चुका है। मुझे यह देख कर चैन मिला कि अमेरिका की तरफ से कोई दिक्कत नहीं हुई क्योंकि अब मैं संबंधों के अगले चरण के बारे में सोचता हूँ। पर जब मैं भारतीय पक्ष की चुनौतियों को देखता हूँ तो हैरान हो जाता हूँ।'' टालबाट के इन बयानों में भारत के लिए प्रोत्साहन भी है और चेतावनी भी है। यह काम भारतीय मीडिया तमाम नीति, समर और तकनीकी विशेषज्ञों के माध्यम से पिछले तीन साल से कर रहा है। टालबाट से भारतीय मीडिया द्वारा की गई वार्ता भी उस मीडिया अभियान का एक हिस्सा है।

वैज्ञानिकों और रणनीति विशेषज्ञों के तर्क

भाभा परमाणु रिएक्टर केंद्र (बीएआरसी) के पूर्व प्रमुख और भारत के प्यूटोनियम पुरुष कहे जाने वाले वैज्ञानिक ए.एन. प्रसाद का कहना है कि 2020 तक भारत की नाभिकीय ऊर्जा उत्पादन की क्षमता 20000 मेगावाट हो जाने का दावा सही नहीं है। उनका कहना है कि अभी देश में चल रहे 15 रिएक्टर 3300 मेगावाट बिजली उत्पादन कर रहे हैं। 1400 मेगावाट अतिरिक्त उत्पादन के लिए न रिएक्टर अभी बन रहे हैं। इनके अलावा तमिलनाडु के कुडुनकुलम में दो ऐसे रिएक्टर बन रहे हैं जिनकी उत्पादन क्षमता 2000 मेगावाट की होगी। इनके अलावा चेन्नई में 500 मेगावाट का फास्ट ब्रीडर रिएक्टर निर्माणाधीन है। इन सब के तैयार हो जाने के बाद कुल बिजली उत्पादन 7000 मेगावाट का हो जाएगा। प्रसाद का कहना है कि अगर 2020 तक 20000 मेगावाट बिजली उत्पादन करना है तो 13000 मेगावाट के अतिरिक्त उत्पादन का इंतजाम करना होगा। ऐसा तभी हो सकता है जब अगले 12 सालों में हम चार फास्ट ब्रीडर रिएक्टर, आठ रिएक्टर 700 मेगावाट के और

आयातित रिएक्टरों से 6000 मेगावाट बिजली उत्पादित करें। अगले 12 सालों में इतने बड़े आधारभूत ढांचे का इंतजाम हम नहीं कर सकते। आयातित रिएक्टरों को चलाने की विशेषता सीखने में भी संयम लगेगा। प्रसाद का कहना है, "2020 तक 20000 मेगावाट नाभिकीय ऊर्जा उत्पादित करने का दावा कुछ वैसे ही लगता है जैसे 'गरीबी हटाओ' का राजनीतिक नारा दिया गया था।"

उधर रणनीतिक मामलों के विशेषज्ञ ब्रह्म चेलानी का कहना है कि इस बात के कोई सबूत नहीं हैं कि दुनिया में नाभिकीय पुनर्जागरण चल रहा है। 1990 के मध्य से दुनिया में एटमी ऊर्जा की हिस्सेदारी 16 फीसदी पर अटकी हुई है। इस समय दुनिया में 429 रिएक्टर चल रहे हैं जो 370 गीगावाट बिजली उत्पादित कर रहे हैं जो 24 नए रिएक्टर बन रहे हैं उनमें पश्चिम में सिर्फ चार हैं। नाभिकीय ऊर्जा को पर्यावरण के अनुकूल बताने का दावा भी सही नहीं है क्योंकि अगर एटमी बिजली बनाने का काम साफ-सुथरा है तो नाभिकीय ईंधन की साइकिलिंग से कार्बन और ग्रीस हाउस के गैसों का उत्सर्जन होता है। इसके अलावा नाभिकीय ऊर्जा के उत्पादन में बड़े पैमाने पर पूंजी लगती है। यही वजह है अमेरिका में 1970 के बाद अब तक एक भी नाभिकीय रिएक्टर नहीं बना। शिकागो और मिशीगन विश्वविद्यालयों के एक अध्ययन के मुताबिक 1 किलोवाट ऊर्जा के उत्पादन में 6.2 से 6.7 सेंट का खर्च आता है। जबकि दूसरे किस्म की ऊर्जा का खर्च 3.3 से 5.6 सेंट तक आता है। इसके अलावा यूरेनियम की बढ़ती कीमत भी इसके महंगा पड़ने का एक कारण है। और फिर दुनिया का यूरेनियम अगले 85 सालों में खत्म भी हो जाएगा।

प्रकाश करात की भूमिका--मार्क्सवादी कम्युनिस्ट पार्टी के महासचिव प्रकाश करात भारत-अमेरिका एटमी करार के विरोध के प्रतीक बन गए हैं। 22-23 अगस्त 2007 को मार्क्सवादी कम्युनिस्ट पार्टी की केंद्रीय समिति के प्रस्ताव के बाद उन्होंने जिस तरह संप्रग सरकार पर दबाव बना कर रखा उससे इस विषय पर राजनीतिक चेतना जगी। करार समर्थकों ने उन्हें अव्यावहारिक, कट्टर, स्तालिनवादी और चीनी एजेंट वगैरह तक कह डाला। किसी ने उन्हें अमेरिकी विरोधी पूर्वाग्रह से ग्रसित विघ्न संतोषी व्यक्ति बताया तो किसी ने कहा कि एक ऐसा व्यक्ति इस सरकार को गिराने की कोशिश कर रहा है जो कभी लोकसभा में भी नहीं गया। **इसके बावजूद उनकी वैचारिक गहराई, राजनीतिक शक्ति और साफ-सुथरी छवि के नाते उनकी नीयत पर उनके प्रतिद्वंद्वी, भी उँगली नहीं उठा पा रहे हैं।** उनके बारे में कांग्रेस के प्रवक्ता अभिषेक मनु सिंघवी का कहना है, "हम लोग अक्सर एक मंच पर आए हैं। वे सुसंस्कृत हैं, भद्र पुरुष हैं और नरम हैं। राजनीति में उनके जैसे अकादमिक उपलब्धियों वाले लोग कम हैं।"

राजनीतिक विश्वसनीयता के चलते धुर राजनीतिक प्रतिद्वंद्वी भी उनकी निंदा नहीं कर पाते। भाजपा के सिद्धांतकार सुधींद्र कुलकर्णी का कहना है, "माकपा को

लेकर मेरी अपनी आपत्तियाँ हैं लेकिन कामरेड करात की देशभक्ति पर कोई सवाल नहीं उठा सकता। ऐसा कहना बकवास है कि वे चीन के कहने पर नाभिकीय करार का विरोध कर रहे हैं।''

इसलिए उनके उन तर्कों पर गौर करना जरूरी है जिनके आधार पर वे इस करार का विरोध कर रहे हैं। **वे सवाल करते हैं कि क्या यह सिर्फ नाभिकीय सहयोग का करार है या किसी व्यापक समझौते का हिस्सा है? अगर ऐसा है तो क्या इससे हमारी स्वतंत्र विदेश नीति की सुरक्षा हो पाएगी और यह किस प्रकार हमारी संप्रभुता पर असर डालेगा? यहाँ यह भी सवाल उठता है कि क्या भारत 'अंतर्राष्ट्रीय लोकतांत्रिक कंपनी' का भागीदार बनने जा रहा है। क्योंकि शासन परिवर्तन और लोकतंत्र के वृक्षारोपण के इराक में भयानक परिणाम निकले हैं।**

नाभिकीय करार यूपीए सरकार द्वारा अमेरिका के साथ किए जा रहे व्यापक सहयोग का हिस्सा है। यह बात भारत के प्रधानमंत्री ने अमेरिकी राष्ट्रपति के साथ जुलाई 2005 में वाशिंगटन में जारी एक बयान में कही। जुलाई 2005 के साझा बयान के पहले भारत ने अमेरिका के साथ दस साल का रक्षा समझौता किया। जाहिर है इस समझौते के बिना अमेरिकी नाभिकीय करार न करते। 'हमारी विदेश नीति किसी के दबाव में नहीं आएगी' यह कथन बार-बार दोहराने का अब कोई मतलब नहीं रह गया है। क्योंकि सरकार ने आईएईए यानी अंतर्राष्ट्रीय परमाणु ऊर्जा एजेंसी) में ईरान के खिलाफ दो बार मतदान कर अपनी नीयत साफ कर दी है।

प्रकाश करात का कहना है कि वाममोर्चा ने रक्षा करार का विरोध किया और पश्चिम बंगाल के **कलाई कुंडा** हवाई अड्डे पर भारत अमेरिका के संयुक्त युद्धाभ्यास का विरोध किया। सन् 2005 से 2007 के बीच दोनों देशों के सशस्त्र बलों के संयुक्त युद्धाभ्यास में तीव्र बढ़ोतरी हुई है। यह प्रक्रिया आगे बढ़कर सितंबर 2007 में बंगाल की खाड़ी में **आपरेशन मालाबार** के नाम से नौसैनिक अभ्यास के रूप में सामने आई। इसमें भारत के साथ अमेरिका जापान और आस्ट्रेलिया ने हिस्सा लिया। अमेरिका भारत पर सिर्फ इस बात के लिए ही दबाव नहीं बना रहा है कि वह उसका रणनीतिक भागीदार बने बल्कि वह चाहता है कि भारत उससे लड़ाकू विमान, नौसैनिक बेड़े, राडार और तोपखानों की खरीददारी करे। भारत ने अमेरिका के समक्ष लड़ाकू विमान खरीदने के लिए दुनिया के अब तक के सबसे बड़े सौदे का प्रस्ताव रख दिया है। हो सकता है कि लोकसभा चुनाव से पहले वह सौदा मंजूर भी हो जाए। इस बीच भारत ने अमेरिका से 250 करोड़ रुपए का 'जलाश्व' नाम का एक नौसैनिक पोत खरीदा है जो 36 साल पुराना है। इस पर भी अमेरिका ने शर्त यह लगाई है कि भारत अपने बेड़े में शामिल इस दूसरे सबसे बड़े युद्धपोत का युद्ध में प्रयोग नहीं करेगा। यह बातें नियंत्रक और लेखा महापरीक्षक (सीएजी) ने अपनी रिपोर्ट में उठाई हैं। इस युद्धपोत के साथ यह भी शर्तें हैं कि अमेरिका जब

चाहे तब इस युद्धपोत पर अपने विमान उतार सकता है। यह सौदा अपने में वित्तीय रूप से कितना अनियमित है रपट में इसकी चर्चा तो है ही पर इससे भी महत्त्वपूर्ण बात संप्रभुता की भी है। भारतीय नौसेना की परिभाषा के अनुसार कोई भी युद्धपोत 'समुद्र में तैरता हुआ संप्रभु भूभाग' है। लेकिन इस युद्धपोत के सौदे में अमेरिका ने भारत की संप्रभुता में कटौती की है और भारत ने इसे स्वीकार किया है। यह युद्धपोत अमेरिकी नौसेना में सन् 1971 में शामिल किया गया था। उस समय इसका नाम यूएसएस ट्रेंटन था। अमेरिका ने इसे भारत को बेचने का प्रस्ताव 2004 में सुनामी आने के बाद राहत कामों के लिए किया था। पेंटागन ने ही यह शर्त रखी थी कि भारत इसका युद्ध में इस्तेमाल नहीं करेगा। यह युद्धपोत सितंबर 2007 में भारतीय नौसेना में शामिल किया गया और अभी पूर्वी नौसेना कमान के मुख्यालय विशाखापटनम में स्थित है। सीएजी की आपत्तियों में यह भी है कि इतने पुराने युद्धपोत का भारत क्या इस्तेमाल करेगा। जबकि इसे सितंबर 2006 में ही अमेरिकी नौसेना से हटा दिया जाना था। लेकिन भारत को युद्धपोत यह कहकर बेचा गया है कि वह उसके लिए 12 से 15 साल तक उपयोगी होगा।

उधर माकपा महासचिव प्रकाश करात का कहना है कि 123 परमाणु समझौते के संदर्भ में माकपा और अन्य वामपंथी दलों की आपत्तियों के मद्देनजर प्रधानमंत्री मनमोहन सिंह ने 17 अगस्त 2006 को संसद में कुछ स्पष्ट आश्वासन दिए थे। उनका कहना था कि इन चिंताओं को दूर किया जाएगा। लेकिन अमेरिकी कांग्रेस में भारत को छूट देने वाले कानून के पास होने के बाद चिंताएँ बढ़ गई हैं। **हाइड एक्ट** नाम के इस कानून के पास होने के साथ प्रधानमंत्री मनमोहन सिंह के सारे आश्वासन बेकार हो गए। यह कानून प्रौद्योगिकी हस्तांतरण पर प्रतिबंध लगाता है और दोहरे प्रयोग की प्रौद्योगिकी तक पहुँचने से रोकता है। यानी भारत नाभिकीय ईंधन के संपूर्ण चक्र का हकदार नहीं हो सकता। विद्युत उत्पादन के बाद भारत को एटमी ईंधन के बचे हुए कचरे को वापस करना होगा। इस बारे में अमेरिकी राष्ट्रपति हर साल कांग्रेस को यह रिपोर्ट देगा कि भारत हाइड एक्ट का पालन कर रहा है या नहीं। हाइड एक्ट यह भी कहता है कि अगर भारत के पालन न करने के कारण अमेरिका दो-तरफा समझौता रद्द कर देता है तो अमेरिका अन्य देशों पर भी यह दबाव डालेगा कि वे भारत को एटमी ईंधन और प्रौद्योगिकी की सप्लाई बंद कर दें।

इस वक्त सारे बहस के केंद्र में हाइड एक्ट है और सरकार लगातार यह सफाई दे रही है कि यह कानून भारत पर नहीं अमेरिका पर लागू होगा। जबकि हकीकत यह है कि यह अमेरिकी प्रशासन के माध्यम से भारत पर लागू ही होगा। इस कानून में भारत की विदेश नीति और सुरक्षा संबंधी अन्य मामलों के बारे में कई निर्देश हैं और ईरान के मामले पर अमेरिकी नीति का समर्थन करने के लिए नौ जगह जिक्र किया गया है। हाइड एक्ट के प्रति इसी समझदारी के चलते माकपा महासचिव

प्रकाश करात और भाकपा के महासचिव ए.बी. बर्धन ने लगातार सरकार पर दबाव बनाए रखा। फरवरी 2008 में जिनेवा में अंतर्राष्ट्रीय परमाणु ऊर्जा एजेंसी से वार्ता पूरी करने के बाद सरकार जैसे ही कदम बढ़ाने जा रही थी करात ने **'निर्णायक मोड़'** शीर्षक से पीपुल्स डेमोक्रेसी में लेख लिखकर चेतावनी दे डाली। शायद उसी का परिणाम था कि मार्च 2008 में सरकार को वास्तविक स्थिति का अहसास हो गया और उसने कदम पीछे खींचने शुरू कर दिए और यह संकेत अमेरिका तक को दे दिया। लेकिन बताते हैं कि माकपा के पालित ब्यूरो में इस मामले पर करात को ज्यादा समर्थन नहीं है। उन्हें जो कुछ समर्थन है वह केंद्रीय समिति से है। फिर भी वे डटे रहे यह बड़ी बात है।

माकपा के मुखपत्र **'पीपुल्स डेमोक्रेसी'** ने इस करार को भारत के लंबे स्वाधीनता संघर्ष और उसके बाद प्राप्त की गई संप्रभुता से जोड़कर देखा...

अपनी स्वाधीनता के 60 वें वर्ष, 1857 की डेढ़ सौवीं जयंती और भारत पर औपनिवेशिक शासन का आरंभ करने वाली प्लासी की लड़ाई के 250 वें वर्ष में हम कठिनाई से प्राप्त की गई अपनी संप्रभुता और स्वाधीनता का कोई क्षरण नहीं होने देंगे। इसके विपरीत हम इसे मजबूत करेंगे। (पीपुल्स डेमोक्रेसी, 26 अगस्त 2007)

माकपा के इस अभियान का असर न सिर्फ सरकार पर दिखा बल्कि मूल रूप से अमेरिका समर्थक और दक्षिणपंथी पार्टी भाजपा पर भी दिखा। इस माहौल को देखते हुए भारत को अमेरिका के करीब लाने की ऐतिहासिक भूमिका निभाने वाले जसवंत सिंह को भी कहना पड़ा–

''यह समझौता भारत की सुरक्षा, भारत की निर्णय प्रक्रिया की स्वायत्तता, हमारे नाभिकीय कार्यक्रम की स्वायत्तता और स्वाधीनता, न्यूनतम विश्वसनीय प्रतिरोधक का सिद्धांत और नाभिकीय क्षेत्र में हमारे वैज्ञानिक व प्रौद्योगिकी शोध के भविष्य के साथ समझौता करता है। (14 फरवरी, 2006)

भारतीय जनता पार्टी के नेताओं में यशवंत सिन्हा और अरुण शौरी ने भी हाइड एक्ट के विरोध में मोर्चा संभाला। विरोध के माहौल को देखते हुए पार्टी के शीर्ष नेता **लालकृष्ण आडवाणी** को भी कहना पड़ा कि–

''इस समझौते ने हाइड एक्ट को स्वीकार कर भारत की संप्रभुता को नुकसान पहुँचाया है। विशेष कर हमारी विदेश नीति का संचालन इससे प्रभावित हुआ है। जब यह लागू होगा तो हमारा नाभिकीय शस्त्र कार्यक्रम गंभीर रूप से क्षतिग्रस्त होगा और इस प्रकार हमारे रणनीतिक उद्देश्यों को बिगाड़ देता।'' (आडवाणी, 30 अगस्त, 2007)

हालांकि भारतीय जनता पार्टी के नेताओं ने खाने और दिखाने के अलग-अलग दांत रख रखे हैं जो इस करार पर होने वाली राजनीति के दौरान भी दिखे। शुरू में करार पर माकपा के सख्त विरोध को देखते हुए भाजपा ने भी कड़ा रुख अपनाया। पर बाद में जब यह बातें जाहिर हुईं कि इस तरह का करार तो एनडीए सरकार करना

चाहती थी पर तब बिल क्लिंटन अमेरिकी राष्ट्रपति थे इसलिए नहीं हो सका। इसी तरह जब भाजपा पर अमेरिका और इजराइल का दबाव बढ़ा तो उन्होंने कहना शुरू कर दिया कि हमारा विरोध उस तरह से बिल्कुल नहीं है जिस तरह कम्युनिस्ट पार्टियों का। न तो हम उस तरह अमेरिका के विरोधी हैं और न ही नाभिकीय ऊर्जा के। भाजपा का विरोध इसलिए है कि उससे भारत का परमाणु शस्त्र कार्यक्रम प्रभावित हो रहा है।

लेकिन भारतीय जनता पार्टी ने इस मामले पर अपनी शक्ति के अनुरूप न तो कोई राजनीतिक आंदोलन चलाया और न ही जनजागरण कार्यक्रम। बल्कि इस दौरान उसने सेतु समुद्रम परियोजना पर आंदोलन छेड़ दिया और अदालत में दाखिल भारतीय पुरातात्विक सर्वेक्षण के हलफनामे पर बवाल मचा दिया। इतना ही नहीं इस पर उत्तर दक्षिण के बीच टकराव उत्पन्न करते हुए अखिल भारतीय बंद का भी आयोजन किया।

उधर समझौते को संपन्न कराने में प्राण-प्रण से लगी मनमोहन सरकार ने संप्रभुता के सवाल को दरकिनार करते हुए विकास के लिए संसाधन जुटाने पर जोर दिया। **प्रधानमंत्री मनमोहन सिंह** का कहना था कि—

यह करार व्यापक अंतर्राष्ट्रीय रणनीति पर आधारित है। इसका उद्देश्य ज्यादा न्यायिक अंतर्राष्ट्रीय व्यवस्था कायम करना है। एक ऐसा संसार बनाना है जो बहु-ध्रुवीयता की तरफ बढ़े और उसी के साथ उन अवसरों का लाभ उठाए जो मौजूदा व्यवस्था में मौजूद हैं ताकि हम सामाजिक और आर्थिक परिवर्तन की अपनी गति को तेज कर सकें। (मनमोहन सिंह, 4 अगस्त 2005)

समझौते पर दस्तखत करने से पहले मनमोहन सिंह ने स्वतंत्रता को बढ़ाने की जरूरत पर जोर दिया और कहा कि अंतर्राष्ट्रीय स्थिति में हो रहे परिवर्तन को देखते हुए मुख्य मूल्यों को बरकरार रख कर नए राष्ट्रीय उद्देश्यों को प्राप्त करने का प्रयास करना चाहिए। (मनमोहन सिंह, 15 फरवरी 2006)

यह बात उसी कांग्रेस पार्टी की सरकार कह रही थी जिसने इस देश की स्वाधीनता को प्राप्त करने के लिए लंबा संघर्ष चलाया और गुटनिरपेक्षता के सिद्धांत का प्रतिपादन कर दुनिया के बड़े हिस्से को शीतयुद्ध से बाहर रखा। पता नहीं एक ध्रुवीय विश्व के प्रशासक अमेरिका की हर रणनीति का हिस्सा बन कर बहु ध्रुवीय विश्व का सपना कैसे पूरा किया जाएगा। इसकी व्याख्या कोई कांग्रेसी बौद्धिक नहीं कर पा रहा है।

लेकिन उससे भी ज्यादा चिंता की बात यह है कि भारतीय राजनीति के प्रमुख स्तंभ बन चुके क्षेत्रीय दलों में इस समझौते (नाभिकीय) को लेकर कोई चिंता नहीं दिखी। कभी द्रमुक की तरफ से और लालू प्रसाद की पार्टी राष्ट्रीय जनता दल की तरफ से कुछ आलोचनात्मक बयान आए पर संसद में चर्चा के दौरान दिए गए

कुछ भाषणों के अलावा बड़े पैमाने पर बौद्धिक और राजनीतिक सन्नाटा रहा। यूपीए के घटक दलों की चिंता भी देश की बजाय अपने सरकार के भविष्य को लेकर ज्यादा थी। क्योंकि अगर इस मामले पर सरकार गिर गई तो उनका सत्ता सुख चला जाएगा। यह स्थिति ज्यादा चिंताजनक है। क्योंकि भारतीय राजनीति में बड़े और राष्ट्रीय दलों की ताकत घटने का सिलसिला रुका नहीं है और क्षेत्रीय या छोटे दल अपनी ताकत बढ़ाते ही जा रहे हैं। ऐसे में एक संप्रभु राष्ट्र के रूप में भारत का क्या भविष्य होगा। कहा नहीं जा सकता? **जाति, क्षेत्र और परिवार के हितों को सर्वोपरि रखते हुए यह दल जब बिना किसी राष्ट्रीय दल की मदद से राष्ट्र की बागडोर अपने हाथ में लेंगे तो क्या होगा?**

इसी संदर्भ में 'द हिंदू' मीडिया संस्थान के एन रवि और कुछ अन्य राजनेताओं का **संविधान संशोधन का प्रस्ताव** बेहद प्रासंगिक है। अमेरिका के विपरीत भारतीय संसद के पास यह अधिकार नहीं है कि अंतर्राष्ट्रीय संधियों की संपुष्टि वह करे, तभी वह लागू हो सके। हमारे संविधान निर्माताओं ने शायद यह सोचा नहीं होगा कि इतने लंबे स्वाधीनता संग्राम के बाद देश में ऐसी सरकारें बनेंगी जो संप्रभुता के प्रमुख सिद्धांत और मूल्य के साथ समझौता करेंगी। इसलिए उन्होंने अंतर्राष्ट्रीय संधि का अधिकार पूरी तरह से केंद्र सरकार को ही दे रखा है। आज भूमंडलीकरण के दौर में अंतर्राष्ट्रीय संबंधों में नए-नए परिवर्तन हो रहे हैं। उन्हें नई-नई हवाओं और लहरों के रूप में देखा जाना चाहिए। वे किसी को किस तट फेंकेंगी और किसे किस चट्टान पर पटकेंगी कहा नहीं जा सकता। इसलिए जरूरी है कि हमारे लोकतंत्र के प्रकाश स्तंभ और लंगर ठीक रहें ताकि हम बह-भटक कर कहीं और न चले जाएँ। इसके लिए यह जरूरी है कि हम अपनी संसद को और शक्तिशाली बनाएँ और संविधान में संशोधन कर अंतर्राष्ट्रीय संधियों का अनुमोदन उसके द्वारा किए जाने को अनिवार्य बनाएँ।

इसी के साथ हमें यह भी याद रखना होगा कि संप्रभुता विकास के मार्ग और ऊर्जा की उपलब्धता पर टिका हुआ सिद्धांत है। इन दोनों कारकों का निर्धारण सिर्फ विज्ञान और प्रौद्योगिकी के माध्यम से नहीं हो सकता। उसके लिए आम जनता और उसके राजनेताओं के भीतर समझ बनानी होगी। इसलिए इटली के वैज्ञानिक डॉ. एन अरमारोली और प्रोफेसर डॉ. वी. बालजानी अपने एक लंबे लेख में कई महत्त्वपूर्ण बातें कहते हैं। उनका कहना है कि–

"इस समय उपलब्ध प्रौद्योगिकी (विखंडन) के माध्यम से जो नाभिकीय ऊर्जा प्राप्त की जाती है वह न तो साफ-सुथरी है और न ही कभी न समाप्त होने वाली हैं। यह बेहद शांध्र (केंद्रित) ऊर्जा है जिसे कठोर तकनीकी, राजनीतिक और सैन्य नियंत्रण के तहत पैदा किया जाता है। क्योंकि इसमें बड़ी पूंजी लगती है, विनाशकारी दुर्घटनाएँ होती हैं, नाभिकीय सामग्री का दुरुपयोग होता है, कचरे का निपटारा कठिन

होता है, नाभिकीय हथियारों का प्रसार होता है। इसलिए नाभिकीय ऊर्जा का विकास ऊर्जा के अधिक प्रयोग को प्रोत्साहित करेगा, अमीर और गरीब देशों में खाई बढ़ाएगा और ज्यादा अस्थिर विश्व का निर्माण करेगा।"

इसलिए वे सुझाव देते हैं कि—

"सौर ऊर्जा की मात्रा पर्याप्त है और कभी न समाप्त होने वाली है। इसका पूरे विश्व में दोस्ताना और सरल प्रौद्योगिकी द्वारा दोहन किया जा सकता है। चूंकि यह ऊर्जा तनु है यानी ज्यादा संकेंद्रित नहीं है इसलिए इसे इस्तेमाल करने में बड़े हादसों, व दुरुपयोग का खतरा नहीं है न ही सैन्य नियंत्रण की आवश्यकता पड़ेगी।"
पर अरमारोली और बलजानी सवाल करते हैं कि—

"क्या सिर्फ विज्ञान और प्रौद्योगिकी के माध्यम से हम वहाँ पहुँच सकते हैं जहाँ अगले दशकों में हमें होना चाहिए? नहीं। अगर विज्ञान और प्रौद्योगिकी के माध्यम से हम सौर ऊर्जा का पूरी तरह से दोहन कर लें तो भी हमें मानना होगा कि, सौर ऊर्जा के अलावा, पृथ्वी एक बंद प्रणाली है। हम प्राकृतिक पूंजी का पहले से ही उतना दोहन कर रहे है जहाँ से वह पुनर्जीवित नहीं हो सकती। इसलिए आज जरूरत पृथ्वी पर दबाव कम करने और संसाधनों को रिसाइकिल करने की है, विशेषकर बढ़ती आबादी के मद्देनजर। हमें यह समझ लेना चाहिए कि हम जिस पृथ्वी पर रहते हैं वह कोई खुली जगह नहीं है। बल्कि हम से जुड़ी एक बंद प्रणाली है और उसी के भविष्य पर हमारा भविष्य निर्भर है।"

इसलिए उनका सुझाव है कि—

यह वैज्ञानिकों का नैतिक कर्तव्य है कि आम जनता को ऊर्जा समस्या की जटिलता और तात्कालिता की पूरी जानकारी दें।

वे इससे आगे बढ़कर सुझाव देते हैं कि—

"सभी राष्ट्रों के राजनेता ऊर्जा को अपने कार्यक्रम में सबसे ऊपर रखें। जीवाश्म के ईंधन से आगे का रास्ता एक अंतर्राष्ट्रीय समस्या है। इसमें तरह-तरह की चुनौतियाँ आ रही हैं। इसे हल करने में समय बहुत लगेगा इसलिए ज्यादा देर करने से भावी पीढ़ी के प्रति हमारी जिम्मेदारी बढ़ जाएगी।"

भारत और अमेरिका के बीच हो रहे इस नाभिकीय समझौते का एक भूराजनीतिक आयाम है और दूसरा है ऊर्जा की तात्कालिक और भावी आवश्यकता। का। इन दोनों के बीच इसका एक व्यावसायिक व तकनीकी पक्ष है और दूसरा रणनीतिक। भूराजनीतिक आयाम का एक हिस्सा राष्ट्रीय है दूसरा क्षेत्रीय और तीसरा अंतर्राष्ट्रीय। भारत का शासक वर्ग इसे राष्ट्रीय नजरिए से लाभकारी और उपयुक्त बता रहा है। अमेरिका के दबदबे वाली परमाणु शासन प्रणाली में अपनी जगह बनाने के लिए उसने जितने भी तर्क दिए हैं वह सारे भारत की तरक्की और अमेरिका से निकटता के चलते पूरी होने वाली लालच से जुड़े हैं। एक तरफ से अमेरिका के

परमाणु क्लब में चोर दरवाजे से प्रवेश करने के ढेर सारे बहाने दिए गए हैं। लेकिन इस दौरान भारत ने उन सारे वैश्विक मूल्यों को त्याग दिया है जो वह अपनी आजादी के बाद से दिया करता था। उसे न तो निरस्त्रीकरण की परवाह है न ही मध्य पूर्व से अपने संबंधों की और न ही वहाँ की स्थिरता की कोई परवाह है। यानी सुपरपावर बनने का दावा करने वाले देश भारत ने सारी वैश्विक चिंताओं को अमेरिका के हवाले कर दिया है। दूसरी तरफ अमेरिका ने नाभिकीय अप्रसार को ध्यान में रखकर यह करार तैयार किया है जिसमें वह अपनी मर्जी से अप्रसार की व्याख्या करता हुआ और उसी के मुताबिक विशेष रियायत देता हुआ दिखाई पड़ रहा है। इन दोनों देशों की सरकारों की नीतियों की हकीकत यह है कि न तो भारत सरकार सही मायने में राष्ट्रीय हितों को साधती हुई दिख रही है और न ही अमेरिका विश्व व्यवस्था और अंतर्राष्ट्रीय कानूनों को कायम करता दिख रहा है। नाम चामस्की कहते हैं कि अमेरिका सहित सारे नाभिकीय हथियार संपन्न देश विश्व के अपराधी हैं और यह करार अंतर्राष्ट्रीय कानूनों का मखौल उड़ाता है। एक तरफ वह नाभिकीय अप्रसार संधि के हस्ताक्षरी देश ईरान पर कार्रवाई कर रहा है तो दूसरी तरफ भारत (इजराइल व पाकिस्तान) जैसे देश जो एनपीटी को मानने को तैयार नहीं हैं उन्हें छूट दे रहा है। दूसरी तरफ भारत-अमेरिका नाभिकीय करार का विरोध करने वाले माकपा (व अन्य वामपंथी दल) और भाजपा जैसे दल भारत की संप्रभुता की ज्यादा बातें कर रहे हैं और अंतर्राष्ट्रीय कानून व निरस्त्रीकरण की बातें बहुत कम कर रहे हैं। इसमें माकपा का जोर अगर भारत की स्वतंत्र विदेश नीति (उसके साथ अमेरिकी साम्राज्यवाद) पर है तो भाजपा का जोर भारत के परमाणु शस्त्र कार्यक्रम पर है। माकपा इस करार की तात्कालिक आवश्यकता के तौर पर ईरान को दरकिनार किया जाना और अमेरिका की साम्राज्यवादी योजना को दीर्घकालिक आवश्यकता समझती है। दूसरी तरफ भाजपा को न तो ईरान विरोध से आपत्ति है न ही अमेरिका (व उसके इजराइल जैसे सहयोगी) के करीब जाने पर बल्कि वह तो स्वयं अपनी सरकार के दौरान यह काम करती रही है। उसे एक अपराध बोध है कि उसने अपने शासन काल में परमाणु परीक्षण कर भारत को 'नाभिकीय रंगभेद' का शिकार बनवा दिया। इसलिए वह किसी भी तरह से इसे खत्म होते देखना चाहती है। लेकिन साथ में संघ की वैचारिक प्रेरणा के चलते परमाणु परीक्षण का अधिकार भी रखना चाहती है। यहाँ आडवाणी का यह कहना ध्यान देने के लायक है कि वे अमेरिका से करार तो करना चाहते हैं पर बराबरी पर। उन्हें करार से नहीं हाइड एक्ट से आपत्ति है। एक हद तक माकपा भी अपनी मुख्य आपत्ति हाइड एक्ट पर केंद्रित किए हुए है। एक तरफ उसके सिद्धांतकार यह कहते रहते हैं कि नाभिकीय ऊर्जा बहुत महंगी है लेकिन दूसरी तरफ उसके मुख्यमंत्री व अन्य नेता नाभिकीय ऊर्जा प्रौद्योगिकी की आवश्यकता पर जोर देते रहते हैं।

तीसरा दृष्टिकोण उन लोगों का है जो नाभिकीय ऊर्जा को हर तरह से गैर जरूरी और अपर्याप्त मानते हैं। वे एटम बम के विरोधी हैं और निरस्त्रीकरण के समर्थक हैं। वे नाभिकीय ऊर्जा के विकल्प के तौर पर सौर ऊर्जा, जीवाश्म ऊर्जा और जल विद्युत ऊर्जा को देखते हैं। यह एक दीर्घकालिक उद्देश्य के तहत चलाया जाने वाला कार्यक्रम है। भारत के एटमी ऊर्जा कार्यक्रम और उसके एटमी हथियार कार्यक्रम के अपने तर्क और संस्थागत स्वार्थ हैं। उनकी उपेक्षा और उन्हें त्यागने का तर्क आसानी से स्वीकार्य नहीं होगा। पर न तो वे हमारी राष्ट्रीय संप्रभुता के आधार स्तंभ है और न ही परमाणु ऊर्जा भारत की भावी ऊर्जा की आवश्यकता को पूरा करने जा रही है। लेकिन दिक्कत यह हुई है कि अमेरिका की रणनीतिक जरूरतों को हमारी ऊर्जा आवश्यकता बता दिया गया है और एक कम संभावना वाली ऊर्जा को जनोपयोगी और व्यापक संभावना वाली बता दिया है। जरूरत इस फोकस को बदलने की है। मध्य पूर्व से हमें बेहतर रिश्ते अपने भूराजनैतिक जरूरतों के कारण तो रखने ही हैं। इसलिए भी रखने हैं कि उसके पास हमारी ऊर्जा जरूरत को पूरा करने की बड़ी क्षमता (तेल और प्राकृतिक गैस) है। हमने ईरान से आने वाली शांति की पाइप लाइन को छोड़कर जिस तरह अमेरिका से अशांति का करार करने की तत्परता दिखाई है उस प्राथमिकता को बदलने की जरूरत है। ऐसा इस परमाणु समझौते पर नए सिरे से वार्ता करने या उसे मर जाने के लिए छोड़ देने से संभव है। भारत की जनता और सरकारों को यह साहस दिखाना ही होगा।

क्या है विवाद का कारण

हस्ताक्षर होने के बाद हम अमेरिका तथा नाभिकीय आपूर्तिकर्त्ता ग्रुप की दया पर आश्रित हो जायेंगे।

–पी.के. आयंगर

जुलाई 2005 में जब यह सौदा तय हुआ था तब यह एक ऐतिहासिक घटना लग रही थी। तब दोनों तरफ किए गए समझौते स्वीकार्य लग रहे थे। ऐसा लग रहा था कि अमेरिका यह मानने को तैयार है कि भारत एक परमाणु शस्त्र सम्पन्न देश है, तथा वह नाभिकीय नीति, युद्धनीति कार्यक्रम या आणविक शस्त्रों के और आगे विकास में जिसमें नए आणविक शस्त्रों को बनाना, विकास करना तथा परीक्षण करना शामिल है, गतिरोध उत्पन्न नहीं करेगा। दूसरी बात कि भारत की अधिक परमाणु शक्ति की आवश्यकता को अमेरिका स्वीकार करता है, असैनिक परमाणु शक्ति में वाणिज्य के लिए इच्छुक है तथा नाभिकीय आपूर्तिकर्ता ग्रुप (एन.एस.जी) को भी ऐसा करने के लिए प्रोत्साहित करेगा केवल इस शर्त के अन्तर्गत कि ऐसे सभी रिएक्टर तथा उनका ईंधन भारत-विशिष्ट आईएईए सुरक्षा के अन्तर्गत रहेंगे। 1974 के पोखरन परीक्षण के बाद तारापुर के लिए ईंधन की मनाही हो जाने जैसी स्थिति से बचने के लिए मार्च 2006 में अमेरिका ने आश्वासन दिया था कि इन आयातित रिएक्टरों के पूरे कार्यकाल के लिए वे ईंधन आपूर्ति की गारण्टी देंगे, तथा यदि आवश्यकता हुई तो ईंधन का भण्डारण करने में मदद भी करेंगे।

अमेरिका इसके लिए भी तैयार था कि फास्ट ब्रीडर तथा थोरियम रिएक्टर के हमारे तीन-स्तरीय कार्यक्रम पर आधारित नाभिकीय ऊर्जा के लिए प्रयास बिना किसी व्यवधान के जारी रहेंगे। इसके साथ ही हमें अमेरिका के साथ उनके नई पीढ़ी के नाभिकीय रिएक्टर के शोध एवं विकास के प्रयासों में सहयोग करने का अवसर भी मिलेगा। प्रधानमंत्री ने संसद में इन वायदों को कई बार दोहराया तथा यह भी कहा गया कि हम लोग केवल इस बात के लिए प्रतिबद्ध होंगे कि हम अपने परमाणु परीक्षण पर स्वैच्छिक रोक को जारी रखेंगे तथा पार्थक्य योजना को बनाएँगे जिससे

युद्ध नीति के हमारे कार्यक्रम तथा शोध एवं विकास आईएईए के अन्तर्गत नहीं आएँगे। इस बात का दावा किया गया था कि यह पार्थक्य योजना पूरी तरह स्वैच्छिक होगी।

किंतु जब बाद में किए गए परिवर्तनों ने अमेरिका के वायदों को भारत के लिए अरुचिकर बना दिया तब भारतीय वार्ताकार प्रधानमंत्री के इन वायदों पर अडिग रहने में नाकाम रहे। ईंधन की आपूर्ति को परमाणु परीक्षण से जोड़ दिया गया तथा ईंधन की आपूर्ति के लिए कोई गारंटी नहीं दी गई है। पुनः संशोधीकरण, जो हमारे तीन स्तरीय कार्यक्रम के लिए आवश्यक है, को खासतौर पर इजाजत नहीं दी गई है। शोध एवं विकास कार्यक्रम में बराबर का भागीदार होने के बजाय अब भारत केवल एक दर्शक ही रहेगा। जेकिल एवं हाइड एक्ट का उचित नामकरण हाइड एक्ट करके इसमें यह सभी परिवर्तन संहिताबद्ध किए गए हैं जिसे अमेरिका आगे कर रहा है।

नाभिकीय वैज्ञानिकों के समुदाय को इन चिंताजनक परिवर्तनों ने भयभीत कर दिया है। हममें से कई लोगों ने, जिन्होंने असैनिक तथा युद्धनीतिक नाभिकीय कार्यक्रम का विगत समय में नेतृत्व किया था, यह आवश्यक समझा है कि अपने विशेषाधिकार को लिखित रूप में व्यक्त करें। इसका प्रभाव पड़ा और प्रधानमंत्री ने संसद में विस्तृत उत्तर में निरपवाद आश्वासन दिया कि भारत 'खिसकते गोल पोस्ट' वाले खेल नहीं खेलेगा किंतु हमारे वक्तव्य की कुछ क्षेत्रों से आलोचना भी हुई, जिन्होंने आरोप लगाया कि यह सरकार के प्रशासनिक अधिकार एवं जिम्मेदारियों में हस्तक्षेप के बराबर है। यह आलोचना स्पष्ट रूप से न्यायसंगत नहीं है क्योंकि यह केवल हमारा अधिकार ही नहीं था बल्कि, हम संबद्ध तकनीकी विशेषज्ञ लोगों की, जिम्मेदारी भी थी कि इस देश की जनता को, संसद को तथा सरकार को उचित सलाह दें।

इस संदर्भ में अप्रैल, 1997 में प्रेसिडेंट क्लिंटन को सभी शोधकार्य यहाँ तक कि कम्प्यूटर अनुकरण से नयी पीढ़ी के आणविक शस्त्र को रोकने की सलाह देते हुए हंस बेथे ने पत्र लिखा जिसको उद्धृत करना दिलचस्प होगा :

"मैंने द्वितीय विश्वयुद्ध के दौरान लास एलामास में मैनहट्टन प्रोजेक्ट, जिसने प्रथम परमाणु शस्त्र बनाया था, पर थियोरेटिकल डिवीजन के डाइरेक्टर होने के नाते अति उच्च स्तर पर भाग लिया था। अब मैं 90 वर्ष की उम्र में प्रोजेक्ट में भाग लेने वाले वरिष्ठ लोगों में से कुछ बचे लोगों में से एक हूँ। पिछली आधी सदी के दौरान मैंने नजदीक से देखा है तथा आणविक शस्त्रों की दौड़ तथा निःशस्त्रीकरण के मुख्य मुद्दों में भाग लिया है। मैं इस पर संबंधित राय व्यक्त करने की इजाजत चाहता हूँ। ऐसा लगता है कि हमारे देश के लिए घोषणा करने का समय आ गया है कि किसी भी प्रकार के व्यापक विनाश के शस्त्रों के आगे विकास करने का कार्य वह किसी तरह से नहीं कर रहा है। विशेष तौर पर इसका अर्थ यह है कि आणविक शस्त्रों की नई अभिकल्पनाओं की संभावनाओं की ओर दृष्टिगत कार्यों को धन नहीं

दिया जाएगा। इसका निश्चित अर्थ यह है कि नए प्रकार के आणविक शस्त्रों जैसे कि विशुद्ध संलयन शस्त्रों पर कार्य नहीं होगा।...

"व्यापक परीक्षण प्रतिबंध संधि (सीटीबीटी) द्वारा आणविक शस्त्रों के परीक्षण पर पूर्ण रोक के अध्यादेश का मूल अभिप्राय है कि नए आणविक शस्त्रों के उद्गमन पर रोक लगे और यह निश्चित रूप से संकेत करता है कि नयी श्रेणी के आणविक शस्त्रों की खोज को रोकने के लिए हमें सब कुछ करना चाहिए। यह हमारे राष्ट्रीय तथा जागतिक हित में है कि मूल अभिप्राय के प्रति सच्चाई से खड़े हों।"

अपने उत्तर में प्रेसीडेंट क्लिंटन ने लिखा :

"आणविक शस्त्रों पर अपने विचारों का मुझे साझेदार बनाने के लिए आपको धन्यवाद...। सीटीबीटी के अनुमोदन को प्राप्त करने, इसके लागू होने तथा प्रभावी ढंग से कार्यान्वयन के प्रति पूरी तरह से प्रतिबद्ध हूँ। सभी परमाणु परीक्षणों पर प्रतिबंध लगाकर सीटीबीटी आणविक शस्त्रों के गुणात्मक सुधार तथा विकास पर रोक लगा सकेगी तथा नए प्रकार के उन्नत आणविक शस्त्रों के विकास को भी समाप्त करेगी। इस प्रकार यह संधि आणविक निःशस्त्रीकरण की प्रक्रिया तथा नाभिकीय प्रफलन को रोकने में सहायक होगी, तथा अंतर्राष्ट्रीय शांति व सुरक्षा को मजबूत बनाएगी। मैंने यह भी निर्देश दिया है कि अमेरिका द्वारा जरूरत पर संधि से बाहर आने की अनपेक्षित घटना होने की स्थिति में अमेरिका अपनी मूलभूत क्षमता को बनाए रखे जिससे सीटीबीटी के अन्तर्गत रोके गई परमाणु परीक्षण के क्रियाकलाप को फिर से शुरू किया जा सके।..."

प्रो. बेथे के पत्र के लहजे को देखिए। अब उस आतंक की कल्पना करिए जो एक भारतीय वैज्ञानिक को उसके द्वारा प्रधानमंत्री को लिखे पत्र में उसी तरह का लहजा उपयोग करने के लिए सहना पड़ेगा।

प्रेसीडेंट क्लिंटन का उत्तर भी रोचक है। वह खुले तौर पर भविष्य में स्थिति उत्पन्न होने पर परमाणु परीक्षण शुरू करने की अमेरिका की इच्छा व्यक्त करते हैं। उन्होंने यह भी इंगित किया कि राष्ट्रीय प्रयोगशालाएँ व्यापक विनाश के नए शस्त्रों की पुनः अभिकल्पना के लिए एक जागरूक ग्रुप को कायम करेगी जिसके लिए नई सुविधाओं को स्वीकृति दी जा रही है। आज हम जानते हैं कि बाहर आने के इस वाक्यखण्ड को भी पर्याप्त नहीं माना गया तथा अमेरिकी कांग्रेस ने सीटीबीटी का अनुमोदन करने से मना कर दिया। इसके विभेदकारी स्वरूप के कारण जून 1996 में भारत सीटीबीटी सम्मेलन से बाहर आ गया और इसलिए भी कि आणविक निःशस्त्रीकरण का रास्ता ऐसा नहीं हो सकता कि कुछ पर तो उन सीमित समझौतों को लागू किया जाए, जबकि दूसरे नए शस्त्रों की खोज में शोधकार्य चलाते रहें।

इस तरह के शोधकार्य संभवतः अमेरिकियों तक ही सीमित नहीं हैं। रूस के विदेश मंत्री ने जून 2006 में ड्यूमा में कहा था कि अमेरिकी लोग 'बंकर बस्टर'

कहे जाने वाले छोटे आणविक शस्त्रों पर, जो गहराई तक छेदने की क्षमता रखते हैं, प्रयोग कर रहे हैं। यह सुझाता है कि शायद रूसी लोग भी ऐसे प्रयोग पर प्रयासरत हैं। प्रक्षेपास्त्ररोधी सुरक्षा व्यवस्था के विकसित न करने पर सहमत होने के बावजूद अमेरिका 1971 में संधि से एकपक्षीय अलग हो गया। चीन ने भी यह प्रदर्शित किया है कि वह ग्रहपथ से उपग्रह को नीचे गिरा सकता है।

नाभिकीय सौदे के हिमायती यह तर्क देते हैं कि हमारे द्रुत विकास के लिए यह आवश्यक है कि परमाणु शक्ति की वृद्धि की जाए और इसके लिए नाभिकीय सौदा अपेक्षित है। इस तर्क का पहला भाग सही है। जहाँ वे भूल कर रहे हैं वह यह न समझ पाने की है कि नाभिकीय सौदा अपने लक्ष्य को नहीं प्राप्त करेगा। हम इस सौदे में फायदे से ज्यादा नुकसान में रहेंगे। पहली बात कि हम न तो आणविक ईंधन और न ही रिएक्टर मुफ्त में या कम दाम में प्राप्त कर पाएँगे। बल्कि प्रचलित बाजार मूल्य में खरीदेंगे और यह निश्चित रूप से स्वदेशी परमाणु शक्ति के दाम को बढ़ा देगा। दूसरी बात नाभिकीय तकनीक का वायदा खोखला है और यह बहुत देर से आएगा और बहुत कम लाएगा। आज हम भारी पानी के रिएक्टरों की तकनीक में बिल्कुल आत्मनिर्भर हैं, और फास्टब्रीडर रिएक्टरों की तकनीक में अगुआ हैं। यह तकनीकें हैं जिन्हें हमने बहुत अच्छे कारणों से अपने तीन स्तरीय नाभिकीय कार्यक्रम के लिए चुना है।

हम खरीद सकते हैं हल्के पानी के रिएक्टर (एलडब्ल्यूआर) जो खदान से निकाले गए यूरेनियम के केवल 0.5 प्रतिशत का उपयोग करते हैं और यदि ईंधन को पुनः संशाधित कर दुबारा प्रयोग में न लाया जाए तो शेष को भण्डारण के लिए छोड़ देते हैं, ऐसा एक पूर्ण चक्रीय क्रिया में होता है। भारी पानी के रिएक्टरों से निकले ईंधन को पुनः संशोधित कर प्लूटोनियम निकाल लेते हैं और इसे फास्ट ब्रीडर रिएक्टरों में उपयोग में लाते हैं। यही हमारे तीन स्तरीय कार्यक्रम का सार है जो ज्यादा लाभकारी है। लागत मूल्य में तथा शुल्क दर में इन्हें ज्यादा किफायती भी दिखाया जा चुका है। यदि हम खदान से निकाले गए यूरेनियम का 10 प्रतिशत ईंधन के रूप में इस्तेमाल करने में सफल हो जाते हैं और साथ ही साथ एक पूर्ण चक्रीय कार्यक्रम में थोरियम का उपयोग कर लेते हैं तो आप कुल लाभ जो जुड़ कर मिलेगा, उसकी कल्पना कीजिए। हमारे अपने शोध तथा विकास से इसे प्राप्त करने के प्रयास जारी हैं।

हाँ हमें और अधिक रिएक्टरों को पाने में खुशी होगी यदि वे आर्थिक रूप से लेने योग्य हों, जैसे कि हल्के पानी के रिएक्टर जो हम रूस से खरीद रहे हैं उनकी ओर से बिना किसी नाभिकीय सौदे पर हस्ताक्षर की बाध्यता के। परन्तु अमेरिका द्वारा जो मूल्य हमसे चुकाने को कहा जा रहा है वह बहुत अधिक है। परीक्षण नहीं, पुनः संशाधीकरण नहीं, भविष्य में ईंधन आपूर्ति की गारण्टी भी नहीं। हम एक बार

सौदे पर हस्ताक्षर करते हैं तो हम लोग अपनी ऊर्जा सुरक्षा के लिए अमेरिका तथा एन.एस.जी. (नाभिकीय आपूर्तिकर्ता ग्रुप) की दया पर आश्रित हो जाएँगे। यह स्थिति ठीक नहीं है। जिसमें एक राष्ट्र जो अपने को एक भविष्य की महाशक्ति के रूप में देखता है अपने को रखे। अधिक परमाणु शक्ति पैदा करने की समस्या का यहाँ एक दूसरा हल है : अधिक रिएक्टर के लिए अधिक पूंजी से स्वदेशी कार्यक्रम का तेजी से विस्तार, अपने यूरेनियम के स्रोतों का अधिक संदोहन, अपने फास्ट ब्रीडर कार्यक्रम को अधिक महत्त्व तथा थोरियम का इस्तेमाल होना।

वैज्ञानिकों की उपेक्षा

दुर्भाग्य से भारत में सरकार की नाभिकीय नीतियों पर वैज्ञानिक अब प्रभाव नहीं रखते हैं। आधी सदी के सामूहिक विवेक तथा वैज्ञानिकों की विशेषता पर आधारित लंबे समय के कार्यक्रम तथा तकनीकी वास्तविकताओं को बिना विचार के और बिना बहस के ही ठुकरा दिया गया है। आत्मनिर्भर नाभिकीय भारत की संकल्पना जिसे जवाहर लाल नेहरू तथा होमी भाभा ने ख्वाबों में देखा था और जिसे इंदिरा गांधी तथा राजीव गांधी ने पोषित किया था तथा उसका निर्वहन किया था लगता है अब इतिहास के कूड़ेदान में डाल दिए जाने के लिए तैयार है। यह सच है कि बदलते भारत में नए दवाब हैं तथा नयी अनिवार्यताएँ हैं। परंतु इसी के बराबर जल्दी से व्यवस्था करने का यह कोई तरीका नहीं है। एफडीआई परमाणु शक्ति को किफायती नहीं बना देगा, और परमाणु शक्ति को 'बाहर भेजना' हमारी ऊर्जा सुरक्षा को सुनिश्चित नहीं करेगा। केवल भारतीय वैज्ञानिकों की सृजनक्षमता तथा भारतीय प्रयोगशालाओं में उनका कार्य ही इस देश के भविष्य के लिए लाभकारी सिद्ध हो सकता है। मुझे ऐसा लगता है कि हमारी लंबे समय की योजना को पहले ही काफी अधिक नुकसान पहुँचाया जा चुका है। पोखरन द्वितीय परीक्षण के नौ साल बाद निक्षेप व्यवस्था समेत न्यूनतम विश्वसनीय निवारक क्षमता के लिए विस्तृत आवश्यकताओं का हमने मूल्यांकन नहीं किया है। हमारा शोध एवं विकास कार्यक्रम पिछड़ रहा है, जबकि अन्य जगहों पर एक नई पीढ़ी के दक्ष आणविक शस्त्र एवं उनकी निक्षेप व्यवस्था पर सक्रिय कार्य हो रहा है। असैनिक व युद्धनीतिक नाभिकीय कार्यक्रम के लिए अत्यावश्यक निर्णय लेने की जरूरत है परंतु बिना चिंतन, विचारविमर्श, मंत्रणा तथा वैज्ञानिक वास्तविकताओं को ध्यान में रखे हुए नहीं। यह समय राजनीति का नहीं है बल्कि राजनीतिज्ञता का है।

(लेखक परमाणु ऊर्जा आयोग के भूतपूर्व चेयरमैन हैं।)

(साभार : 'दि हिंदू')

नाभिकीय ऊर्जा की एकतरफा दलील

–प्रबीर पुरकायस्थ

हमारे देश में इस समय नाभिकीय ऊर्जा के महत्त्व की खूब दुहाई दी जा रही है। लेकिन, हमारे देश की ऊर्जा टोकरी में नाभिकीय ऊर्जा के महत्त्व पर यह चर्चा सिर्फ भारत-अमरीकी नाभिकीय सौदे के संदर्भ में हो रही है। सरकार ने और खुद प्रधानमंत्री ने भी भारत-अमेरिका नाभिकीय सौदे को मनवाने की जोर-शोर से मुहिम छेड़ रखी है और इस सिलसिले में इस पर ज्यादा से ज्यादा जोर दिया जा रहा है कि भारत की ऊर्जा सुरक्षा के लिए यह सौदा कितना महत्त्वपूर्ण है। सवाल यह है कि अगर नाभिकीय ऊर्जा भारत के भविष्य के लिए वाकई इतनी ही जरूरी है, तो क्या कारण है कि अब तक कोई गंभीर तकनीकी-आर्थिकीय अध्ययन ही पेश नहीं किया गया है, जो लोगों को यह समझा पाता कि नाभिकीय ऊर्जा का हमारे देश के भविष्य के लिए कितना भारी महत्त्व है?

नाभिकीय बिजली कितनी?

इस समय हमारे देश में नाभिकीय ऊर्जा के उत्पादन का स्तर 4,120 मेगावाट का है, जोकि हमारे देश के बिजलीघरों की कुल बिजली उत्पादन क्षमता के 3 फीसद हिस्से से भी कम ही बैठता है। बेशक, इसकी एक वजह नाभिकीय क्षेत्र में विश्व व्यापार से हमारे अलग-थलग रखे जाने में भी है क्योंकि इसके चलते हमारे देश के नाभिकीय ऊर्जा कार्यक्रम के विकास की गति अपेक्षाकृत धीमी रही है। लेकिन यह कई कारणों में से सिर्फ एक है। दूसरा इतना ही महत्त्वपूर्ण कारण नाभिकीय ऊर्जा की तकनीकी-आर्थिकों में और खासतौर पर उसकी लागत अपेक्षाकृत ज्यादा बैठने में निहित है।

जाहिर है कि बुनियादी मुद्दा यह है कि नाभिकीय ऊर्जा के रास्ते से हमारे देश के ऊर्जा उत्पादन में किस हद तक बढ़ोतरी की जा सकती है और इस बढ़ोतरी की लागत कितनी बैठेगी? योजना आयोग के एक अध्ययन के अनुसार (एकीकृत ऊर्जा नीति, 2006, योजना आयोग) अगर सर्वाधिक आशावादी परिदृश्य को सच मानकर चलें तब भी 2015 तक नाभिकीय बिजली उत्पादन का हिस्सा 15,000 मेगावाट

तक और 2021 तक यही उत्पादन 29,000 मेगावाट तक ही पहुँच सकता। (देखें, तालिका-1) अगर हम बहस के लिए मान लें, कि यह सर्वाधिक आशावादी अनुमान सही साबित हो जाएगा, तब भी देश की कुल स्थापित बिजली उत्पादन क्षमता में नाभिकीय ऊर्जा का हिस्सा 7 फीसदी के करीब ही हो पाएगा।

यहाँ तक कि अगर हम अब सरकार द्वारा पेश किए जा रहे सन् 2020 तक 40,000 मेगावाट नाभिकीय बिजली के उत्पादन के और भी महत्त्वाकांक्षी आंकड़े को भी सच मान लें, तब भी यह हिस्सा देश की कुल स्थापित बिजली उत्पादन क्षमता के 9 फीसद से ज्यादा नहीं होगा। कहने की जरूरत नहीं है कि सन् 2020 तक 40,000 मेगावाट नाभिकीय बिजली के उत्पादन का जो आंकड़ा अब सरकार की ओर से पेश किया जा रहा है, उसका न तो बिजली उत्पादन क्षमता के विकास की जमीनी सच्चाइयों से कुछ लेना-देना है और न ही इतनी क्षमता के लिए लगाए जाने वाले नाभिकीय बिजलीघरों की लागत से कुछ लेना-देना है। बहरहाल, जैसाकि हमने देखा इन बहुत ज्यादा 'आशावादी' अनुमानों के हिसाब से भी नाभिकीय ऊर्जा से, हमारे देश की ऊर्जा आवश्यकताओं का अपेक्षाकृत काफी छोटा हिस्सा ही आ सकता है। दूसरी ओर जैसा कि नाभिकीय बिजली की तकनीकी-आर्थिकी बताती है, नाभिकीय बिजली के ऐसे महत्त्वकांक्षी कार्यक्रम पर बहुत भारी लागत आएगी और इसके दबाव में अन्य क्षेत्रों के लिए निवेश के लिए संसाधन ही नहीं बचेंगे।

तालिका-1

आइटम	2006	2016*	2021*
कुल स्थापित बिजली क्षमता-गीगावाट	134.7	303	445
नाभिकीय बिजली क्षमता	4.12	15	30
कुल क्षमता के फीसद के रूप में नाभिकीय क्षमता	3.06	4.95	6.74

स्रोत-इंटीग्रेटेड इनर्जी पॉलिसी, योजना आयोग, अगस्त 2006

तालिका-2

सरकार के वर्तमान आशावादी नाभिकीय अनुमान			
आइटम	2006	2016	2021
कुल स्थापित बिजली क्षमता-गीगावाट	134.7	303	445
नाभिकीय क्षमता कुल क्षमता के	4.12	20	40
फीसद के रूप में नाभिकीय क्षमता	3.06	6.60	8.99

लागत का सवाल

साठ और सत्तर के दशकों में नाभिकीय ऊर्जा का बहुत शोर था। बहरहाल, अस्सी के दशक तक आते-आते यह स्पष्ट हो चुका था कि नाभिकीय बिजली काफी महंगी पड़ती है। विकसित पश्चिमी देशों में भी अक्सर नाभिकीय बिजली परियोजनाएं अपने बजट से ज्यादा खर्चे और योजना से ज्यादा समय की मांग करती नजर आ रही थीं। इसलिए, जब बड़े पैमाने पर ईंधन गैस की खोज हुई और ताप बिजलीघरों की उत्पादन कुशलता को ऊपर उठाना संभव हुआ, नाभिकीय बिजलीघरों को बहुत ज्यादा महंगा माना जाने लगा। याद रहे कि यह नाभिकीय बिजलीघरों के संभावित खतरों, ऐसे बिजली घरों को बंद किए जाने पर आने वाली भारी लागतों और नाभिकीय कचरे के भंडारण की समस्या आदि से जुड़े बहसों के ऊपर से था।

जाहिर है कि इस मामले में भारत का अनुभव भी दूसरों से भिन्न नहीं रहा है। अगर घरेलू प्रौद्योगिकी तथा उपकरणों का ही उपयोग किया जा रहा हो, तब भी नाभिकीय बिजलीघरों से बिजली उत्पादन दूसरे स्रोतों के मुकाबले 25 से 30 फीसद तक महंगा बैठता है। याद रहे कि बजलीघरों की लागत में एक तत्त्व खास होता है इसका संबंध इससे है कि किसी भी बिजलीघर के निर्माण में काफी समय लगता है। इसका अर्थ यह है कि किसी नए बिजलीघर से बिजली का उत्पादन शुरू होने से पहले, काफी बड़ी मात्रा में पूंजी निर्माण की अवधि में ही उसमें लग चुकी होती है। अब अगर किसी बिजलीघर का निर्माण, हिस्सा पूंजी (शेयर कैपिटल) तथा ऋण के दो घटकों के सहारे वित्तीय संसाधन जुटाने के आधार पर किया जाता है। बिजलीघर के निर्माण के दौरान उसमें पूंजी लगे रहने की जो लागत आती है उसे निर्माण के दौरान ब्याज (आईडीसी) कहा जाता है। दूसरी ओर, निर्माण के दौरान ब्याज के इस हिस्से को छोड़कर, किसी बिजलीघर के निर्माण पर आने वाली लागत को ओवरनाइट कॉस्ट यानी रातों-रात निर्माण की सूरत में लागत कहा जाता है। इसी तरह की लागत गणना के जरिए परंपरागत बिजलीघरों का निर्माण किया जाता रहा है और इसी तरह राष्ट्रीय विद्युत निगम भविष्य में भी बिजलीघरों का निर्माण करने का इरादा रखता है।

अब अगर ताप-विद्युत तथा नाभिकीय दोनों ही तरह के बिजलीघरों के मामले में निर्माण के दौरान ब्याज (आईडीसी) को भी हिसाब में लिया जाए तो, नाभिकीय बिजलीघरों की पूंजी लागत, कोयले से चलने वाले ताप बिजलीघरों की पूंजी लागत से दोगुनी बैठती है। नाभिकीय बिजलीघरों के मामले में यह लागत 8.1 करोड़ रु. प्रति मेगावाट बैठती है, जिसमें करीब 6 करोड़ रु. तो रातों-रात निर्माण की लागत ही बैठेगी। और शेष हिस्सा ऐसे बिजलीघरों के निर्माण की 8 वर्ष की अवधि के लिए

लागत पूंजी पर ब्याज का होगा। दूसरी ओर कोयले सेचलने वाले ताप बिजलीघरों के मामले में पूंजी लागत 3.73 करोड़ रु. प्रति मेगावाट आती है, जिसमें 3.2 करोड़ रु. लागत रातों-रात निर्माण की होगी और शेष चार वर्ष की ऐसे बिजलीघरों के निर्माण की अवधि की। इसका सीधा सा अर्थ यह हुआ कि 10,000 मेगावाट बिजली उत्पादन के लिए अगर नाभिकीय बिजलीघर लगाया जाता है, तो उसका खर्चा दूसरे किसी भी ईंधन से चलने वाले बिजलीघर के मुकाबले काफी ज्यादा बैठेगा। सच तो यह है कि उतने ही खर्च में कोयले से चलने वाले पूरे 20,000 मेगावाट क्षमता के बिजलीघर स्थापित किए जा सकते हैं।

तालिका-3

पूंजी लागतों और कीमत की तुलना : कोयला बनाम नाभिकीय			
आइटम	**कोयला-2,500 मे.वा.***	**नाभिकीय-2500 मे.वा.* (घरेलू)**	**नाभिकीय 1000 मे.वा.* (आयातित)**
पूंजी लागत/मे.वा. बिना आइडीसी (करोड़ रु.)	3.2	6.0	9.0
पूंजी लागत/मे.वा. आइडीसी के साथ (करोड़ रु.)	3.73 (4वर्ष)	7.4 (6 वर्ष)	11.1(6 वर्ष)
पूंजी लागत-संयंत्र, बिना आइडीसी (करोड़ रु.)	3,200	6,000	9,000
पूंजी लागत-आइ डीसी के साथ (करोड़ रु.)	3,733	7,425	11,138
कीमत प्रति इकाई (रु.)	2.51	3.61	5.07

कोयले तथा घरेलू रिएक्टरों से नाभिकीय बिजली की लागत का विवरण :

एचटीटीपी : डब्ल्यूडब्ल्यूडब्ल्यू यू आइ सी कॉप एयू/निप 08.एचटीएम।

आयातित रिएक्टर : बिजली और महंगी

अगर आयातित नाभिकीय रिएक्टरों की लागत को हिसाब में लिया जाए, तो यह

अंतर और भी बढ़ जाता है। ऐसे नाभिकीय बिजलीघरों के मामले में रातों-रात निर्माण की लागत ही 9 करोड़ रु. प्रति मेगावाट बैठेगी। वास्तव में अनेक अध्ययनों में इसे ही नाभिकीय बिजलीघरों के लिए आधार लागत मानकर चला गया है। हालांकि नाभिकीय बिजलीघरों के आपूर्तिकर्ताओं ने इससे कहीं कम लागत बैठने का दावा किया है लेकिन सभी मौजूदा नाभिकीय बिजलीघरों के मामले में यह लागत 2,000 डालर प्रति किलोवाट से ऊपर ही रही है और इसीलिए, इसे गणना के लिए तर्कसंगत आधार माना जाना चाहिए। इसमें अगर निर्माण के दौरान ब्याज या आईडीसी का तत्व और जोड़ दिया जाए, तो नाभिकीय बिजलीघर के मामले में लागत बैठती है 12.1 करोड़ रु. प्रति मेगावाट यानी कोयले से चलने वाले बिजलीघर से तीन गुना ज्यादा। दूसरे शब्दों में जितने निवेश से नाभिकीय बिजलीघर से 10,000 मेगावाट बिजली पैदा होगी, उतने ही निवेश से कोयले से चलने वाले बिजलीघरों से 30,000 मेगावाट बिजली पैदा की जा सकती है।

अब अगर 40,000 मेगावाट नाभिकीय बिजली क्षमता स्थापित करने का कार्यक्रम लेकर चला जा रहा है, इसके लिए 20,000 मेगावाट के आयतित रिएक्टर और 20,000 मेगावाट के देसी रिएक्टर प्रयोग किए जा सकते हैं। इसका मतलब यह है कि इतनी नाभिकीय बिजली उत्पादन क्षमता स्थापित करने पर 4,00,000 करोड़ रु. का निवेश करना होगा। याद रहे कि यह ठीक उतनी राशि है, जितनी अगले दस वर्षों के दौरान पूरे 1,00,000 मेगावाट की बिजली उत्पादन क्षमता खड़ी करने के लिए लगाने की योजना बनायी गयी थी। प्रसंगवश यह भी याद दिला दें कि पिछले दस वर्षों में भारत में बिजली उत्पादन क्षमता में कुल बढ़ोतरी 40,000 मेगावाट के स्तर की ही रही थी, जबकि अब नाभिकीय बिजलीघरों से ही इतनी बिजली उत्पादन क्षमता बढ़ाए जाने के अनुमान पेश किए जा रहे हैं।

कोयले से चलने वाले बिजलीघरों के मामले में, बिजलीघर के सिरे पर (ग्राहक के सिरे पर नहीं) बिजली की कीमत 2 रु. 50 पैसा प्रति यूनिट पड़ती है, जिसमें बिजलीघर के स्थान के हिसाब से कोयले की लागत से थोड़ा-बहुत अंतर पड़ सकता है। घरेलू नाभिकीय रिएक्टरों पर आधारित नाभिकीय बिजलीघरों के मामले में यही कीमत 3 रु. 60 पैसा प्रति यूनिट बैठती हैं। और आयतित रिएक्टरों पर आधारित बिजलीघरों के मामले में यही कीमत 5 रु. 10 पैसा प्रति यूनिट बैठती हैं। यही नहीं अगर, आयातित नाभिकीय रिएक्टरों पर आधारित बिजलीघरों के निर्माण की अवधि छः वर्ष के बजाय आठ वर्ष मानी जाए, तब यही कीमत 5 रु. 50 पैसा प्रति यूनिट बैठेगी।

तालिका-4

नाभिकीय और कोयला संचालित बिजलीघरों की लागतें			
आइटम	पूंजी लागत करोड़ रु. में कोयला-आधारित बिजलीघर	पूंजी लागत करोड़ रु. में घरेलू पीडब्ल्यूआर नाभिकीय बिजलीघर	पूंजी लागत करोड़ रु. में आयातित एलडब्ल्यूआर पर आधारित नाभिकीय बिजलीघर
1 मेगावाट	3.73	7.4	11.1
10,000 मे.वा.	37,300	74,250	1,11380
40,000 मे.वा.	5,49,200	2,97,000	4,45,500

एक कदम आगे या दो कदम पीछे

बहरहाल, समस्या सिर्फ इतनी नहीं है कि नाभिकीय बिजली कहीं ज्यादा महंगी पड़ेगी। तकनीकी और आर्थिकी मुद्दों को हल किए बिना ही अगर नाभिकीय बिजली में बड़े पैमाने पर निवेश किया जाता है, तो इसका पूरे के पूरे बिजली क्षेत्र पर ही प्रतिकूल असर पड़ना तय है। अगर हम आयातित नाभिकीय बिजलीघरों पर–जो कि उतनी ही बिजली उत्पादन क्षमता के लिए कोयले से चलने वाले बिजलीघरों के मुकाबले तीन गुना ज्यादा लागत की मांग करेंगे–बड़े पैमाने पर निवेश करते हैं, तो इसका अर्थ यह होगा कि भारतीय अर्थव्यवस्था में अन्य निवेशों के लिए संसाधनों का सूखा पड़ जाएगा। आयातित नाभिकीय बिजलीघरों में इस तरह के निवेश के लिए, या तो अन्य स्रोतों से बिजली उत्पादन पर निवेशों में भारी कटौती करनी होगी या फिर ढांचागत क्षेत्र के अन्य निवेशों में ही भारी कटौतियाँ करनी पड़ेंगी।

बेशक, हमें भी इससे इनकार नहीं है कि भारत को अपने संसाधनों का एक हिस्सा नाभिकीय बिजलीघरों के निर्माण में भी लगाना चाहिए। हमारे देश के खिलाफ नाभिकीय क्षेत्र में पाबंदियाँ लगी रही हैं और अब तक नाभिकीय बिजलीघरों के लिए हमें दुनियाभर में कहीं से भी कोई मदद नहीं मिल रही थी। इन परिस्थितियों में हमारे वैज्ञानिकों तथा प्रौद्योगिकीविदों ने कड़ी मेहनत कर, पूरी तरह से घरेलू तौर पर हमारी नाभिकीय प्रौद्योगिकी का विकास किया है। 1974 में हुए पोखरण-1 परमाणु परीक्षणों के बाद, जब नाभिकीय क्षेत्र में हमारे देश पर अलग-थलग करने वाली पाबंदियाँ थोप दी गयीं, उसके बाद हमें अपनी नाभिकीय प्रौद्योगिकी विकसित करने में करीब बीस वर्ष लगे थे। इसलिए, इस प्रौद्योगिकी के पाले-पोसे जाने तथा उसका आगे विकास किए जाने की जरूरत है।

हालांकि नाभिकीय बिजली आज सस्ती नहीं है, फिर भी यह बिल्कुल मुमकिन, है कि दीर्घावधि में, जब कोयले तथा तेल के भंडार कम रह जाएँ, नाभिकीय

ऊर्जा का महत्त्व आज के मुकाबले काफी बढ़ जाए। फिर भी, यह दलील तो बहुत ही अदूरदर्शी ही होगी कि इसीलिए हमें आज ही अपने उपलब्ध संसाधनों का बड़ा हिस्सा नाभिकीय ऊर्जा पर और वह भी आयातित नाभिकीय रिएक्टरों पर आधारित बिजलीघरों के निर्माण पर खर्च करना चाहिए।

नाभिकीय बिजली के संबंध में जानकारी रखने वाले लोग बखूबी जानते हैं कि अमेरिका में अगर नाभिकीय बिजली हाशिए पर धकेल दी गयी है, तो ऐसा नाभिकीय बिजली से या नाभिकीय कचरे के निपटारे से जुड़े खतरों की वजह से नहीं हुआ है बल्कि इस तरह की बिजली के महंगे पड़ने की वजह से ही हुआ है। इसीलिए, अमेरिका में आखिरी बिजली रिएक्टर 1996 में चालू किया गया था और उसे बनाने में पूरे 23 साल लगे थे। अमेरिका का नाभिकीय उद्योग आज करीब-करीब पूरी तरह से विदेशी आर्डरों के ही भरोसे कायम है। स्वाभाविक रूप से उनकी नजरें भारत से आने वाले अरबों डॉलर के ऑर्डरों की ओर लगी हुई हैं, जो उनके गतिरोध के शिकार उद्योग में नई जान डाल सकते हैं।

एनरॉन प्रकरण की पुनरावृत्ति

एनरॉन प्रकरण के बारे में थोड़ी सी भी जानकारी रखने वाले लोगों के लिए यह इतिहास के खुद को दोहराने का ही मामला है। जरा एनरॉन प्रकरण को याद करें। पहले, एक राजनीतिक निर्णय लेकर एनरॉन को 2,000 मेगावाट की बिजली परियोजना स्थापित करने की इजाजत दी जाती है। इसके बाद, एनरॉन के मन-मुताबिक ईंधन नीति और बिजली नीति में बदलाव कर दिए जाते हैं। मिसाल के तौर पर बिजलीघरों के निर्माण के लिए ईंधन के तौर पर नाफ्था के प्रयोग पर आधारित द्रव ईंधन नीति, एनरॉन के मन-मुताबिक स्थितियाँ पैदा करने की जरूरत से ही निकली थी। आज यह स्पष्ट है कि इस तरह की नीति ने, जो विवेक का और संबंधित क्षेत्र की तकनीकी-आर्थिकी का सहारा लिए बिना ही अपनायी गयी थी, महाराष्ट्र बिजली बोर्ड के लिए भारी संकट पैदा कर दिया और नाफ्था ईंधन पर आधारित बिजलीघरों को बेकार पड़े रहना पड़ा है। दुर्भाग्य से ऐसा लगता है कि नाभिकीय ऊर्जा के मामले में भी वही सब दोहराने की तैयारियां हो रही हैं। भारत-अमेरिका नाभिकीय समझौते को भारत के लिए लाभकर ठहराने की कोशिश में, अब लगभग 40,000 मेगावाट नाभिकीय बिजली उत्पादन के लक्ष्य के दावे शुरू कर दिए गए हैं। ऐसा करते हुए न तो इस स्तर की नाभिकीय बिजली उत्पादन क्षमता स्थापित करने पर आने वाली पूंजी लागतों को हिसाब में रखा जा रहा है और न ही इस तरह के संयंत्रों से पैदा होने वाली बिजली की कीमत को। अगर 2000 मेगावाट के एनरॉन के बिजलीघर के थोपे जाने से पूरा महाराष्ट्र राज्य बिजली बोर्ड गंभीर संकट में पड़ सकता है, तो 40,000 मेगावाट के नाभिकीय बिजली उत्पादन

तथा इस बिजली की ऊंची कीमतों का क्या असर होगा, इसके सिर्फ अंदाजे ही लगाए जा सकते हैं।

ऊर्जा सुरक्षा मुहैया कराने के लिए, आयातित नाभिकीय रिएक्टरों के आयात का सहारा लेने की बात भी काफी भ्रामक है। याद रहे कि हमारा देसी नाभिकीय ऊर्जा कार्यक्रम तीन चरणों वाले नाभिकीय चक्र से जुड़ा हुआ है। इसमें यह व्यवस्था है कि प्रेशरइज्ड वाटर रिएक्टरों (पी डब्ल्यू आर) में संवर्द्धित यूरेनियम का उपयोग किया जाए। इसके बाद पीडब्ल्यूआर से उत्पादित पुनर्संवर्द्धित प्लूटोनियम का उपयोग फास्ट ब्रीडर रिएक्टरों में किया जाए। और अंतिम चरण में उन्नत हैवी वाटर रिएक्टरों (एएचडब्ल्यू) में प्लूटोनियम तथा थोरियम के मिश्रण का उपयोग किया जाए।

इसके विपरीत, आयातित लाइट वाटर रिएक्टर (एनडब्ल्यूआर) संयंत्र सिर्फ संवर्द्धित यूरेनियम का उपयोग करते हैं। इस तरह के नाभिकीय चक्र में यूरेनियम की कहीं ज्यादा मात्रा में जरूरत पड़ती है। इसका अर्थ यह है कि हमें लगातार तथा बड़ी मात्रा में यूरेनियम का आयात करना पड़ रहा होगा। इसकी जगह पर अगर हम फास्ट ब्रीडर रिएक्टर तथा उन्नत हैवी वाटर रिएक्टरों के चक्र का ही उपयोग करते हैं, तो इसमें हमें कहीं कम मात्रा में यूरेनियम की जरूरत होगी। कहने की जरूरत नहीं है कि इस समय सरकार को आयातित रिएक्टरों का रास्ता थोपने की कोशिश कर रही है, उसके मुकाबले कहीं ज्यादा ईंधन सुरक्षा देसी नाभिकीय प्रौद्योगिकी चक्र का सहारा लेने से मिल सकती है।

मौजूदा समझौते में अमेरिका का एक लक्ष्य यह भी है कि भारत को अपनी नाभिकीय ऊर्जा जरूरतों के लिए, फास्ट ब्रीडर प्रौद्योगिकी का विकास करने के रास्ते पर आगे बढ़ने के बजाय, लाइट वाटर रिएक्टरों के आयात का तत्काल 'आसान' नजर आने वाला रास्ता मुहैया कराया जाए। यह तथ्य दिलचस्प है कि अब जबकि हमारा एटमी ऊर्जा विभाग प्रेशराइज्ड वाटर रिएक्टर प्रौद्योगिकी को वाणिज्यिक रूप देने तथा उसे बढ़ाकर 540 मेगावाट के स्तर तक ले जाने में सफल हो चुका है, तभी अमेरिका को भारत के लिए रिएक्टरों व ईंधनों के निर्यात पर लगी पाबंदियाँ उठाना मंजूर हुआ है। याद रहे कि एक बार जब हम यह 'आसान' रास्ता अपना लेते हैं, उसके बाद अमेरिका के लिए ईंधन पर तथा प्रौद्योगिकी पर भी (जैसे कल-पुर्जे आदि) अपने नियंत्रण के जरिए, हमारे कार्यक्रम पर नियंत्रण कायम करना संभव हो जाएगा। इसलिए फास्ट ब्रीडर रिएक्टरों के रास्ते पर आगे बढ़ना तथा अपनी देसी रिएक्टर प्रौद्योगिकी का विकास करना ही कहीं ज्यादा पुख्ता तरीके से ऊर्जा सुरक्षा सुनिश्चित करेगा, न कि आयातित रिएक्टरों का परनिर्भर रास्ता अपनाना।

हमारी ऊर्जा जरूरतें

यह भी याद रखना जरूरी है कि बिजली, हमारी समूची ऊर्जा आवश्यकताओं का एक

हिस्सा भर है। मिसाल के तौर पर हमें परिवहन के लिए और उर्वरकों व पैट्रो-रसायनों आदि के उत्पादन के लिए तेल-आधारित ईंधन चाहिए। बेशक, प्राथमिक ईंधन की जरूरत एक हद तक इस पर भी निर्भर करेगी कि हम बिजली पैदा करने के लिए किस तरह के ईंधन का उपयोग करते हैं। बहरहाल, यह स्पष्ट कि हरेक सूरत में भारत की ऊर्जा आवश्यकताओं का अधिकांश हिस्सा—बेहतरीन परिदृश्य की सूरत में 91 फीसद से लेकर मौजूदा योजनाओं के हिसाब से 95 फीसद तक गैर नाभिकीय स्रोतों से ही आ रहा होगा। दूसरे शब्दों में ऊर्जा के अन्य स्रोतों की हमारी जरूरतों पर, कम से कम निकट भविष्य में तो नाभिकीय विकल्प के आजमाए जाने का कोई असर पड़ता नजर नहीं आ रहा है।

हमारे देश में तेल का उपयोग मुख्यतः परिवहन तथा उद्योग की जरूरतों के लिए किया जाता रहा है। दसवीं योजना में हाइड्रो-कार्बन ईंधन की मांग के बारे में जो कहा गया है, इस प्रकार है : 'हमारे देश में प्राथमिक व्यापारिक ऊर्जा उपभोग में हाइड्रो-कार्बनों का हिस्सा साल-दर-साल बढ़ता गया है। और इस समय अनुमानतः 44.9 फीसद है। (.36 फीसद हिस्सा तेल से और 8.9 फीसद हिस्सा प्राकृतिक गैस से)। अगले दो दशकों के दौरान तेल की मांग में संभावित बढ़ोतरी मुख्यतः परिवहन क्षेत्र से संचालित होगी। इसके चलते तेल के मामले में आयातों पर निर्भरता, जोकि इस समय करीब 70 फीसद है, दसवीं व ग्यारहवीं योजनाओं के दौरान और भी बढ़ जाने वाली है।'

अनुमान है कि 2015 तक कच्चे तेल की भारत की मांग 425 से 450 लाख बैरल प्रतिदिन के करीब हो जाएगी और इसका करीब 80 फीसदी हिस्सा आयात के जरिए और खासतौर पर पश्चिमी एशियाई क्षेत्र से आ रहा होगा। यहाँ महत्त्वपूर्ण मुद्दा यह है कि अगर हम बिजली क्षेत्र की मांग को ही देखते हैं, तो इसमें तेल कहीं आता ही नहीं है। इसलिए नाभिकीय ऊर्जा, जिसका उपयोग बिजली के उत्पादन में ही किया जा सकता है, तेल की जगह तो किसी भी तरह से ले ही नहीं सकती है। यह गौरतलब है कि हालांकि दुनिया भर में तेल की जितनी खपत है उसका सिर्फ 2 फीसद हिस्सा भारत में लगता है, फिर भी हमारा देश दुनिया के तेल के दस सबसे बड़े आयातकों की सूची में पहुँच चुका है। तेल का उपभोग बढ़ने के साथ, यह रुझान और भी बढ़ जाने वाला है। वास्तव में भारत तथा चीन, तेल के बड़े आयातक बनकर सामने आ रहे हैं और दुनिया भर की तेल की मांग का कम से कम 15 फीसद हिस्सा इन्हीं दोनों से आ रहा है। अब इसकी तो कोई संभावना नहीं है कि नाभिकीय ऊर्जा से ट्रकों, बसों, कारों आदि को चलाया जा सके। इसलिए, परिवहन क्षेत्र तो बहुत हद तक हाइड्रो-कार्बन ईंधन पर ही निर्भर बना रहने जा रहा है।

इस तरह, अगर हम नाभिकीय ऊर्जा को देश की कुल प्राथमिक ऊर्जा आवश्यकताओं के हिस्से के तौर पर देखते हैं, हम यह पाएँगे कि हमारे देश के कुल प्राथमिक ऊर्जा गुच्छे में नाभिकीय ऊर्जा का हिस्सा 3 से 5 फीसद से ऊपर नहीं हो सकता है। देश की कुल बिजली के 5 से 9 फीसद तक हिस्सा का अर्थ, प्राथमिक

ऊर्जा जरूरत के 3 से 5 फीसद से ज्यादा नहीं होगा। दूसरी ओर, अगर तेल व गैस के हिस्से पर नजर डालें तो पाएँगे कि बहुत ही महत्वाकांक्षी नाभिकीय ऊर्जा कार्यक्रम के बावजूद, हमारी भविष्य की प्राथमिक ऊर्जा आवश्यकता का 30 फीसद से ज्यादा हिस्सा तेल से तथा 10 फीसद से ज्यादा हिस्सा गैस से ही यानी कुल 40 फीसद से ज्यादा हिस्सा हाइड्रोकार्बन ईंधनों से ही आ रहा होगा। दूसरे शब्दों में हमारे नाभिकीय ऊर्जा कार्यक्रम के बावजूद हमारी ऊर्जा जरूरतों को 40 फीसद से ऊपर हिस्सा तो तेल तथा गैस से ही आ रहा होगा।

इसलिए, जहाँ तक हमारी प्राथमिक ऊर्जा जरूरतों का सवाल है, भारत ने अमेरिका के साथ जिस नाभिकीय सौदे पर दस्तखत किए हैं, उससे वह जरूरत कोई खास प्रभावित होने नहीं जा रही है। इसी तरह यह दलील भी कि नाभिकीय ऊर्जा ही भविष्य की ऊर्जा है, न तो भारत की ऊर्जा जरूरतों के विश्लेषण से सही बैठती है और न ही इस सचाई को हिसाब में लेती है कि आज दुनिया में बहुत थोड़े से ही देश हैं जो नाभिकीय ऊर्जा के विकल्प को अपना रहे हैं। बेशक, हमें भी नाभिकीय ऊर्जा का विकल्प अपने लिए खुला रखना चाहिए। ऊर्जा की दीर्घकालीन जरूरतों को देखते हुए ऐसा करना जरूरी हो सकता है। लेकिन इसे आज की ऊर्जा जरूरतों के लिए रामबाण औषधि की तरह पेश करना, सच्चाइयों से रत्तीभर मेल नहीं खाता। अगर भारत वाकई अपनी ऊर्जा सुरक्षा सुनिश्चित करने के लिए कदम उठाना चाहता है, तो उससे सबसे पहले तो तेल व प्राकृतिक गैस की आपूर्तियाँ सुनिश्चित करने की ही परवाह करनी चाहिए। लेकिन, इसी संदर्भ में पश्चिम एशिया में शांति व स्थिरता की भारत को बहुत-बहुत चिंता होनी चाहिए। अमेरिका की मेहरबानी से अंतर्राष्ट्रीय मंच पर ताकतवरों के साथ बैठाए जाने पर ही उसका फूला न समाना तो महज एक छलावा है और यह ऐसा छलावा है जो हमारे देश के राष्ट्रीय हितों के खिलाफ जाता है।

तालिका-5

घरेलू स्रोतों से नाभिकीय ऊर्जा की उपलब्ध संभावनाएँ

विवरण	परिमाण टन	विद्युत ऊर्जा (गीगावाट वर्ष)	बिजली बिजली (मेगावाट)
यूरेनियम (धातु)	61,000		
पीडब्ल्यूआर में		330	10,000
एफबीआर में थोरियम		42,200	5,00,000
(धातु) (ब्रीडरों में)	2,25,500	1,50,000	बहुत विराट

स्रोत : एटमी ऊर्जा विभाग एकीकृत ऊर्जा नीति-2006 में उधृत योजना आयोग, पृ. 36

(लेखक के जाने माने ऊर्जा विशेषज्ञ है)

(लोक लहर से साभार)

एटमी करार और पूंजी की प्रभुसत्ता

—सच्चिदानंद सिन्हा

अमेरिका के साथ हुआ एटमी करार देश में भारी विवाद का विषय बना हुआ है। आशंका यह भी बतायी जा रही है कि इससे हमारी संप्रभुता सीमित हो रही है। लेकिन परमाणु संयंत्र के दूसरे खतरे भी हैं जिन्हें हम नजरअंदाज नहीं कर सकते। मामला इतना गंभीर है कि इस पर बुनियादी ढंग से विचार करना जरूरी लगता है। परमाणु बिजली संयंत्र दरअसल परमाणु बम बनाने की मुहिम का एक 'बाई प्रोडक्ट' है यानी परमाणु बम बनाने के क्रम में विकिरण से ऊर्जा उत्पादन की जो महान संभावनाएँ दिखीं तो फिर अणुओं को तोड़ इससे ऊर्जा उत्पादन की ओर लोगों का ध्यान गया। लेकिन इसके जोखिम इतने अधिक थे कि स्वयं अमेरिका ने—जिसने पहले पहल एटमबम बनाया और इसके खतरे से अनजान जापान के लाखों लोगों को मौत और बर्बादी का शिकार बनाया—अपने यहाँ परमाणु बिजलीघरों के निर्माण पर एक दो मामूली दुर्घटनाओं के बाद रोक लगा दी। ऐसे संयंत्रों के रहते न तो रूस के चेर्नोबिल जैसी दुर्घटनाएँ जिसमें हजारों वर्गमील में लोग तबाह हुए, टाली जा सकती हैं और न इसके कचरे से होने वाले विकिरण के दुष्प्रभाव को, जिन्हें खत्म करने का कोई तकनीक अभी तक विकसित नहीं हो पाया है। यही कारण है कि अमेरिका, जिसकी ऊर्जा की भूख सीमाहीन है, अभी तक परमाणु बिजली घरों के निर्माण को टालता रहा है। अब अगर कोई देश परमाणु बमों का इस्तेमाल करता है तो वह इसको प्रतिबंधित करने की मुहिम से बच भी नहीं सकता, इससे एक हद तक प्रभुसत्ता पर सीमा लगेगी इससे वे भी प्रभावित होंगे जिन्हें इसके इस्तेमाल के समय लक्ष्य नहीं बनाया गया हो। प्रतिक्रिया में इससे प्रभावित होने से आशंकित देश इसका प्रयोग करने वाले देश के खिलाफ होंगे और उस पर प्रतिबंध लगाने की पहल करेंगे।

विडंबना है कि आज दुनिया के अनेक देश आतंकवाद को खत्म करने का नारा दे रहे हैं। फिर सर्वाधिक आतंक फैलानेवाले इस हथियार के रखनेवाले देशों

पर नियंत्रण लगाना अनिवार्य क्यों नहीं लगता? संसार भर में इन्हें नष्ट करने की पहल क्यों नहीं होनी चाहिए? अगर अब तक परमाणु आयुध सम्पन्न देश जैसे अमेरिका, रूस तथा दुनिया के कुछ दूसरे शक्तिशाली देश--ऐसे नियंत्रण से बचते रहे हैं तो उसका एक मात्र कारण यह है कि अपनी आर्थिक और सैन्य शक्ति के बल तथा संयुक्त राष्ट्र संघ में अपने वीटो के बल इन्होंने दुनिया पर ऐसा वर्चस्व जमा कर रखा है कि इन पर कोई नियंत्रण लग नहीं पाता। यह शक्तिशाली राष्ट्रों का आतंकवाद है जिसके नीचे दुनिया के बाकी देश घुटन के साथ जीने को मजबूर हैं। परमाणु बमों के प्रयोग का अनियंत्रित अधिकार आतंकी हिंसा करने की स्वच्छंदता की मांग है। यह प्रभुसत्ता या अधिकार किसी भी देश को नहीं दिया जा सकता--न भारत को न अमेरिका या रूस को। सवाल यही है कि बिल्ली के गले में घंटी कौन डालेगा--अमेरिका जैसे उन्मादी राष्ट्र को जो हजारों परमाणु और हाइड्रोजन बमों से लैस है, संसार पर नियंत्रण के इसकी अंधी दौड़ को कौन रोकेगा। संसार के इस सबसे बड़े आतंकवादी शक्ति के आतंक फैलाने की प्रभुसत्ता पर जब तक सीमा नहीं लग जाती सारा विवाद अर्थहीन है। भारत-अमेरिका एटमी करार को इसी परिप्रेक्ष्य में देखने की जरूरत है। शैतान के साथ दावत में सावधानी बरत लंबा चम्मच रखना चाहिए। भारत-अमेरिका एटमी करार कुछ ऐसा ही है। भारत कुछ सुरक्षा माँग सकता है जो बहुत कारगर चीज नहीं है। बुद्धि की बात इस दावत से बचना था। भाजपा की चिंता दूसरी है। वह हर मामले में अमेरिकापरस्त रही है। पर यहाँ वह इस करार का विरोधी इसलिए है क्योंकि इस विनाशकारी हथियार के उत्पादन पर रोक लगे यह उसकी सोच के परे है।

एटमी करार के संदर्भ में अक्सर राष्ट्रीय प्रभुसत्ता की बात उठाई जाती है। सभी निर्गुण शब्दों की तरह इसकी भी भावनात्मक अपील गहरी होती है। इसलिए जरूरी है कि हम थोड़ी गहराई में जाकर देखें कि यह प्रभुसत्ता की धारणा कहाँ से आयी और आज असली संप्रभुता का वाहक कौन है। वैसे तो प्राचीन काल से ही यह मान लिया जाता था कि राजे, महाराजे या सम्राट 'प्रभुसत्ता' या 'संप्रभुता' के वाहक हैं और उन्हें समाज पर शासन का अविच्छिन्न अधिकार है। लेकिन जब से आमजन की आवाज को सत्ता तक पहुँचाने के प्रयास होने लगे तभी से प्रभुसत्ता के उत्स और औचित्य को समझने की कोशिश शुरू हुई पश्चिमी देशों में, संभवतः मार्सिलियो (चौदहवीं सदी के एक इतालवी) ने, व्यक्तियों और शासकों से ऊपर राज्य को प्रभुसत्ता के असली अधिकारी के रूप में चिन्हित करना शुरू किया। लेकिन स्पष्ट रूप से प्रभुसत्ता शब्द को परिभाषित करने का काम एक फ्रांसीसी विचारक जाँ बोडाँ ने सोलहवीं शताब्दी के अंतिम चतुर्थ में किया। उसके अनुसार प्रभुसत्ता राज्य की अखण्ड और शाश्वत शक्ति होती है। पश्चिमी दुनिया में लोकतंत्र के मसीहा रूसो ने इसे लोगों की अनियंत्रित शक्ति के रूप में प्रस्थापित करने की कोशिश की। एक

तरह से यह लोकतांत्रिक शासन के सर्वशक्तिवादी अधिकार की घोषणा बन गयी और प्रजातांत्रिक राज्यों का यह कर्तव्य माना जाने लगा कि वे लोकइच्छा की संप्रभुता को सीमित करने वाले किसी समझौते को स्वीकार नहीं करें। हालांकि 1789 की फ्रांसीसी क्रांति के बाद इस विचार का वाहक नेपोलियन बना, जिसने क्रांति के उभार को दबाकर स्वयं को सम्राट घोषित कर दिया था। विडम्बना ही है कि अपने साम्राज्य विस्तार के अभियान में वह जहाँ-जहाँ भी गया वहाँ राष्ट्रवाद और राष्ट्रों की संप्रभुता के संदेश का वाहक बन गया। लेकिन इसी के साथ नवोदित राष्ट्रों के बीच संप्रभुता के भौगोलिक दायरे को लेकर संघर्ष भी शुरू हो गए। नेपोलियन की हार के बाद 1814 में वियना की संधि में 'संप्रभुता संपन्न' राष्ट्रों ने शांति का एक खाका तैयार किया जिसे संप्रभुतावाले राष्ट्रों की प्रतिस्पर्धा में टूटना ही था और छोटे-मोटे संधियों से गुजरते हुए 1914 में यूरोपीय राष्ट्रों का विश्वव्यापी महायुद्ध शुरू हुआ जिसने चार वर्षों में संसार के नक्शे को काफी कुछ बदल दिया। हालांकि इस युद्ध के कारणों को परिभाषित करने वाले सिद्धांतों को लेकर विवाद रहे पर एक बात जगजाहिर थी कि इसके पीछे असली कारण था दुनिया के विभिन्न देशों और क्षेत्रों पर उनके संसाधनों और बाजार के लिए कब्जा जमाना। वैसे युद्ध के बाद के शांति समझौते और इससे निकले लीग ऑफ नेशन्स में आत्म निर्णय के अधिकार जैसे जुमले का खूब प्रयोग हुआ, मूलतः इसमें दुनिया के विभिन्न क्षेत्रों का बंटवारा विजयी राष्ट्रों के लिए उनके आर्थिक हितों को सुरक्षित रखने के हिसाब से ही हुआ। तुर्की के ऑटो-मन साम्राज्य के विघटन से पैदा रिक्तता को भरने के लिए ब्रिटेन और फ्रांस जैसे विजयी देशों को पश्चिम एशिया के भूभाग को 'मैंडेट' के रूप में दिया गया। वैसे ही अफ्रीका में जर्मनी के अधिकार के क्षेत्रों में पूरब में तंजानिया को ब्रिटेन के हवाले, दक्षिण पश्चिम के हिस्से को दक्षिण अफ्रीकी यूनियन के हवाले और कैमेरुन और तोगो लैंड को ब्रिटेन और फ्रांस के हवाले कर दिया गया। पश्चिम एशिया के 'मैंडेट' में फ्रांस को सीरिया और लेबनान, और ब्रिटेन को फिलिस्तीन और इराक जैसे भूभाग मिले जो पेट्रोलियम के लिए महत्त्वपूर्ण थे। अपने आर्थिक महत्त्व के कारण दूसरे विश्वयुद्ध के अंतराल के बावजूद इनमें पश्चिम एशिया और अफ्रीका के क्षेत्र अस्थिरता और विवाद के क्षेत्र बने हुए हैं। लेकिन इन भूभागों के लोगों की संप्रभुता को आज तक खुले मन से कबूल नहीं किया गया है। जब कि आत्म निर्णय और राष्ट्रों की स्वाधीनता के अधिकार के नाम पर दो विश्वयुद्ध लड़े जा चुके हैं।

ऊपर की बातों की चर्चा इसलिए की गयी ताकि हम यह परख सकें कि मौजूदा विवाद में संप्रभुता की बातों के पीछे कितना दम है और यह भी कि आज की दुनिया में वास्तविक संप्रभुता किन हाथों में है। अगर हम द्वितीय विश्वयुद्ध के बाद की स्थिति पर विचार करेंगे तो पाएंगे कि ज्यादा उथल-पुथल प्रायः उन देशों में होती रही हैं जहाँ पेट्रोलियम, हीरे-जवाहरात या सोने जैसे खनिजों की विशेष

उपलब्धि है—यथा नाइजीरिया, कौंगो आदि। इन सब में राजनीति अर्थनीति के पीछे-पीछे चलती रही है। परोक्ष रूप से यही बात उन देशों में भी दिखाई देती है जहाँ संघर्ष मूल या मजहब आधारित दिखाई देते हैं। कारण यह है कि पश्चिमी देशों ने अपने साम्राज्य विस्तार के क्रम में पर्यावरण आधारित आर्थिक दृष्टि से अधिक से अधिक आत्म-निर्भर, जनजातीय भौगोलिक इकाइयों को नजरअंदाज कर उनके संसाधनों के दोहन के हिसाब से सुविधाजनक विभाजन कर दिया। साम्राज्यवादियों द्वारा किये गए प्रबंधकीय विभाजन का लोगों के पारंपरिक विभाजन से मेल नहीं बैठता था। जब साम्राज्यवादियों के प्रबंधकीय ढांचे को राष्ट्रीय इकाइयों का रूप दिया गया तो स्वाभाविक था कि दोनों तरह के विभाजन में टकराहट होती। इसी का नतीजा नए आजाद हुए मुल्कों में होने वाले उथल-पुथल या गृहयुद्ध हैं।

ऊपर वर्णित संसाधनों की भूख और इसके दबाव में होने वाले राजकीय परिवर्तनों पर विचार करने पर हम एक ही नतीजे पर पहुँचते हैं कि उन्नीसवीं और बीसवीं शताब्दी में होने वाले विकास या परिवर्तन के पीछे समाज के भीतर एक अदम्य वैचारिक दृष्टि रही है जो इन्हें अपने पूर्व के सभी समाजों से भिन्न बनाती है। यह विशिष्टता है वस्तुओं के निर्माण को अपने आप में सर्वोपरि महत्त्व का मान लेना, इसका विचार किये बगैर कि ये वस्तुएँ आवश्यक हैं उपयोगी हैं या हानिकारक हैं। वस्तुओं का निर्माण सिर्फ इसलिए करना है ताकि इन्हें बेचा जाए और इससे पूँजी में इजाफा हो। यह दृष्टि सभी पूर्ववर्ती समाजों से भिन्न थी जिनमें उत्पादन या निर्माण किसी आवश्यकता की पूर्ति के लिए होते थे। कोई जरूरी नहीं कि ये उत्पादन सिर्फ आम लोगों की जरूरत की पूर्ति के लिए हों। इसमें सामंतों और राजाओं के साज सज्जा और तख्त ताज भी हो सकते थे। उत्पादन जरूरत की पूर्ति के लिए होता था चाहे वह आमजन के लिए हो या अभिजन के लिए। इससे एक मात्रा के बाद इस उत्पादन पर खुद-ब-खुद एक सीमा लग जाती थी। पूंजीवादी उत्पादन की विशिष्टता यह है कि इसमें उत्पादन का मूल उद्देश्य किसी जरूरत की पूर्ति नहीं सिर्फ बाजार और बिक्री है। इसके लिए उत्पादन आवश्यक, अनावश्यक या घातक भी हो सकता है। सिर्फ एक जरूरत की पूर्ति होनी चाहिए बाजार की उपलब्धि। विज्ञापनों के जरिये किसी भी नशीली या जहरीली वस्तु के लिए बाजार बनाया जा सकता है—सिगरेट, कोका कोला आदि इसी कोटि में आती हैं। यह एक सर्वविदित बात है कि आज संसार में वायु प्रदूषण का सबसे बड़ा स्रोत मोटर गाड़ियाँ हैं। अब इससे होने वाले प्रदूषण के नतीजे सर्वविदित हैं। लेकिन इसका एक दूसरा प्रत्यक्ष दिखने वाला खतरनाक पहलू भी है। यह पाया गया है कि मोटर वाहनों की दुर्घटनाओं में बारह लाख से अधिक लोग सालाना मारे जाते हैं और पांच करोड़ लोग घायल होते हैं। मृतकों की यह संख्या तपेदिक अथवा मलेरिया से सालाना मरने वालों की संख्या से अधिक ही है। फिर भी इसका उत्पादन और इसकी बिक्री लगातार

बढ़ाई जा रही है और विज्ञापनों और हर तरह की वित्तीय सुविधाओं—जैसे सस्ते ऋण और सरकारों द्वारा इसकी खरीदगी के जरिये इसकी बिक्री को बढ़ाया जा रहा है। इस तरह के उत्पादन का कोई बुद्धि संगत तर्क नहीं दिया जा सकता। पूँजीवादी व्यवस्था के भीतर अधिक धन अर्जन करने का उन्माद एक अंतरभूत दबाव बन गया है जिससे इस व्यवस्था को कबूल करने वाला कोई भी व्यक्ति बच नहीं सकता। अब तक एक कहावत प्रचलित है, "आवश्यकता आविष्कार की जननी है।" लेकिन चूंकि पूँजीवादी व्यवस्था का आधार अधिक से अधिक वस्तुओं का उत्पादन और बिक्री करना है, जो पूँजी के प्रसार का स्रोत है, इसलिए पूँजीवादी व्यवस्था में यह कहावत बदल गयी है और इसका स्थान इस आदर्श ने ले लिया है—"ज्ञान का लक्ष्य आवश्यकताओं का आविष्कार करना है।" इस तरह रोज नए उत्पाद बाजार में आते हैं और इनकी बिक्री बढ़ाई जाती है। इनके आविष्कार में असंख्य विशेषज्ञ लगे रहते हैं।

लेकिन यहीं हम इस हकीकत से रूबरू होते हैं कि उत्पादन शून्य में नहीं होता। हर उत्पाद के लिए कच्चे माल की जरूरत होती है—कोका कोला के लिए पेयजल और कोका का अपरिमेय स्रोत चाहिए, सिगरेट के लिए तंबाकू और जंगल के विशाल क्षेत्र जिन्हें लुगदी बना कागज तैयार होता है, और मोटर गाड़ियों के लिए तो सैकड़ों वस्तुओं की आपूर्ति की जरूरत होती है—जैसे इस्पात तथा कई तरह के दूसरे धातु—जिनके लिए खनिजों के लिए सारे संसार में फैले किसानों और आदिवासियों की जमीन पर कब्जा जमाना जरूरी होता है—तथा रबर, जिसके लिए लाखों एकड़ जमीन पर पौधे उगाये जाते हैं। हजारों तरह के कच्चे मालों में सिर्फ यहाँ दो चार का जिक्र किया गया है। और इन सब के ऊपर उत्पादन के अनुपात में ही विशाल मात्रा में ऊर्जा की जरूरत होती है जिससे उत्पादन के लिए कारखाने चलाए जाते हैं और ऐसे कारखानों के इर्दगिर्द इनमें काम करने वाले लोगों को सुविधाएँ मुहैया करायी जाती हैं। इससे बड़ी मात्रा में ऊर्जा की खपत उस परिवहन व्यवस्था के लिए होती है जिसके जरिये दूरदराज स्थानों से कच्चे माल लाए जाते हैं और उत्पादित वस्तुओं को संसार के कोने-कोने तक पहुँचाया जाता है।

यहीं पर हम प्रभुसत्ता की बुनियादी समस्या से रूबरू होते हैं। संसार के सभी भागों के लोग चाहे वे विकास की जिस भी सीढ़ी पर हों किसी न किसी तरह की समाज व्यवस्था और राजकीय व्यवस्था के तहत रहते हैं। अपने क्षेत्र में अपने संसाधनों के मालिक होते हैं, या होते थे। इन क्षेत्रों के संसाधनों के दोहन का उनका परंपरागत अधिकार होता रहा है क्योंकि यही उनके जीवन के आधार थे। संप्रभुता की चर्चा के संदर्भ में इन समाजों के लोगों को ही अपने यहाँ के प्राकृतिक साधनों के उपयोग का अधिकार बनता है चाहे वे उनका उपयोग जैसे करें। लेकिन तथाकथित मर्केन्टाइल काल की शुरुआत (लगभग सोलहवीं/सत्तरहवीं शताब्दी) से जब से यूरोपीय जहाजियों ने संसार के विभिन्न देशों में व्यापार, लूट और जमीन

दखल करने का सिलसिला जारी किया उनकी पारंपरिक प्रभुसत्ता और अधिकार को नष्ट किया जाने लगा। पारंपरिक दौर में यह जंगलों की कटाई और व्यापार के लिए उपयोगी खेती से शुरू हुआ। इन भूभाग के लोगों के उनके जंगल और उनकी भूमि पर अधिकार को खत्म करने के लिए नए सिद्धांत गढ़े गए। एमरिस द बाट्टेल नामक एक सज्जन ने 'राष्ट्रों का कानून' नामक एक पुस्तक लिखकर यह सिद्धांत प्रतिपादित किया कि जमीन पर प्रभुसत्ता का अधिकार जंगलों को काट खेती लायक बनाना है। इसके बाद औद्योगिक क्रांति हुई और औद्योगिक पूँजीवाद ने पहले यूरोप और अमेरिका में और बाद में सारे संसार में अपना पांव पसारना शुरू किया। अब पूँजी संचय, पूँजीवादी उत्पादन और ज्यादा से ज्यादा मुनाफा कमाना समाज का सर्वोपरि लक्ष्य बन गया।

जैसा कि ऊपर कहा गया है कि पूँजी का मुनाफा इस पर निर्भर करता है कि कितनी मात्रा में वस्तुओं का उत्पादन होता है, और इन वस्तुओं की बिक्री होती है। अगर इस उत्पादन पर लोगों के आवश्यक उपभोग की सीमा से कोई रोक नहीं लगती तो उत्पादन के लिए संसाधनों की भूख असीमित हो जाएगी। आज की दुनिया में यही स्थिति पैदा हो गयी है और पूँजी प्रसार का अभियान निर्बंध हो संसार भर के संसाधनों पर कब्जा करने में लगा है। लेकिन पूँजीवादी व्यवस्था प्रतिस्पर्धा की व्यवस्था होती है जिसमें व्यक्ति और पूँजीवादी प्रतिष्ठान एक-दूसरे से आगे निकल ज्यादा से ज्यादा उत्पादन करने और मुनाफा कमाने में लगे रहते हैं। प्रारंभ में इन समूहों का गहरा संबध अपने यहाँ की सरकारों से था। इससे औद्योगिक देशों की सरकारें भी दुनिया के संसाधनों पर कब्जा करने के अभियान में तथाकथित राष्ट्रीय पूँजीपतियों की सहायता करते थे। इसका सबसे सीधा उपाय होता था अपनी सामरिक शक्ति से संसाधनवाले भूभागों पर कब्जा जमा उन्हें अपने पूँजीपतियों के हवाले कर देना। प्रथम विश्वयुद्ध के पीछे तो पूँजीवादी हितों का हाथ सीधा-सीधा दिखाई देता है। द्वितीय विश्वयुद्ध में फासीवाद और सोवियत व्यवस्था का शामिल होना मामले को थोड़ा उलझा देता है। लेकिन द्वितीय विश्वयुद्ध के बाद के शीतयुद्ध और फिर सोवियत यूनियन के विघटन के बाद के परिदृश्य पर विचार करने पर फिर वही बात सामने आती है—संसार के संसाधनों पर नियंत्रण के लिए जोड़-तोड़। इसमें ऊर्जा के लिए आवश्यक संसाधनों, खासकर पेट्रोलियम और गैस को लेकर सबसे ज्यादा प्रतिस्पर्धा है।

अब राजनीति के टेक्स्ट बुक के बाहर प्रभुसत्ता की चर्चा शायद ही कहीं होती हो। हाल के वर्षों में युद्धों में राष्ट्रों पर जिस बेरहमी से आक्रमण होते रहे हैं—ताजा उदाहरण इराक पर अमेरिकी हमला है—उसे देखते हुए राष्ट्रों की प्रभुसत्ता की बात को कोई गंभीरता से नहीं लेता। इसके अलावा प्रथम विश्वयुद्ध के बाद से लीग ऑफ नेशन्स के तहत अस्तित्व में आए कई संगठन हैं, या फिर द्वितीय विश्वयुद्ध के बाद

स्थापित संयुक्त राष्ट्र संघ के शिक्षा, मानवाधिकार और स्वास्थ्य आदि से संबंद्ध संगठन। फिर विश्व बैंक, अंतर्राष्ट्रीय मुद्राकोष तथा विश्व व्यापार संगठन जैसे अनेक संगठन अस्तित्व मे आ गए हैं जिन्हें अलग-अलग मुद्दों पर प्रभुता संपन्न राष्ट्रों से जवाब तलब करने और उन पर प्रतिबंध लगाने का काफी कुछ अधिकार प्राप्त है। इसलिए अपनी समग्रता में कोई भी राष्ट्र प्रभुता संपन्न नहीं है। अगर कोई प्रभुता संपन्न शक्ति आज की दुनिया में है तो वह पूँजी है और वे अनेक राष्ट्रीय और बहुराष्ट्रीय पूँजीवादी कंपनियां हैं जो अपने हित में राष्ट्रों की सीमा निर्धारित करती चलती हैं और उनके अधिकारों का अतिक्रमण करती चलती हैं।

फिलहाल अमेरिका के साथ एटमी करार के पीछे भी पूँजीवादी प्रतिष्ठानों की ऊर्जा की बढ़ती जरूरत का दबाव ही है। मनमोहन सिंह ने नाभिकीय ऊर्जा की अनिवार्यता यह कहकर बतलायी कि अगर देश को 9 या 10 प्रतिशत सालाना विकास दर कायम रखना है तो परमाणु ऊर्जा का विकास जरूरी है। फिलहाल परमाणु ऊर्जा का उत्पादन देश की तमाम ऊर्जा के लगभग तीन प्रतिशत है। इसलिए अगर इसको कई गुना भी बढ़ा दिया जाए तो फर्क बहुत अधिक नहीं पड़नेवाला। लेकिन राष्ट्रीय विकास का असली अर्थ पूँजीपतियों की संपति का विकास है जिससे देश में अनेक अरबपति पैदा हो रहे हैं—जबकि गरीबी अपनी जगह पर बनी हुई है। इस विकास के लिए ज्यादा से ज्यादा ऊर्जा चाहिए न सिर्फ परमाणु ऊर्जा बल्कि तेल, गैस, कोयला सब की ऊर्जा। इसलिए भारत ने रूस के साथ न सिर्फ चार नये परमाणु संयंत्र लगाने का करार किया है बल्कि कुछ अफ्रीकी देशों के साथ भी तेल और गैस के लिए करार कर रहा है। इन अफ्रीकी देशों में नाइजीरिया भी शामिल है जो तेल का बड़ा आपूर्तिकर्त्ता है और मानवाधिकार उल्लंघन के मामले में संसार भर में कुख्यात है।

जो लोग भारत की प्रभुसत्ता का सवाल उठा रहे हैं। दूसरे देशों के लोगों के अधिकारों के संबंध में या तो बेखबर हैं या लापरवाह। शुरू के शोरगुल के बाद माकपा ने जो रुख अख्तियार किया उससे साफ है कि प्रभुसत्ता का सारा शोर शराबा लोगों को सुनाने के लिए था क्योंकि अंततः जब सवाल सरकार के पतन का आ गया—जिसमें वे स्वयं भी हिस्सेदार बन गए हैं—उन्होंने अपना रुख नरम करते करते बिल्कुल बदल दिया। दरअसल आज असली प्रभुसत्ता पूँजी की है जो संसार के सारे लोगों के जीवन के अधिकारों को रौंदकर अपना प्रसार करने में लगी है। असली सवाल आज देश की प्रभुसत्ता का नहीं है बल्कि यह है पूँजी के इस स्टीम-रौलर को निरस्त करने वाली जीवन और आर्थिक विकास की कोई वैकल्पिक शैली बन सकती है क्या?

(लेखक जाने माने समाजवादी चिंतक हैं)

परमाणु समझौता : कैसे बचेगी संप्रभुता?

—प्रेम सिंह

अगर किसी देश की सरकार/संसद साम्राज्यवादी मंसूबों को पूरा करने का काम करने लगे तो समझ लेना चाहिए राष्ट्रीय संप्रभुता पर गहरा संकट आ गया है। भारत में करीब पिछले बीस वर्षों से यही हो रहा है। औपनिवेशिक साम्राज्यवाद से लंबा संघर्ष करके हासिल की गई संप्रभुता, जिसे उत्तरोत्तर मजबूत किया जाना था, कमजोर की जा रही है। भारत का ही शासक वर्ग यह राष्ट्र-दोह कर रहा है। अगर बहुचर्चित भारत-अमेरिका असैनिक परमाणु समझौता लागू होता है तो यह अकेला पहले से क्षतिग्रस्त राष्ट्रीय संप्रभुता को भारी आघात पहुँचाएगा। देश में साम्राज्यवाद के एजेंटों की स्थिति ज्यादा मजबूत होगी और साम्राज्यवाद के विरुद्ध संघर्ष कठिनतर हो जाएगा।

संयुक्त राज्य अमेरिका ने भारत-अमेरिका असैनिक परमाणु समझौता अपने तात्कालिक और दूरगामी आर्थिक तथा सैन्य हितों की पूर्ति के लिए तैयार किया है। इस सच्चाई को समझने में जरा भी मुश्किल नहीं होनी चाहिए। ये तथ्य अच्छी तरह से प्रकाश में आ चुके हैं कि इस समझौते को लागू कर अमेरिका भारत को अपने विश्वव्यापी सैन्य अभियान का हिस्सा बनाने के पुराने मंसूबे को पूरा करना चाहता है और करीब 150 अरब डॉलर के इस समझौते में अमेरिकी बहुराष्ट्रीय कंपनियाँ मालामाल होने का सपना देख रही हैं। यह खुलासा भी हो चुका है कि 2020 तक 3-4 प्रतिशत अत्यंत महंगी और रेडियोधर्मी कचरा पैदा करने वाली परमाणु बिजली प्राप्त करने के लिए न केवल भारत का परमाणु कार्यक्रम अमेरिकी निगरानी में होगा, इस समझौते के चलते भारत का समूचा रक्षा उद्यम अमेरिकी नियंत्रण में चला जाएगा और देश की अभी तक चलने वाली स्वतंत्र परमाणु नीति तो समाप्त हो ही जाएगी। 'हाइड एक्ट' के तहत समझौते में परमाणु परीक्षण की इजाजत तो नहीं ही है, अमेरिका जब चाहे एक साल का नोटिस देकर परमाणु ईंधन की आपूर्ति रोक सकता है। सभी जानते हैं। इस समझौते के चलते ईरान से

पाकिस्तान होकर भारत तक प्राकृतिक गैस पाइप लाइन बिछाने की भारत की ऊर्जा जरूरतों के लिए अत्यंत महत्त्वपूर्ण योजना पर अमल रुक गया है। विदेश नीति की क्या दशा होने जा रही है, उसकी बानगी अफगानिस्तान और इराक पर अमेरिकी हमले के समर्थन और आईएईए की बैठक में ईरान के खिलाफ मतदान में सामने आ चुकी है। बल्कि परमाणु समझौता देश की बदली विदेश नीति का निकट अतीत का अभी तक का सबसे बड़ा संकेतक है।

अमेरिका का पूरा इतिहास दूसरे देशों की कीमत पर अमेरिकी आर्थिक और सैन्य हितों को आगे बढ़ाने का इतिहास है। अमेरिकी सत्ता प्रतिष्ठान यह काम पूरी कुटिलता और कठोरता के साथ करता रहा है। मजेदारी यह है कि अमेरिका अपने मंसूबों को कभी छिपाता ही नहीं है। अगर कुछ छिपा रह भी जाता है तो कई महत्त्वपूर्ण अमेरिकियों द्वारा देर-सवेर प्रकाश में ले आया जाता है। उनमें नोम चोम्स्की जैसे विद्वान ही नहीं, अमेरिकी सत्ता प्रतिष्ठान में काम करने वाले विलियम ब्लम जैसे कई महत्त्वपूर्ण अधिकारी शामिल हैं। इसके बावजूद अमेरिकी साम्राज्यवाद अबाध गति से आगे बढ़ता है। संयुक्त राष्ट्र संघ, विश्व आर्थिक मंच, विश्व बैंक, अंतर्राष्ट्रीय मुद्रा कोष, विश्व व्यापार संगठन जैसी वैश्विक संस्थाओं को वह साम्राज्यवादी हित-साधना का जरिया बना लेता है। अगर वैसा न हो पाए और अमेरिका को किसी साम्राज्यवादी गतिविधि को आगे बढ़ाने की जल्दी हो तो वह अंतर्राष्ट्रीय नियम-कानूनों को धता बता देता है। बीच-बीच में ऐसी स्थितियाँ बनती नजर आती हैं और चर्चाएँ जोर पकड़ती हैं कि अमेरिकी साम्राज्यवाद संकटग्रस्त हो गया है। आजकल भी यह चर्चा चल रही है। लेकिन अमेरिका की खूबी रही है कि अभी तक उसने अपने संकट को अपने शिकारों का संकट बना देने में कामयाबी हासिल की है।

हालांकि अमेरिका साम्राज्यवादी मंसूबों को कामयाब बनाने के लिए 'शैतानों' के खिलाफ सीधे युद्ध में भी उतरता है, लेकिन ज्यादातर वह मौका ताड़ता है और राष्ट्र-विशेष की शासक जमातों की मार्फत अपना शिकार करता है। उपनिवेशवादी गुलामी से लंबे संघर्ष के बाद मुक्त होने वाले देशों में अमेरिका ने वहाँ की शासक जमातों की मार्फत ही अपनी घुसपैठ बनाई है। किसी देश की शासक जमात वहाँ के राजनीतिक समूह के साथ बौद्धिक, प्रशासनिक और पूँजीपति समूहों का समुच्चय होती है। अमेरिका बखूबी इन चारों को साम्राज्यवादी घेरे में ले आता है। आधुनिक तीन-चौथाई से ज्यादा दुनिया का यह दुर्भाग्य रहा है कि औपनिवेशिक काल में उसके यहाँ साम्राज्यवादी दिमाग का बीज-रोपन हो गया था। यही असली वजह है कि उपनिवेशवाद के बाद आने वाला यह नया साम्राज्यवाद देर सवेर नवस्वतंत्र देशों में अपनी घुसपैठ बना लेता है। भारत ने उपनिवेशवादी साम्राज्यवाद के खिलाफ लंबा संघर्ष किया था और एक मिशाल कायम की थी। उस दौर में बनी साम्राज्यवाद विरोधी चेतना के चलते अमेरिका करीब तीन दशकों तक भारत को अपने

साम्राज्यवादी मंसूबों का शिकार नहीं बना पाया। लेकिन उसने प्रयास नहीं छोड़े। उसे इंतजार था एक ऐसे प्रधानमंत्री का जो अमेरिकी आकर्षण में बंधा हो। राजीव गांधी भारत के वैसे ही प्रधानमंत्री थे। तब से अब तक अमेरिका भारत में इस कदर घुसता गया है कि देश के भीतर एक 'मिनी अमेरिका' निर्मित हो गया है। देखते-देखते भारत की शासक जमात राष्ट्रीय संप्रभुता के बजाय अमेरिकी साम्राज्यवाद की पहरुआ बन चुकी है। यह समझौता एक बड़ा सौदा है। ऊपर बताया गया है कि भारत की जरूरत के लिए परमाणु ऊर्जा के विकास पर 2020 तक करीब 150 अरब डालर का निवेश होगा, जो जाहिर है ज्यादातर अमेरिकी कंपनियाँ करेंगी। अमेरिकी कंपनियों के लिए यह समझौता अपनी आर्थिक गतिरुद्धता को तोड़ने का सुनहरा अवसर होगा। 16 नवंबर 2006 को अमेरिकी सीनेट ने समझौते को मंजूरी दी। उसी साल नवंबर के अंतिम सप्ताह में 250 सदस्यों वाला अमेरिकी व्यापारी प्रतिनिधिमंडल भारत आया। उसमें जी.ई.एनर्जी, थोरियम पॉवर, बीएसएक्स टेक्नोलोजीज और कॉन्वर डायन जैसी कंपनियों के प्रतिनिधि शामिल थे। फरवरी 2007 में नई दिल्ली में हुए 'एयरो इंडिया' मेले में 50 से ज्यादा अमेरिकी रक्षा व एयरोस्पेस कंपनियाँ अपने फाइटरों और हेलीकॉप्टरों के नमूनों के साथ आईं। अमेरिकी प्रतिनिधिमंडल अमेरिका के पूर्व रक्षा सचिव विलियम कोहेन के नेतृत्व में आया था। कोहेन ने बिना किसी लागलपेट के कहा कि अमेरिकी रक्षा उद्योग ने कांग्रेस के कानून निर्माताओं के पास भारत को परमाणु शक्ति के रूप में मान्यता दिलवाने के लिए लॉबिंग की है। अब उसे बदले में मालदार सैन्य ठेके चाहिए। एक साल बाद फरवरी 2008 में नई दिल्ली में हुए डिफेंस एक्सपो 2008 में भी कोहेन के नेतृत्व में अमेरिकी रक्षा कंपनियों के ठेकेदार बड़ी संख्या में शामिल हुए। 'मजबूत आर्थिक शक्ति' बन चुके भारत ने मजबूत सैन्य शक्ति बनने के लिए अगले पाँच सालों में 40 अरब डॉलर खर्च करने का फैसला किया है। भारत पर सोवियत कालीन पुराने फौज-फाटे को अपग्रेड करने का जैसे भूत सवार हो गया। ऐसा लगता है। स्वाबलंवी व कम खर्चीली रक्षा-व्यवस्था विकसित करने की प्रतिबद्धता अब त्यागी जा रही है। यह जान कर ठेके पाने के लिए अमेरिकी रक्षा कंपनियाँ अत्यंत सक्रिय हो उठी है। लॉकहीड मार्टिन भारत में इन कंपनियों की अगुआ है। इस कंपनी ने भारत को 6 सुपर हरक्युलिस सी-130 जे मिलिटरी ट्रांसपोर्ट प्लेंस सप्लाई करने का एक अरब डालर–400 करोड़ रुपये का ठेका इस साल 31 जनवरी को हासिल किया है। पेंटागन के अधिकारियों ने इस सफलता पर झूमते हुए कहा कि भारत में अमेरिकी रक्षा कंपनियों के लिए 'नया वातावरण' बन गया है और इस सौदे ने शीतयुद्ध कालीन 'मनोवैज्ञानिक बाधा' को तोड़ दिया है जिसके तहत अमेरिका के प्रति भारतीय रक्षा प्रतिष्ठान में अविश्वास की भावना बनी रहती थी। अब रूस, और चीन का मजबूत कब्जा तोड़ना आसान हो जाएगा। इजरायल भारत को रूस के बाद दूसरा

बड़ा हथियारों की आपूर्ति करने वाला देश है। उसे यह हैसियत भारत में उदारीकरण की शुरुआत के बाद हासिल हुई। इजरायल एशिया में अमेरिका का पहलवान देश है। उसे भारत का दूसरे नंबर का हथियार सप्लायर बनाने में खुद अमेरिका की भूमिका से इनकार नहीं किया सकता। रूस को खदेड़ कर इजरायल के बाद या साथ अमेरिका–यह स्वाभाविक साम्राज्यवादी स्थिति है। बहरहाल, उपर्युक्त डील से उत्साहित होकर लॉकहीड और बोईंग कंपनी भारतीय वायुसेना के लिए दरकार 126 फाइटर जेट सप्लाई करने का 102 अरब डॉलर–420 अरब रुपये–का ठेका पाने का मंसूबा बना रही हैं। अमेरिका भारत के बैलिस्टिक मिसाइल डिफेंस–बीएमडी-कार्यक्रम में घुसने के लिए भी बेताब है, जो अनुसंधान और विकास के मामले में आत्मनिर्भर बताया गया है। भारतीय 'रक्षा बाजार' को लेकर अमेरिकी मंसूबे को यूएस पेसीफिक फ्लीट के पूर्व कमांडर और रेथियोन एशिया के अध्यक्ष वाल्टर डोरन के शब्दों में समझा जा सकता है, भारत, "अगले करीब एक दशक में हमारा सबसे बड़ा नहीं तो सबसे बड़ों में एक वृद्धि सहयोगी–ग्रोथ–पार्टनर होगा।" जब बड़ी दावत होती है तो जूठन भी बड़ी होती है। लिहाजा, कुछ माल-पानी भारतीय कंपनियों को भी मिलेगा। दरअसल, अमेरिकी रक्षा कंपनियों ने अपनी भारतीय सहयोगी कंपनियाँ तलाशनी और बनानी शुरू कर दी हैं। भविष्य की परियोजनाओं के लिए नॉर्थरोप ग्रूमन ने भारत इलैक्टोनिक्स एंड डायनामेटिक टेक्नोलोजिज के साथ मीजान बिठाया है। कहना न होगा कि अरबों डॉलर के रक्षा सौदों में कमीशन के नाम पर किस कदर भ्रष्टाचार चलता है। यानी बहुत से अमेरिकापरस्तों को भी जूठन जीमने का मौका मिलेगा। अमेरिका ने जो यह कहा है कि परमाणु समझौता करने का फैसला उसने भारत को महाशक्ति बनाने में मदद करने के लिए किया है, उसका निहितार्थ यही है कि अमेरिकी रक्षा कंपनियाँ भारत की रक्षा व्यवस्था को 'मजबूत' बनाने में जुट जाएँगी। अमेरिकी अर्थव्यवस्था बहुत हद तक उसके रक्षा उद्योग पर आश्रित है। इसीलिए वह इस या उस देश को महाशक्ति बनाने का 'उपकार' करता रहता है। चीन को भी वह महाशक्ति बनाने में मदद कर चुका है। जब चीन की सोवियत रूस से खटक गई थी तो करीब तीन दशक तक अमेरिकी पूँजी और टेक्नोलोजी का निवेश चीन के रक्षा उद्योग में होता रहा। जब चीन वाकई महाशक्ति बनने की दिशा में बढ़ने लगा तो उसने रोकने के लिए अमेरिका को अब भारत को महाशक्ति बनाने की जरूरत पड़ गई है। चीन रक्षा संबंधी नजरिए और लक्ष्यों को लेकर शुरू से ही स्पष्ट रहा है। इस बारे में किसी तरह के आदर्शवाद या बिरादराना में चीन का विश्वास नहीं है। इसलिए वह न रूस के काबू में आया और न अमेरिका के। लेकिन भारत के प्रथम प्रधानमंत्री जवाहरलाल नेहरू रक्षा के मामले में वाकई आदर्शवादी थे। निस्संदेह उनके आदर्शवाद पर स्वतंत्रता संघर्ष के मूल्यों और गांधी के अहिंसा दर्शन का प्रभाव था। उनके आदर्शवाद को चकनाचूर भी चीन ने ही किया था। उसके बाद

भी भारत का रूस, चीन, अमेरिका या पश्चिम यूरोपीय देशों जैसी सैन्य महाशक्ति बनने का इरादा कभी नहीं बन पाया। उसकी रक्षा तैयारी का संदर्भ मुख्यतः पाकिस्तान ही बना रहा। अब जबकि भारत के नए शासक वर्ग को आर्थिक महाशक्ति होने का गुमान हो गया है, वह सैन्य महाशक्ति होने का गुमान भी पालना चाहता है। भारत के इस शासक वर्ग को फौरियों पर धर कर अमेरिका ने अपनी समस्त रक्षा व दूसरी कंपनियाँ भारत में घुसा दी हैं। तभी हाल में भारत में अमेरिका के राजदूत डेविडमुल्फोर्ड ने यह कहते हुए कि समझौता मरा नहीं है, अंतिम दिनों में है, यह भी स्पष्ट कर दिया है कि समझौता न होने की स्थिति में भी भारत और अमेरिका के संबंधों को नुकसान नहीं पहुँचेगा। उन्होंने स्वीकार किया है कि भारत ने अमेरिकी कल्पना को बहुविध रूपों में मोहित कर लिया है। लिहाजा, परमाणु समझौते को अमेरिका द्वारा भारत के रक्षा उद्योग को हथियाने के मंसूबे से अलग करके देखना नादानी होगी।

भारत-अमेरिका परमाणु समझौता भारतीय संप्रभुता के खिलाफ अमेरिका का ताजातरीन और दूर तक मार करने वाला हथियार है। यह समझौता, जिसे होना है, 40 सालों के लिए है। संविधान सहित राष्ट्रीय संप्रभुता के समस्त शिलालेखों को मिटा देने के लिए भारत की अमेरिका परस्त ताकतों के लिए इतना लंबा समय काफी होगा। वे एकजुट होकर साम, दाम, दंड भेद से समझौते को लागू करवाने के प्रयासों में जुटी हैं। उनसे पार पाना आसान नहीं है। उनकी कारों और हवाई जहाजों पर तिरंगा फहराता है और होठों पर राष्ट्रगान होता है। अभी जो स्थिति है उसमें यही लगता है कि हमारी राष्ट्रीय संप्रभुता पर आपदा स्वरूप आया परमाणु समझाता टलने वाला नहीं है। कई राजनैतिक-सामाजिक संगठनों और महत्त्वपूर्ण व्यक्तियों द्वारा समझौते का सतत और सक्रिय विरोध किए जाने के बावजूद ऐसा लग रहा है तो उसकी कुछ ठोस वजहें हैं। आइए उन पर विचार करें। यह समझौता यूपीए के प्रधानमंत्री मनमोहन सिंह ने अमेरिकी राष्ट्रपति जॉर्ज बुश के साथ किया है। कांग्रेस के चुनावी मेनीफेस्टो में ऐसे किसी समझौते का जिक्र नहीं था। जब साझा न्यूनतम कार्यक्रम बना तब भी इस समझौते का कहीं जिक्र नहीं आया। यूपीए के अन्य घटक दलों की बात जाने दें, कांग्रेस के महत्त्वपूर्ण नेताओं तक को समझौते के स्वरूप और प्रक्रिया की पूरी जानकारी नहीं थी। शायद आज भी नहीं है। भारत में आणविक ऊर्जा के अनुसंधान और प्रशासन से जुड़े रहे वैज्ञानिकों और रक्षा विश्लेषकों ने भी जब समझौते की बाबत सुना तो उसे भारत की राष्ट्रीय सुरक्षा के साथ समझौता माना। साथ ही भारत की स्वतंत्र परमाणु नीति के लिए नकारात्मक। यहाँ तक कि बाद में समझौते का समर्थन करने वाले काकोदकर साहब भी शुरू में विरोधी थे। संसद तो कहीं बीच में आई ही नहीं और जब समझौते की जानकारी संसद में आई तो कांग्रेसियों को छोड़कर बाकी सभी सांसद समझौते को लेकर संदेह और दुविधा में

थे। न जाने किस बिना पर प्रधानमंत्री मनमोहन सिंह राष्ट्रपति बुश को यह कह आए कि समझौते को संसद का समर्थन है। जबकि संसद में समझौते को स्वीकृत करने वाला विधेयक तो आया ही नहीं था, संसद ने उसके समर्थन में प्रस्ताव तक पास नहीं किया था। इस तरह मनमोहन सिंह समझौते के सर्वेसर्वा हैं। कांग्रेस ने सारा दारोमदार उन्हीं पर छोड़ा हुआ है। मनमोहन सिंह के प्रधानमंत्रित्व की हकीकत यह है कि वे वाया सोनिया गांधी अमेरिकी साम्राज्यवाद के स्वाभाविक ताबेदार हैं। साम्राज्यवाद की स्वाभाविक ताबेदारी करने की मनमोहन सिंह की योग्यता ने ही उन्हें सोनिया गांधी का प्रिय बनाया है। ध्यान दें कि नेहरू खानदान की जड़ खोदने की हिमाकत करने वाले नरसिम्हा राव के विरोध में अपनी अटूट वंशवादी निष्ठा का प्रदर्शन करते हुए कांग्रेस तिवारी बनाने वाले अर्जुन सिंह आज भी संपूर्ण निष्ठा के बदले दस जनपथ की दुत्कार खा रहे हैं और उस समय नरसिम्हा राव के प्रिय रहे मनमोहन सिंह सोनिया गांधी के भी उतने ही प्रिय बने हुए हैं। जॉर्ज बुश के साथ अकेले दम पर समझौता करने वाले मनमोहन सिंह की पीठ पर सोनिया गांधी का 'हाथ' है और सोनिया गांधी के विरोध का माद्दा आज देश के किसी नेता या बुद्धिजीवी में नहीं दिखाई देता। उधर जॉर्ज बुश और इधर सोनिया गांधी आसान नहीं होगा समझौते को रोकना। स्वाभाविक साम्राज्यवादी होने के नाते जॉर्ज बुश अमेरिका के अलावा किसी देश की संप्रभुता का लिहाज नहीं करते। लिहाजा, उनसे शिकायत करने का कोई अर्थ नहीं है। सोनिया गांधी से भी क्या कहें, जिनके लिए देश का अर्थ वह कांग्रेस पार्टी है जो नेहरू खानदान से बनती और चलती है। पिछले कुछ वर्षों में उन्होंने खुद इसका भलीभांति अनुभव कर लिया है। सोनिया गांधी का देश वही है जिसके प्रधानमंत्री अभी मनमोहन सिंह हैं और आगे राहुल गांधी होंगे और जो सोनिया गांधी के सेवकों और सेकुलर सिपाहियों से गुलजार है। ऐसी सोनिया गांधी, उनके प्रधानमंत्री मनमोहन सिंह और उनकी कांग्रेस से वास्तविक राष्ट्रीय संप्रभुता की चेतना की अपेक्षा ही नहीं की जा सकती। ध्यान कीजिए मनमोहन सिंह का समझौते के पक्ष में अगस्त 2006 में संसद में दिया गया पहला भाषण। एक नितांत आधारहीन और गुमराह करने वाला भाषण इतने साहस और साफगोई के साथ संसद में वही प्रधानमंत्री दे सकता है जो साम्राज्यवादी गुलामी में भी संप्रभुता के दर्शन कर चुका हो। अब तक वह सारा भाषण तार-तार हो चुका है लेकिन मनमोहन सिंह के चेहरे पर शर्म की हल्की रेखा भी नजर नहीं आई। वे झूठ बोलें या सच, साम्राज्यवादी व्यवस्था के अंदरखाने के आदमी होने के नाते मनमोहन सिंह को पूर्ण विश्वास है कि समझौता लागू होकर रहेगा।

भारत-अमेरिका परमाणु समझौता अमेरिका के नाभिकीय ऊर्जा कानून, 1954 की एक विशेष धारा 123 के तहत किया गया है। अमेरिका का नाभिकीय ऊर्जा कानून किसी देश ऐसे देश के साथ परमाणु सहयोग करने की इजाजत नहीं देता

जिसने परमाणु अप्रसार संधि–एनपीटी–पर हस्ताक्षर न किए हों। भारत ऐसा ही देश है। धारा 123 के तहत अमेरिकी राष्ट्रपति को छूट है कि वह अमेरिकी हितों के मद्देनजर परमाणु अप्रसार संधि पर हस्ताक्षर नहीं करने वाले देश के साथ भी परमाणु सहयोग का करार कर सकता है। सर्वविदित है कि अपनी आर्थिक और सैन्य शक्ति का विस्तार करते जाना अमेरिकी हित कहलाता है। 9/11, अलकायदा, अफगानिस्तान, इराक और इधर चीन के चलते भारत अमेरिकी हित-साधना के लिए अहम हो गया, इसलिए राष्ट्रपति बुश ने धारा 123 का उपयोग कर भारत को समझौते के लिए चुना है। इस समझौते के तहत भारत को अपने आर्थिक और सैन्य अभियान में शामिल करने के लिए राष्ट्रपति बुश ने दिसंबर 2006 में एक 'हाइड एक्ट'–हेनरी जे. हाइड अमेरिका भारत शांतिपूर्ण परमाणु ऊर्जा कानून, 2006–बनाया। जाहिर है, अमेरिका ने भारत का चुनाव एकतरफा नहीं किया है। उसने यह देख लिया कि खुद निशाना बिंधने के लिए तीर की तरफ दौड़ा आ रहा है। भारत में अमेरिकी गुप्तचर एजेंसियों एफबीआई और सीआईए के कार्यालय काम कर रहे हैं। इन एजेंसियों ने तीसरी दुनिया के देशों में कब-कब क्या-क्या कहर ढाए हैं। इसका खुलासा कई प्रतिष्ठित अमेरिकियों ने किया है। लॉकहीड मार्टिन, बोईंग, राथेयन, नॉर्थरोप ग्रुमन, हॉनीवेल, जनरल इलेक्टिक जैसी 50 से ज्यादा अमेरिकी रक्षा डिफेंस कंपनियाँ भारत में अपने कार्यालय चला रही हैं। ताकि रक्षा जरूरतों को तुरंत पूरी कर सकें। रक्षा कंपनियों के अलावा अन्य अनेक मुनाफाखोर बहुराष्ट्रीय कंपनियाँ भारत को अपनी आसान चरागाह बनाए हुए हैं। सरकारें, मीडिया, बुद्धिजीवी मिल कर अमेरिका के लिए काम कर रहे हैं। बल्कि कहें भारत को अमेरिका बनाने का सपना बेच रहे हैं। ऐसे भारत के प्रधानमंत्री मनमोहन सिंह जुलाई 2005 में अमेरिका गए थे और अमेरिका द्वारा तैयार किए गए पूरे समझौते की हामी भर आए थे। हमें नहीं मालूम कि हामी भरने से पहले मनमोहन सिंह ने देश की विदेश और रक्षा नीति की दिशा बदल देने वाले समझौते के बारे में संसद, केबिनेट या कांग्रेस पार्टी से गंभीर मशिवरा किया था। मार्च 2006 में राष्ट्रपति बुश भारत आए। इसलिए नहीं कि समझौते को लेकर भारत में भी कोई औपचारिकता होनी है। शायद देखने के लिए कि वरदान दाता के प्रति वरदान पाने वालों का क्या भाव है जी हाँ, मनमोहन सिंह भारत-अमेरिका परमाणु समझौते को ऐसा वरदान बताते हैं। जिसे राष्ट्रपति बुश से वे ही प्राप्त कर सकते थे। बुश खुश होकर लौटे। 27 जुलाई 2006 को अमेरिकी कांग्रेस ने भारी बहुमत से वह बिल पारित कर दिया। 16 नवंबर 2006 को सीनेट ने बिल को पारित किया और 18 दिसंबर 2006 को राष्ट्रपति ने उस पर हस्ताक्षर कर स्वीकृति की मुहर लगा दी। इस बीच अगस्त 2006 को संसद में प्रधानमंत्री का वह भ्रामक भाषण हुआ जिसका जिक्र ऊपर किया गया है। समझौते को लेकर भारत में कई कोनों से कई तरह के विरोध के स्वर उठ चुके थे। उन्हें दबाने के लिए प्रधानमंत्री ने संसद में वह

भाषण दिया था। वे चाहते थे कि समझौते को लेकर बाकी औपचारिकताएँ जल्द से जल्द यानी राष्ट्रपति बुश के कार्यकाल में पूरी कर ली जाएँ और स्वयं उनके कार्यकाल में भारतीय संसद समझौते को लागू कर दे। भारत में अमेरिका के राजदूत और अमेरिकी नेताओं ने भी समझौते को तत्काल लागू करने का दबाव बनाया। अन्य औपचारिकताओं के तहत बिल को सुरक्षा मानदंड तय करने के लिए अंतर्राष्ट्रीय परमाणु ऊर्जा एजेंसी--आईएईए--और सहमति और संशोधन के लिए 45 सदस्यीय परमाणु आपूर्तिकर्ता समूह--एनएसजी--के पास भेजने का प्रावधान है। आईएईए और एनएसजी से क्लियर होने के बाद बिल पुनः अमेरिकी कांग्रेस में बहस के लिए जाना है और वहाँ से पारित होने के बाद उस पर राष्ट्रपति के हस्ताक्षर होने हैं। माकपा और वाम मार्चे के अन्य घटक दलों, भाजपा और कुछ क्षेत्रीय पार्टियों के विरोध के बावजूद सरकार आईएईए के साथ कई दौर की बात-चीत चला कर सुरक्षा संबंधी मानदंड तय करने संबंधी औपचारिकता पूरी कर चुकी है। बस हस्ताक्षर होना बाकी है। सरकार ने एनएसजी से भी संपर्क साधा हुआ है। खुद अमेरिका ने दोनों संस्थाओं पर समझौते को स्वीकृत करने के लिए दबाव बनाया है। हम कहना यह चाहते हैं कि औपचारिकताओं की इतनी लंबी प्रक्रिया और तीन वर्ष की लंबी अवधि तय कर चुके इस समझौते का रुकना अत्यंत कठिन है।

यह कठिनाई और बढ़ जाती है जब मनमोहन सिंह को बड़ी संख्या में साम्राज्यवाद परस्त बुद्धिजीवियों और पत्रकारों का समर्थन हासिल होता है। साथ ही साम्राज्यवाद विरोधी बुद्धिजीवियों का भी। मनमोहन सिंह को मजबूत करो नहीं तो भाजपा आ जाएगी। वैज्ञानिकों और पूंजीपतियों का तो है ही। इधर 'मिसाईल मैन' पूर्व राष्ट्रपति एपीजे अब्दुल कलाम साहब और अटल बिहारी वाजपेयी के प्रधानमंत्री कार्यालय में विदेश मामलों के सलाहकार रहे ब्रजेश मिश्रा सरीखों का समर्थन उन्हें मिल चुका है। अमेरिका में भारत के राजदूत रोनेन सेन ने समझौते का विरोध करने वाले सांसदों को 'दिमागहीन चूजे' कहकर धिक्कारा था और राष्ट्रीय संप्रभुता की प्रतीक संसद उनका कुछ नहीं बिगाड़ पाई थी। वे आज भी अमेरिका में भारत के राजदूत हैं। जाहिर है, देश की नौकरशाही भी खुल कर मनमोहन सिंह के साथ है। 'गुलामी की आजादी' में पगे इन 'बड़े लोगों' ने देश की आम जनता को अपना गुलाम बनाया हुआ है। ऐसे में समझौता कौन रोकेगा?

थोड़ा समझौते के विरोधी स्वरों की शक्ति पर विचार करें। समझौते की कर्ता और पक्षधर साम्राज्यवादी शक्ति पर यदि समझौते के विरोध की शक्ति भारी पड़ जाए तो निश्चित ही समझौता रुक सकता है। लेकिन विरोध के स्वरों पर सरसरी निगाह डालने से ही यह स्पष्ट हो जाता है कि उनमें वैसा दम नहीं है। मुख्यधारा राजनीति में समझौते का सबसे मुखर और विचारित विरोध वाम मोर्चे की सबसे बड़ी पार्टी माकपा ने किया है। यूपीए सरकार वाम मोर्चे के बाहर से दिए गए समर्थन पर टिकी

है। माकपा चाहती तो देश की संप्रभुता पर स्थायी आघात करने वाले इस समझौते को इसके उठान की वेला में ही रद्द करा सकती थी। मनमोहन सिंह ने भले ही वाम मोर्चा को समझौते के मुद्दे पर सरकार गिराने की खुली चुनौती दी हो, कांग्रेस और यूपीए के घटक दल दो साल पुरानी सरकार गिरने नहीं दे सकते थे। लेकिन वाम मोर्चा समझौते के आगे क्रियान्वयन पर रोक लगाने की माँग और कांग्रेस के साथ मतभेद वाले मुद्दों को सुलझाने के लिए एक सीमित के गठन भर से संतुष्ट हो गया। इसके साथ उसने बिना मतदान के संसद में बहस की मांग की जो कई अन्य पार्टियों ने भी की थी। देश में माकपा अकेली पार्टी है जिसने अमेरिका में समझौते की प्रक्रिया पर शुरू से ध्यान दिया था। वह चाहती तो सरकार और उससे ज्यादा देश के नागरिक समाज को समझौते के विरुद्ध आगाह कर सकती थी। लेकिन उसे हल्दी की गांठ क्या मिली, पंसारी बन बैठी। जितना जोर उसने कांग्रेस के साथ मिल कर समिति बनाने पर दिया उतना अगर पूरी संसद को भरोसे में लेने पर देती तो विरोध ज्यादा दमदार बन पाता। दरअसल, माकपा का रुख दो टूक विरोध कभी का नहीं रहा। 'हाइड एक्ट' बनने पर सीतराम येचुरी ने कहा था कि वे न तो उसके पक्ष में हैं न विरोध में, जैसी परिस्थिति होगी वैसा फैसला लिया जाएगा। माकपा महासचिव प्रकाश करात अपने अंतर्राष्ट्रीय विश्लेषण को लेकर मगन थे कि देखो अमेरिका गोलपोस्ट बदल रहा है। अगस्त 2006 के प्रधानमंत्री के संसद में दिए गए भाषण पर माकपा नेताओं ने हमारे जैसे लोगों को हैरत में डालते हुए 'पूर्ण संतोष' जताया था। तब से अब तक समझौते का न तो क्रियान्वयन रुका है। न ही यूपीए और वाम मोर्चा नेताओं की समिति की सात बैठकों का कोई परिणाम निकला है। प्रधानमंत्री मनमोहन सिंह और विदेश मंत्री प्रणव मुखर्जी सहित कांग्रेस के छुटभैये नेता अक्सर समझौते की अवश्यंभाविता की घोषणा करते रहते हैं। इस तरह वाम मोर्चा का विरोध 'विरोध की राजनीति' बन कर रह गया है। कहना होगा कि वाम मोर्चा के इस रूप में विरोध से समझौते की समर्थक ताकतें ही मजबूत हुई हैं। संदेश यही गया है कि वाम मोर्चे का विरोध परमाणु समझौते से नहीं, अमेरिका से है।

समझौते का विरोध करने वाली मुख्यधारा की दूसरी बड़ी पार्टी भाजपा है। भाजपा को अमेरिकी साम्राज्यवाद से कोई परेशानी नहीं है। 'इंडो-यूएस स्ट्रेटेजिक अलायंस', जिसकी दिशा में परमाणु समझौता अभी तक का सबसे बड़ा कदम है, भाजपा का सपना रहा है। 'कम्युनिस्टों के काल' अमेरिका के प्रति आरएसएस/भाजपा के नेताओं के मन में श्रद्धा का भाव होता है। अमेरिका चाहे उनके कपड़े ही क्यों न उतरवा ले। एनडीए का शासनकाल चरम अमेरिका परस्ती के लिए जाना जाता है। तभी मनमोहन सिंह ने संकटकाल में और किसी को नहीं, अटल बिहारी वाजपेयी को पुकारा था। भाजपा के विरोध के पीछे भक्त का आक्रोश है कि पूजा हमने की और दाता ने वरदान दूसरे को दे दिया। शुरू में भाजपा के बौद्धिक प्रकोष्ठ के नेताओं

ने समझौते के मसविदे को लेकर कई नुक्ते निकाले थे। वे सब गायब हो गए हैं और एक ही भावनात्मक मुद्दा उसने पकड़ लिया है वह है बम फोड़ने के अधिकार का। वह अगर बना रहे तो 'राष्ट्रवादी' पार्टी को राष्ट्रीय संप्रभुता की रक्षा के लिए और कुछ नहीं चाहिए। अगर यह समझौता फिलहाल सिरे नहीं चढ़ता है और अगले आम चुनाव में भाजपा के नेतृत्व वाली सरकार बनती है तो वह कांग्रेस की तरह समझौते को लागू करने के कांग्रेस जैसे प्रयास करेगी। अन्य क्षेत्रीय पार्टियों के नेता समझौते के विरोध को लेकर भाषणबाजी और बयानबाजी से आगे नहीं बढ़े। कुछ ने तो उतना भी नहीं किया। इधर लुटेरी, जातिवादी और सांप्रदायिक राजनीति का नया प्रतीक बनकर उभरी प्रधानमंत्री की कुर्सी पाने को बेताब मायावती के विचार समझौते के बारे में क्या हैं, पता नहीं। समाजवादी पार्टी, जो नाम की ही समाजवादी है, द्वारा समझौते पर कांग्रेस का समर्थन करने का संकेत मिल रहा है। स्पष्ट है कि मुख्यधारा राजनीति के अंतर्गत होने वाले विरोध की बदौलत समझौता रद्द नहीं जोने जा रहा है।

यह सही है कि कुछ छोटी राजनैतिक पार्टियों और जनसंगठनों की तरफ से किया जाने वाला समझौते का विरोध पक्का और सच्चा है। उन्होंने धरनों, प्रदर्शनों, सभाओं, गोष्ठियों, यात्राओं आदि के जरिए सतत विरोध अभियान चलाया हुआ है। लोगों को समझौते के स्वरूप और शर्तों के बारे में जानकारी देने के उद्देश्य से परचों और पत्रिकाओं के प्रकाशन किया है। कतिपय बुद्धिजीवियों ने समझौते का राष्ट्रीय संप्रभुता के मद्देनजर गंभीर विश्लेषण किया है। लेकिन ये सभी प्रयास फुटकर और सीमित स्तर पर चल रहे हैं। समझौते के विरोध में व्यापक जनांदोलन खड़ा करने की जरूरत और इच्छा के बावजूद वैसा संभव नहीं हो पा रहा है।

अमेरिकावादियों के सामने उनकी पेश नहीं पड़ रही है जिन्होंने ऐसा माहौल बना दिया है। गोया वाम मोर्चा के अलावा पूरे देश में समझौते का कोई और विरोध नहीं कर रहा है। इसके बावजूद देश की संप्रभुता की रक्षा के लिए संभावना का एक यही क्षेत्र बचा हुआ है। देखिए यहाँ से विरोध की कितनी ताकत बन पाती है?

(लेखक समाजवादी जनपरिषद के प्रवक्ता और दिल्ली विश्वविद्यालय में रीडर हैं)

करार को बेकार करो

–नाम चामस्की

नाभिकीय हथियार संपन्न राज्य आपराधिक राज्य हैं। अंतर्राष्ट्रीय न्यायालय द्वारा पुष्ट हो चुकी यह उनकी वैधानिक जिम्मेदारी है कि वे नाभिकीय अप्रसार संधि के अनुच्छेद 6 का पालन करें। यह अनुच्छेद कहता है कि वे नाभिकीय हथियारों को पूरी तरह से विनाश करने के लिए सद्भावनापूर्ण वार्ताएं करें। लेकिन किसी भी नाभिकीय राज्य ने यह काम नहीं किया है। इस उल्लंघन का अगुआ सयुंक्त राज्य अमेरिका है। विशेषकर बुश प्रशासन, जिसने यह घोषणा भी की है कि वह अनुच्छेद 6 के अधीन नहीं है। 27 जुलाई को अमेरिका ने भारत के साथ एक संधि की जो एनपीटी के केंद्रीय हिस्से को खा जाने वाला है। हालांकि इस संधि का दोनों देशों में पर्याप्त विरोध है। इजराइल और पाकिस्तान की तरह से भारत भी एनपीटी का हस्ताक्षरी नहीं है। (जबकि ईरान है) इसके अलावा भारत ने इस संधि के बाहर जाकर नाभिकीय हथियार बनाया है। इस नए समझौते के साथ बुश प्रशासन साफ तौर पर इस गैरकानूनी व्यवहार को संस्तुति प्रदान करता है। यह समझौता अमेरिकी कानून का उल्लंघन करता है, नाभिकीय सप्लायर्स ग्रुप को दरकिनार करता है। एनएसजी 45 देशों का वह संघ है जो नाभिकीय अप्रसार के लिए सख्त कानूनों के आधार पर काम करता है।

शस्त्र नियंत्रण एसोसिएशन के कार्यकारी निदेशक डैरिल किमबाल का कहना है कि यह समझौता भारत को फिर नाभिकीय परीक्षण करने से नहीं रोकता। वे कहते हैं "अविश्वसनीय तौर पर इस करार में अमेरिका भारत से वादा करता है कि भारत के परमाणु परीक्षण करने के बाद भी वह दूसरे देशों से नाभिकीय ईंधन की आपूर्ति की व्यवस्था करता रहेगा।" यह सारे कदम अंतर्राष्ट्रीय अप्रसार समझौतों का खुला उल्लंघन हैं।

भारत और अमेरिका के इस करार के बाद दुनिया के और देश भी नियमों का उल्लंघन करना चाहेंगे। बताया जाता है कि पाकिस्तान नाभिकीय हथियारों के लिए

एक प्लूटोनियम रिएक्टर बना रहा है। प्रत्यक्षतः यह हथियार निर्माण की ज्यादा अग्रिम रूपरेखा है। स्थानीय नाभिकीय सुपरवाइजर इजराइल भी अमेरिकी कांग्रेस में लाबिंग कर रहा है कि उसे भी भारत जैसी रियायत दी जाए। उसने भी न्यूक्लियर सप्लायर्स ग्रुप से संपर्क किया है कि उसे भी भारत जैसी विशेष छूट दी जाए। अब फ्रांस और आस्ट्रेलिया ने भी भारत से उसी तरह का नाभिकीय समझौता करने का प्रयास किया है जिस तरह का समझौता चीन ने पाकिस्तान से कर रखा है। एक बार महाशक्ति के दरवाजे खुल जाने के बाद दूसरों के द्वार खुलने पर ऐसी हैरानी नहीं होनी चाहिए।

भारत और अमेरिका का यह करार सैनिक और व्यावसायिक इरादों का घालमेल करता है। नाभिकीय हथियारों के विशेषज्ञ गैरी मिलहोलिन ने कांग्रेस में दिए गए विदेश मंत्री कोंडालिजा राइस के बयानों के इसी तरह के अर्थ निकाले हैं। राइस ने कहा था, ''यह समझौता निजी क्षेत्र को पूरी तरह से दिमाग में रखकर तैयार किया गया है।'' विशेष तौर पर इसमें लड़ाकू विमानों और रिएक्टरों का ध्यान रखा गया है। मिलहोलिन का कहना है कि इस करार से न सिर्फ नाभिकीय युद्ध के रास्ते में आने वाली रुकावटें दूर होंगी बल्कि इससे क्षेत्रीय तनाव बढ़ेगा और वह दिन जल्दी लाएगा जब नाभिकीय विस्फोट किसी अमेरिकी शहर को तबाह कर दे। इस तरह से खतरे के बावजूद इसमें अमेरिकी कंपनियों के हितों को ध्यान में रखा गया है। किम्पबाल का कहना है कि अमेरिका भारत को नाभिकीय व्यापार की वह शर्तें मुहैया करा रहा है जो एनपीटी की सारी शर्तें मानने वाले देश को भी नहीं हासिल है। दुनिया के ज्यादातर लोग इस झक्की रवैए को समझ सकते हैं। इसका अर्थ निकलता है कि अमेरिका उस देश को पुरस्कृत करता है जो एनपीटी की अवहेलना करता है। दूसरी तरफ वह ईरान को युद्ध की धमकी दे रहा है जिसने एनपीटी का उल्लंघन नहीं किया है। अमेरिका ने ईरान के दो पड़ोसियों को अपने कब्जे में ले लिया है और 1979 के बाद अमेरिका दायरे से बाहर जाने के बाद ईरानी शासन को उखाड़ फेंकने में लगा है।

पिछले कुछ सालों से भारत और पाकिस्तान एक दूसरे के तनाव दूर करने में लगे हैं। इससे जनता के बीच संपर्क बढ़ा है। सरकारें भी आपस में वार्ताएं कर रही हैं। ताकि कई विवादित मुद्दों का हल निकाला जाए। लेकिन सकारात्मक दिशा में हुए यह बदलाव अमेरिका और भारत के करार के बाद पलट उठेंगे।

इस इलाके में आपसी विश्वास बढ़ाने के लिए ईरान से पाकिस्तान होते हुए भारत तक गैस पाइप लाइन बिछाने का कार्यक्रम प्रस्तावित था। शांति की यह लाइन इस इलाके को आपस में जोड़ती और शांतिपूर्ण एकीकरण की और संभावनाएं पैदा करती। लेकिन इस पाइन लाइन से जो उम्मीद बन रही थी वह नाभिकीय करार के कारण नष्ट हो जाएगी। क्योंकि अमेरिका ने उस पाइप लाइन के जवाब में भारत

को परमाणु ऊर्जा का प्रस्ताव रखा है। ताकि वह ईरान को दरकिनार कर सके। हालांकि हकीकत यह है कि भारत को जो ईरान से मिलने वाला था उसकी तुलना में परमाणु ऊर्जा से बहुत कम मिलेगा।

दरअसल भारत-अमेरिका करार ईरान को दरकिनार करने की अमेरिकी रणनीति का एक कदम है। 2006 में अमेरिका ने हाइड एक्ट पास किया जिसमें विशेष तौर पर मांग की गई कि अमेरिकी सरकार ईरान को जनसंहार का हथियार हासिल करने से रोकने के लिए भारत का समर्थन प्राप्त करे ताकि ईरान को अलग-थलग करने उस पर प्रतिबंध लगाने और उसे रोकने में मदद मिले।

यहाँ यह बात ध्यान देने की है अमेरिका और ईरान की ज्यादातर आबादी इस इलाके को, जिसमें ईरान और इजराइल शामिल है नाभिकीय हथियार से मुक्त क्षेत्र बनाना चाहती है। यह हम संयुक्त राष्ट्र सुरक्षा परिषद के 3 अप्रैल 1991 के प्रस्ताव संख्या 687 को याद कर सकते हैं जिसका इराक पर हमले के लिए अमेरिका इस्तेमाल करता रहा है कि मध्यपूर्व को जनसंहार के हथियार और उसे ले जाने वाली मिसाइल प्रणाली से मुक्त क्षेत्र बनाना है।

भारत-अमेरिका का करार बेकार किए जाने लाइक है। नाभिकीय युद्ध की आशंका बढ़ रही है। यह गंभीर है। इसकी एक वजह यह भी है। अमेरिका के नेतृत्व में नाभिकीय हथियार संपन्न राज्य अपनी जिम्मेदारियां निभाने को तैयार नहीं है। बल्कि वे उसका उल्लंघन कर रहे हैं। अंतर्राष्ट्रीय परमाणु ऊर्जा एजेंसी (आईएईए) और एनएसजी की तरफ से हरी झंडी मिलने के बाद जब यह करार अमेरिका कांग्रेस के सामने जाएगा तो वह इसे ठुकरा सकता है। इससे आगे बढ़ने का रास्ता नाभिकीय निरस्त्रीकरण का प्रयास करने में है क्योंकि हमें यह मानना चाहिए कि पूरी प्रजाति का अस्तित्व खतरे में है।

नाभिकीय करार की असलियत

—खगेन्द्र ठाकुर

भारत और अमेरिका की सरकारों के बीच जो नाभिकीय ऊर्जा करार हुआ है, उसे दो वर्ष हो गए। यह करार अभी अपने देश में गंभीर और तीव्र विवाद और बहस का विषय बना हुआ है। हमारे प्रधानमंत्री डॉ. मनमोहन सिंह जब 2005 में अमेरिका की यात्रा पर गए थे, तो अमरीकी राष्ट्रपति जॉर्ज बुश के साथ बातचीत में 18 जुलाई 2005 को यह करार किया, जिसमें यह भी कहा गया है कि 'हम अपने देशों के संबंध को स्थानांतरित करके भूमंडलीय भागीदारी के रूप में विकसित करें।' इस करार को 'नागरिक नाभिकीय ऊर्जा सहयोग समझौता' कहा गया है। पिछले दो वर्षों से इस पर वार्ता चल रही थी, जिसका मुख्य बिंदु रहा है इस समझौते को लागू करना। भारत सरकार ने इसे संसद में बहस के बिना स्वीकृति दे दी, क्योंकि राष्ट्रों के बीच होने वाले हर समझौते की संसद में स्वीकृति कराना जरूरी नहीं होता है। असल में डॉ. मनमोहन सिंह ने समझा और अब भी समझ रहे हैं कि यह करार भारत के आणविक विकास के लिए ऐतिहासिक महत्त्व का साबित होगा और उन्हें देश के तमाम राजनीतिक क्षेत्रों की प्रशंसा मिलेगी। वे खुश थे कि समझौते में अमेरिका ने भारत को उन्नत नाभिकीय तकनीकी से संपन्न एक जवाबदेही देश मान लिया है उसमें यह भी कहा गया है कि भारत वे सब लाभ और सुविधाएँ हासिल करेगा जो अमेरिका और अन्य नाभिकीय तकनीकी वाले देशों को प्राप्त हैं।

समझौता 123 के नाम से चर्चित इस दस्तावेज में अमेरिका ने भारत को आणविक हथियार संपन्न देश नहीं माना है, बल्कि यह कहा है कि आणविक अप्रसार संधि करने के लिए अमेरिका ने भारत को विशेष महत्त्व दिया है। इस समझौते पर अमेरिका में भी बहस चल रही है और आणविक अप्रसार को लागू करने वाली जो लॉबी वहाँ है, वह इस बात पर जोर दे रही है कि इस बात की गारंटी होनी चाहिए कि भारत किसी भी तरह इस करार से ऐसा लाभ न उठा ले कि वह आणविक

शक्ति संपन्न राष्ट्र बन जाए। यही गारंटी करने के लिए अमरीकी प्रतिनिधि सभा के दबंग सदस्य हाइड ने एक विधेयक तैयार किया जो सभा से स्वीकृत होकर कानून बन चुका है, और हाइड एक्ट के नाम से हमारे यहाँ भी चर्चित हो रहा है अतः भारत-अमरीकी नाभिकीय करार को हाइड एक्ट से अलग करके नहीं देखा समझा जा सकता है।

भारत-अमरीकी नाभिकीय करार का सारतत्व क्या है इसे वामपंथी दलों की प्रतिक्रिया और संयुक्त बयान के बिना भी समझा जा सकता है। अमरीकी सरकार के राजनीतिक मामलों के अवर सचिव और करार कराने के लिए अमेरिका के मुख्य वार्ताकार निकोलस आर. बर्न्स ने एक भेंट वार्ता में इस करार की एक विशेषता यह बतलायी कि भारत इसके जरिए आणविक अप्रसार की मुख्यधारा में लाया जा सकेगा। पिछले पैंतीस वर्षों से भारत पर आणविक अप्रसार संधि पर हस्ताक्षर करने का दबाव अमेरिका डालता रहा है। लेकिन उसे सफलता नहीं मिली। अब इस करार से अमेरिका आशान्वित है कि भारत से अप्रसार संधि पर हस्ताक्षर कराया जा सकता है। जाहिर है इससे भारत के आणविक विकास कार्यक्रम पर प्रतिकूल प्रभाव पड़ेगा।

इसी अमरीकी अधिकारी निकोलस आर.बर्न्स ने उपयुक्त भेंटवार्ता में ही एक प्रश्न के उत्तर में कहा है कि हम नागरिक नाभिकीय संधि से आगे भी देख रहे हैं, हम देख रहे हैं कि भारत-अमेरिका संबंधों में कुछ प्राकृतिक क्षितिज है। हम निश्चय ही प्रतिरक्षा और सैनिक क्षेत्र में जाएंगे। फिर आगे इसी अधिकारी ने कहा है सैनिक सामान की अधिक बिक्री सैनिक तकनीकी वा स्थानांतरण अत्यंत महत्त्वपूर्ण हैं, क्योंकि इक्कीसवीं सदी में प्रभावकारी सैनिक शक्ति बनने के लिए उच्च तकनीकी संपन्न हाथियार और अस्त्र प्रणाली जरूरी है इसमें पनडुब्बी और सैनिक विमान भी शामिल हैं। क्या इसके बाद भी यह कहने की गुंजाइश है कि इस विवादग्रस्त आणविक समझौते का विस्तार सैनिक संधि तक किया जा सकता है।

निकोलस आर. बर्न्स ने साफ-साफ कहा है कि सैनिक तकनीकी में अमेरिका तुलनात्मक दृष्टि से औरों से आगे है और हम अपने निकटतम मित्रों को उसका भागीदारी बनाना चाहते हैं। हम चाहते हैं कि भारत ऐसे मित्रों में एक हो।

कैसा भागीदार? क्या बराबरी? इसका सवाल ही नहीं उठता है। उक्त अधिकारी खुद कह रहा है कि अमेरिका का पलड़ा सब पर भारी है इस पूरे कथन का अर्थ यही है कि भारत में अमरीकी हथियारों का बाजार बने भारत उन्हें खरीदे। जो हथियार अमेरिका में पुराने पड़ गए हैं उन्हें अत्याधुनिक कह कर भारत के हाथ बेचा जाएगा। ऐसा कंप्यूटर खरीद के मामले में हो चुका है। भारत-अमेरिका संबंधों के ऐतिहासिक अनुभवों की रोशनी में इस करार-123 के निहितार्थ को बेहतर समझा जा सकता है। इस तरह के अनुभवों का ब्यौरा देना यहाँ जरूरी नहीं है। लेकिन ध्यान में रखें कि अमेरिका ने भारत के हित में कभी काम नहीं किया।

समझौता-123 की आलोचना करने के लिए वामपंथी दलों से भी पहले ब्रजेश मिश्र आगे आए जो पहले राष्ट्रीय सुरक्षा सलाहकार रह चुके हैं। हाल ही में दिए अपने एक साक्षात्कार में उन्होंने कहा अगर यह करार लागू हो गया तो दोनों देश बहुत निकट हो जाएंगे। तब हमारे सामने समस्या यह पैदा होगी कि हम अपने विचारों का सामंजस्य उनके विचारों से कैसे कायम करें?

इस प्रसंग में इराक उदाहरण पर गौर करें। आप क्या करने जा रहे हैं। इस मामले में? कहो अमेरिका से कि हम आपसे सहमत नहीं हैं 'हम ईरान के साथ अपना सहयोग जारी रखेंगे।' क्या कोई कह सकता है? अमेरिका के दबाव के कारण या डॉ. मनमोहन सिंह के राजनीतिक-आर्थिक रुझान के कारण भारत दो-दो बार अंतर्राष्ट्रीय ऊर्जा समिति में ईरान के आणविक उपक्रम के खिलाफ वोट दे चुका है। इसलिए ब्रजेश मिश्र का प्रश्न सही है कि हम स्वतंत्रतापूर्वक अपनी नीति तय करने की हालत में नहीं हैं। जरा सोचिये ईरान वह देश है जो हमें तेल की आपूर्ति करते रहने के लिए ईरान से पाकिस्तान होकर भारत तक पाइप लाइन बिछा रहा है यह भारत-ईरान दोस्ती की पाइप लाइन भी होगी, और पाइप के जरिये पाकिस्तान भी भारत-ईरान दोस्ती में बंध सकता है। लेकिन अमरीकी स्वार्थ, जो तेल के क्षेत्र में भी है, इस पाइप के निर्माण को रोकने पर भी दबाव डाल सकता है।

स्वयं यह जो नाभिकीय करार-123 है, उसमें कई प्रावधान हैं जो भारत के आणविक विकास में बाधा उपस्थित करेंगे। इसके बारे में किसी राजनेता नहीं बल्कि भारत के आणविक ऊर्जा आयोग के पूर्व अध्यक्ष और वर्तमान सदस्य एम.आर. श्रीनिवासन की बात पर गौर कीजिए। श्रीनिवासन ने अमेरिका आणविक ऊर्जा आयोग के सदस्य स्टीफेन हैडले से इस संबंध में बात की और तब वे कहते हैं कि भारत के हक में कचरे का पुनस्संस्करण या पुनः परिष्कार करके इस्तेमाल में लाने का प्रावधान होना चाहिए। श्रीनिवासन अणु-वैज्ञानिक हैं इस नाते वे कहते हैं कि यदि भारत को आणविक विकास के दूसरे स्तर पर जाना है यानी तीव्र उत्पादक रिएक्टर और थोरियम आधारित ऊर्जा स्तर पर पहुँचना है, तो खर्च किए गए जलावन से प्लूटोनियम को अलग करने की प्रक्रिया अपनाना जरूरी है, यह आगे के आणविक विकास के लिए आवश्यक है। भारत पिछले चालीस वर्षों से इस प्रक्रिया से आणविक विकास करता रहा है। लेकिन इसका एक अपवाद है तारापुर आणविक रिएक्टर यहां अमरीकी मदद मिलती रही और अमेरिका ने खर्च किए गए जलावन का पुनः परिष्कार करके प्लूटोनियम का विकास करने की अनुमति नहीं दी और वहाँ यह प्रक्रिया नहीं अपनायी जा सकती है।

अब जब भारतीय अमेरिका के साथ आणविक समझौते में बंध रहा है और अमेरिका चाहता है कि भारत आणविक अप्रसार संधि पर हस्ताक्षर कर दे और मनमोहन सिंह ऐसे करार को अपनी ऐतिहासिक उपलब्धि मानते हैं। स्वाभाविक है

अमेरिका इस पुनः परिष्कार पर एतराज हर जगह करेगा। श्रीनिवासन कहते हैं कि अमेरिका भारत को कहेगा कि प्लूटोनियम वह खुद नहीं बना कर अंतर्राष्ट्रीय स्रोत से, बहुराष्ट्रीय स्रोत से प्राप्त कर ले। ये क्या यह कहने की जरूरत है कि अंतर्राष्ट्रीय या बहुराष्ट्रीय स्रोत का सीधा मतलब है अमेरिका के स्रोत से लेना और अंततः आणविक विकास के मामले में भारत की आत्मनिर्भरता को समाप्त कर देना।

अमरीकी अवर सचिव निकोलस बर्न्स ने यह भी कहा कि यह ध्यान में रखना चाहिए कि दुनिया बदल चुकी है और यह भूमंडलीकरण के दौर की दुनिया है। इस दौर की एक बड़ी विशेषता यह भी है कि नीतिगत फैसलों का भी एक भूमंडलीकृत केंद्र एशिया, अफ्रीका और लैटिन अमेरिका में नहीं होगा। वह केंद्र अमेरिका के सिवा और कहीं नहीं होगा। नीतिगत निर्णय करने के भूमंडलीकृत केंद्र के फैसले हमेशा अमेरिका या उसकी बहुराष्ट्रीय कंपनियों के पक्ष में होंगे। श्रीनिवासन की आशंका यह भी है कि अमेरिका भारत को किसी भी स्रोत से प्लूटोनियम के पुनरुत्पादन से रोक देगा। ताकि भारत आणविक विकास की उच्चतर अवस्था की ओर बढ़ ही नहीं सके। इन शर्तों को मान लेना भारत के हित के एक दम खिलाफ होगा। भारत को आणविक विकास के रास्ते पर आगे बढ़ने के लिए परिष्कृत प्लूटोनियम की जरूरत है, ताकि वह थोरियम ईंधन प्रणाली पर आधारित तीव्र उत्पादक रिएक्टर विकसित कर सके।

एक और समस्या की ओर श्रीनिवासन ने ध्यान खींचा है गत दो मार्च 2006 को दिल्ली में भारत और अमेरिका के बीच एक समझौता हुआ कि आयातित रिएक्टरों को अमेरिका की सहमति से ही सतत सुरक्षा में रखना होगा यह समझौता तो हमारे रिएक्टरों को सीधे अमेरिका की देखरेख में डाल देता है।

अमरीकी प्रतिनिधि सभा ने जो बहुचर्चित हाइड एक्ट पारित किया है उसमें यह प्रावधान है कि किसी भी समझौते में अमरीकी हितों का उल्लंघन होगा। तो अमेरिका उसे स्वीकार नहीं करेगा। इसलिए वामपंथी दल या करार-123 के अन्य विरोधी हाइड एक्ट की रोशनी में करार-123 को देखते हैं तो उपयुक्त 2 मार्च 2006 का समझौता तो भारतीय हितों के खिलाफ है ही। करार-123 के प्रसंग में भी ध्यान देने की बात है कि अमेरिका भारत पर यह भी दबाव डाल रहा है कि यदि समझौता भंग होगा, तो अमेरिका को यह अधिकार होगा, कि वह संयंत्र को वापस कर लेगा और ईंधन की आपूर्ति तो पहले ही रोक देगा।

अब बात है आणविक परीक्षण की। यह ठीक है कि आणविक हथियार सुरक्षा का नहीं विनाश का हथियार है लेकिन इस प्रसंग में भी मुख्य प्रश्न यह है कि अमेरिका कौन होता है भारत के आणविक परीक्षण पर रोक लगाने वाला या आणविक अप्रसार संधि पर हस्ताक्षर करने के लिए दबाव डालने वाला? भारत की पुरानी नीति है कि पूरी दुनिया को आणविक हथियारों से मुक्त होना चाहिए। यह नहीं कि सारी

दुनिया की रक्षा और जनतंत्र के नाम पर अमेरिका आणविक हथियार रखे और शेष सबको निरस्त कर दे। असल में यह भी भूमंडलीकरण की नीति का एक हिस्सा है अमेरिका दुनिया की राजनीति का एक दुर्दान्त खिलाड़ी बनने के साथ ही निर्णायक या रेफरी या अम्पायर भी बनना चाहता है। उसकी इस चाल को नजरअंदाज करके भारत-अमरीकी करार-123 को कतई नहीं समझा जा सकता है।

वामपंथी दलों ने इस करार का विरोध करके राष्ट्रीय हित में राष्ट्र की प्रगति के हित में देश भक्ति पूर्ण काम किया है और अंतर्वस्तु की दृष्टि से वामपंथी दलों ने वैज्ञानिकों की आणविक विकास के लिए कार्यरत और चिंतित वैज्ञानिकों की राय के अनुसार काम किया है।

अमेरिका ने भारत आणविक विकास को हर तरह से रोकने का जाल बिछाया है साथ ही इस करार-123 के द्वारा आणविक विकास से व्यापारिक लाभ उठाने की योजना भी बनायी है। क्योंकि वह आयातित अणु-शक्ति पर जोर दे रहा है।

अंत में गौर कीजिए अमेरिका अधिकारी निकोलस कहता है कि करार-123 पर अब वार्ता या पुनः वार्ता संभव नहीं है और यहाँ दिल्ली में डा. मनमोहन सिंह भी कहते हैं कि यह कैसा मेल है? भारत के प्रधानमंत्री डा. मनमोहन सिंह तथा उनके सलाहकारों को यह बात ध्यान में लानी चाहिए कि स्वतंत्र रूप से नीति तय करने के अधिकार और आत्मनिर्भरता के जरिए ही भारत आणविक क्षेत्र में तरक्की कर सका है तथा आगे इसी तरह तरक्की कर सकता है।

यह बात एकदम गलत है कि इस करार ने भारत को आणविक विकास का अभूतपूर्व मौका दिया है। भारत के सरकारी नेताओं को याद रखना चाहिए और अभी विचार भी करना चाहिए कि भारत आज भी मास्को-बीजिंग से सहयोग बढ़ा कर बिना दबाव के विकास कर सकता है। अनुभव कहता है कि भारत को आणविक आपूर्तिकर्ता देशों के समुदाय के सामने हाथ जोड़ने से बेहतर है कि शंघाई सहयोग संगठन से संपर्क बढ़ाना चाहिए।

अमेरिका एशिया में वैसी ही शांति कायम कर सकता है जैसी उसने इराक में कायम की। उसके विपरीत यह शंघाई सहयोग संगठन शांति और प्रगति का एक विकल्प प्रस्तुत करता है। यह विकल्प हमारे राष्ट्रीय हित में है। इसकी संभावना का प्रमाण यह है कि अमेरिका और यूरोप के भी कई देशों ने इस संगठन की ओर हाथ बढ़ाया है।

(लेखक प्रसिद्ध साहित्यकार हैं)

बिजली के आगे भी सोचना होगा

–डॉ. सुगन बरंठ

हम यह मानकर चल रहे हैं कि हम विज्ञान युग में जी रहे हैं, लेकिन वास्तविकता यह है कि विज्ञान के इस युग में उसका जीवन में उपयोग और नीति निर्धारण में वैज्ञानिक की न्यूनतम भागीदारी होती है। बाजार, राजनीतिक और लोभी समाज वैज्ञानिकों की उलटी दिशा में ले चला है। ऐसे में कतिपय अल्पबुद्धि वाले बुद्धिजीवी आज वास्तविकता से मुँह मोड़े हुए हैं। वे भारत अमेरिका परमाणु करार का समर्थन करते हैं। जबकि आखिर में वह यह लाइन जरूर लिखते हैं कि इसके लाभ के साथ इसके भयंकर दुष्परिणाम को नज़रअंदाज नहीं कर सकते। कुछ एक बुद्धिजीवी इसे सरकार की आबरू से जोड़ते हैं तो कुछ सियासत से, लेकिन इसके पर्यावरण दुष्परिणामों और मानव जाति के समक्ष खड़े संकटों पर वह चर्चा नहीं करते। निष्ठावान समझदार लोगों के बीच में मतभेद तो हम समझ सकते हैं किंतु इसमें सत्य शोधन और तत्व ग्रहण की बात होनी चाहिए। वरना असलियत हाथ से जाती रहेगी। मुख्य बात है कि क्या अणु बिजली मानव जाति के लिए कल्याणकारी है। क्या उसका कोई विकल्प है? आज तक के अनुभवों को देखते हुए क्या अंधी दौड़ रखना जरूरी है? इन चीजों को छोड़कर जब भारत सरकार की साख, वामपंथियों का दम और भाजपा की बगुला राजनीति पर ही चर्चा हो तो उससे असली प्रश्न से भटकाव होना ही है। अणु बम और अणु बिजली के बारे में पिछले 60 सालों का जो अनुभव मानव जाति ने प्राप्त किया है उनकी अनदेखी नहीं की जा सकती। विज्ञान का यह तकाजा है कि अब इसे तुरंत रोकना होगा और कोई अन्य संभावित कल्याणकारी उपयोग हो तो उस पर गहन सोच विकसित करनी होगी। बाजार और अर्थ कारण के नागपाश में जकड़े हुए आज के विज्ञान युग को यह अभिशाप है। किन्तु मानव और सृष्टि के हित में गहरे चिंतन की पैठ रखने वाले यह अवश्य कहते हैं कि अणुबम से हरगिज नहीं और अणु बिजली के पीछे दौड़ने में कोई सार नहीं है। इस बारे में काफी साहित्य प्रकाशित हो चुका है। अमेरिका में 30 साल के बाद

हर गुप्त दस्तावेज जाहिर करने की रीति है। उसे पढ़कर हम चौंक जाते हैं। वैज्ञानिक और सेना के सेनापति जेन्स मेकार्थर की सलाह को दरकिनार करके अमेरिका के राष्ट्रपति ट्रूमैन ने हिरोशिमा और नागासाकी पर बम डलवाया है। दूसरे महायुद्ध के मित्र राष्ट्रों के सेनापति आइजन हावर ने भी कहा था कि जापान तो लगभग हार ही चुका था। उस पर अणुबम डालने की जरूरत नहीं थी। इससे साफ है कि 9 अगस्त का दिन जन प्रतिनिधियों की ओर से चलाई जाने वाली जनतंत्र प्रणाली की नादानी का दिन है। अमेरिका के प्रमुख ने एकदम झूठी बात कहकर लाखों निरपराध लोगों को यम सदन में पहुँचा दिया। लाखों को नारकीय यातना भोगने को मजबूर कर दिया। हिरोशिमा नागासाकी पर बम डालने का काम युद्ध के लिए नहीं वैज्ञानिकों की सलाह के लिए भी नहीं किन्तु राजनीति, सत्ता, लालच, घमंड, अल्पदृष्टि और सतही सोच के कारण ही हुआ है। अणुकचरे के निकास की विकराल समस्या है। सामान्य बुद्धि से भी बात करें तो किसी भी चीज में उसकी लागत उसके उत्पादन और वितरण में होने वाले खर्च का तालमेल बिठाकर काम किया जा सकता है। किसी लंबी चर्चा के अणु ऊर्जा के बारे में उन दोनों बातों पर हम विचार करें तो हमें समझ में आएगा कि यह कितनी ऊँची दौड़ है। खर्च की बात तो हमने देखी, उत्पादन की भी देखी अब अणु कचरे की बात देखें। किसी भी उत्पादन का कच्चे से पक्का माल बनाते समय कचरा तो निकलना ही है चाहे कोयले की ऊर्जा हो या अणु ऊर्जा हो या कोई अन्य रसायनिक प्रक्रिया हो कचरे के निकास के बारे में हमें सोचना ही होगा। कानपुर में कारखानेदारी के कारण गंगा कितनी प्रदूषित हुई है। यह हम सब जानते हैं। इस तरह अणु ऊर्जा के कचरे के बारे में जब हम देखेंगे तो हमारी समझ में आएगा कि अणु कचरे में मुख्यतः प्लूटोनियम ट्रिटोयम धातु होती है जो लाखों साल तक किरणोत्सर्ग करती रहती है। प्लूटोनियम की जिंदगी लाखों साल से अधिक है तब तक वातावरण में जहर फैलता रहेगा। संस्कृतियाँ खत्म हो जाएँ तब तक कार्य करने वाले इस जहर को हम कैसे नष्ट करेंगे? इसको कितने भी मोटे स्टील की चादर में लपेटकर जमीन में गाड़ दें तो भी इसके बाहर आने का खतरा है। स्टील तो कभी न कभी जंग खाएगा ही और तब यह बाहर निकलकर भूगर्भ के जल स्रोतों को दूषित करेगा। मोहनजोदड़ो व हड़प्पा की तरह उत्खन्न में यह किसी के हाथ लग जाए तो भी तबाही मच सकती है। इस पर हिन्दुस्तान के जादूगोड़ा से लगाकर चहनबल तक कई प्रकार के वैज्ञानिक तथ्य से साहित्य और वास्तविकता की फिल्में आज उपलब्ध हैं। भारत में डॉ. गाड़ेकर, डॉ. संघमित्रा जैसे गांधीजन दशकों तक यह सत्य जनता के सामने लाते रहे। अन्तर्राष्ट्रीय अणु ऊर्जा एजेंसी के डेप्युटी डायरेक्टर जनरल सोकोलाव और एटेमिक एजेन्सी के सुरक्षा दक्ष डॉ. क्रोक्रोकमेन इस नागपाश के बारे में कुछ नहीं कर पाए और यहाँ आकर हताश हो जाते हैं। आज तक दुनिया में लाखों टन इस तरह का कचरा जमा हो चुका है

और हर साल उसमें 12,200 टन की वृद्धि हो रही है। सामान्य बुद्धि का आदमी भी इस मौत के खेल को नजरअंदाज नहीं कर सकता।

अणु बिजली घर के बारे में ये और भी एक बात है। 40-40 साल काम करने के बाद हरेक अणु ऊर्जा घर निकम्मा हो जाता है। उसके यांत्रिक कारण हम समझ लें। इस अणु ऊर्जा घर में अणु के विखंडन से उत्पन्न गर्मी से टर्बाइन चलाकर बिजली उत्पन्न होती है। इस प्रक्रिया में अणुभट्ठी फौलादी दीवार धीरे-धीरे कमजोर होती जाती है। इसलिए 30-40 साल बाद हर अणुभटठी को बंद कर देना पड़ता है। और यह बंद करना इतना सहज नहीं है। क्योंकि न उसे तोड़ सकते हैं और न दूसरा कोई उपाय कर सकते हैं। उसका हर हिस्सा किरणोत्सर्गी हो चुका होता है। उसे हजारों साल तक बाह्य वातावरण से ढककर रखना पड़ता है। उसके बाद ही उसे तोड़ सकते हैं या उसको मजबूत सीमेंट कांक्रीट से ढक देना पड़ता है। बिजली गिरने या भूकम्प से उसकी छत न टूटे इसलिए भगवान से प्रार्थना करने के सिवाय कोई चारा नहीं है। उसके आस-पास सैकड़ों साल तक पूरी पक्की संरक्षण व्यवस्था करनी पड़ती है। ताकि उसके साथ काई छेड़छाड़ न करे। इसका जो आर्थिक बोझ होगा वह तो कमरतोड़ होगा। अमेरिका में ऐसे एक प्रोटोटाइप अणुधर बंद करके देखा गया तो उसके बनाने में जितनी रकम खर्च हुई उससे कुछ ज्यादा ही रकम बंद करने में खर्च हुई। जो हजार करोड़ से ज्यादा है। अमेरिका की ही कमर जब इससे टूट गई तो इसका क्या होगा? इस तरह अणुकचरा का निकास और अणुऊर्जा घर के विसर्जन के बारे में हमें गंभीरता से सोचना होगा। अभी अगर हम बिजली पैदा कर लेंगे तो 40-50 साल बाद की चिंता कौन करेगा? ये सारे तथ्य नजरअंदाज नहीं किए जा सकते।

(लेखक सर्वसेवा संघ के अध्यक्ष हैं)

साम्राज्यवादी साजिश को नाकाम करेगा वामपंथ

—अतुल अनजान

परमाणु अप्रसार संधि को लेकर देश में बेहद अनिश्चितता का मौहाल बना हुआ है। एक तबका विकास के लिए परमाणु करार का हितैषी है तो एक बड़ा हिस्सा इसके दुष्परिणाम से विचलित। हालात इतने नाजुक हैं कि इस डील में केन्द्र सरकार की सांसें अटकी हैं। कभी-कभी यूपीए सरकार अब गई, तब गई की नौबत तक आ पहुँचती है। आखिर वामपंथी विरोध के पीछे का तर्कशास्त्र क्या है और क्या वाकई परमाणु ऊर्जा ही विकास का एकमात्र साधन बचा है या फिर और भी कोई रास्ता है। यदि कांग्रेस सरकार हर हालत में समझौता कर लेती है तो फिर देश और बाहर के राजनीतिक हालात क्या होंगे। इस परमाणु डील के दूरगामी परिणाम क्या होंगे और वह कौन-सा मॉडल है जिसे वामपंथी चाहते हैं। इन्हीं मुद्दों पर वरिष्ठ पत्रकार **अनिल चौधरी** ने तेज तर्रार भारतीय कम्युनिस्ट पार्टी के वरिष्ठ नेता **अतुल अनजान** से विस्तृत बातचीत कर परमाणु करार के बारे में जानने की कोशिश की।

अनिल : ऊर्जा उत्पादन का सीधा रिश्ता विकास से है। किसी एक स्रोत से हमें पर्याप्त ऊर्जा नहीं मिल सकती। प्रदूषण नियंत्रण और ग्लोबल वार्मिंग में कटौती के मद्देनजर परमाणु ऊर्जा का उपयोग जरूरी बताया जाता है। ऐसे में अगर भारत को अपनी मौजूदा औद्योगिक रफ्तार बनाए रखनी है तो उसे परमाणु ऊर्जा को अपनाना पड़ेगा। क्या आप विकास के लिए परमाणु ऊर्जा को जरूरी समझते हैं?

अतुल : विज्ञान और तकनीक के बढ़ते दायरे के चलते ऊर्जा की जरूरत से कोई समझदार व्यक्ति इंकार नहीं कर सकता। लेकिन ऊर्जा के उत्पादन के स्रोतों के संबंध में विश्वव्यापी बहस चल रही है। जिस आणविक ऊर्जा की बात अमेरिका व यूरोप के लोग तीसरी दुनिया के देशों को प्रस्तावित कर रहे हैं उसी ऊर्जा के उत्पादन की प्रक्रिया से उत्पन्न कुप्रभाव पर गहरी बहस यूरोप के पर्यावरणविदों, वैज्ञानिक और साधारण नागरिकों में चल रही है। शायद इसीलिए दुनिया के सर्वाधिक ऊर्जा के विभिन्न स्रोतों का इस्तेमाल करने वाले अमेरिका में तेल व गैस

का भरपूर दोहन किया जा रहा है और बीस वर्षों से अमेरिका में कोई नए आणविक ऊर्जा केंद्र स्थापित नहीं किए गए। फ्रांस एकमात्र यूरोप का अकेला देश है। जहाँ साठ फीसदी से अधिक ऊर्जा का स्रोत आणविक ऊर्जा है। और वहाँ आणविक प्रयोगों से उत्पन्न होने वाले दुष्प्रभावों को सोचकर फ्रांसीसी जनता का एक बड़ा हिस्सा ऊर्जा के लिए गैर आणविक स्रोतों (सोलर एनर्जी) के प्रयोग पर अपनी सरकारों पर बल दे रहा है।

अनिल : परमाणु ऊर्जा तक पहुँचने का रास्ता अमेरिका से होकर गुजरता है। एनपीटी पर हस्ताक्षर किए बिना कोई देश हमारे साथ परमाणु सहयोग को तैयार नहीं होगा। अलबत्ता अमेरिका अपने करार के जरिए ऐसा करने को तैयार है। लेकिन भारत में वामपंथी दल अमेरिका से परमाणु करार के विरोधी हैं। इस विरोध का मतलब परमाणु ऊर्जा की राह को हमेशा के लिए बंद करने जैसा नहीं?

अतुल : अमेरिका द्वारा प्रतिपादित साम्राज्यवादी विस्तार के ऊपर आधारित परमाणु अप्रसार संधि का दस्तावेज (एनपीटी) तीसरी दुनिया के देशों के लिए भेदभावपूर्ण ही नहीं वरन् अपनी सैन्य शक्ति के आधार पर दादागिरी दिखाने का दस्तावेज है। इसीलिए संयुक्त राष्ट्र संघ में बोलते हुए तत्कालीन प्रधानमंत्री राजीव गांधी ने एनपीटी पर भारत की ओर से हस्ताक्षर करने से इनकार किया था। उन्होंने अमेरिका से परमाणु प्रसार व परीक्षण पर (ऊर्जा एवं सैन्य आवश्यकताओं सहित) रोक लगाने के लिए विश्व बिरादरी को आश्वस्त करने की मांग की थी और उनका यह दृष्टिकोण तीसरी दुनिया के देशों ने स्वीकार किया था जो आज भी प्रासंगिक है, और यही 'राजीव गांधी डॉक्टराइन' कहलाती है। किसी देश के लिए उसकी आंतरिक, सामाजिक, विकासशील, वैज्ञानिक एवं स्वास्थ्य संबंधी आवश्यकताओं की पूर्ति के लिए परमाणु परीक्षण पर रोक लगाने या उसकी निगरानी करने के लिए अमेरिका व उसके सहयोगी साम्राज्यवादी देशों को निर्धारण करने का अंतिम फैसला करने का अधिकार कैसे प्राप्त हो जाता है। उन्हें किसने खलीफा बना दिया। दुनिया शांतिपूर्ण रहे, तनावमुक्त रहे, यह तो सभी देशों के जनगण की इच्छा है। अकेले अमेरिका व उसके सहयोगी देश मानवता के स्वघोषित पहरेदार कैसे बन सकते हैं। दुनिया में सबसे ज्यादा प्रदूषण फैलाने वाला, माहौल को गर्म करने वाला, प्रकृति के सामंजस्य को विचलित करने वाला और जनतंत्र की आड़ में देशों पर सैन्य हमला करने वाला अमेरिका सबसे ज्यादा कार्बन पैदा कर रहा है। जब संयुक्त राष्ट्रसंघ के तत्वावधान में मानवता को बचाने व प्राकृतिक माहौल को बेहतर बनाने, नदियों व पहाड़ों को सुरक्षित रखते हुए वायुमंडल को परिष्कृत करने के लिए और विश्व की खाद्य सुरक्षा को बरकरार रखने के लिए, कृषि उत्पादन पर नकारात्मक प्रभावों को रोकने के लिए दुनिया के 140 देश जापान में इकट्ठा होकर 'क्योटो प्रोटोकोल' का मसविदा तैयार करते हैं तो अमेरिका व उसके सहयोगी देश उस पर हस्ताक्षर करने

से मना कर देते हैं। उनका कहना है कि 'क्योटो प्रोटोकाल' से अमेरिका का विकास बाधित हो जाएगा। अपने निजी देशीय स्वार्थ के लिए अत्यधिक कार्बन उत्सर्जन कर दुनिया व वायुमंडल को प्रदूषित होने से बचाने के लिए क्या अमेरिका की सरकार नैतिक रूप से जिम्मेदार नहीं है। लाखों टन घातक बमों से अफगानिस्तान व इराक पर हमला कर अमेरिका ने मध्य एशिया, खाड़ी देशों सहित भारत के वातावरण को गर्म माहौल में तब्दील कर दिया है। इसके लक्षण भारत की जलवायु पर साफ दिखाई दे रहे हैं। ऐसी स्थिति में दुनिया के सबसे बड़े लोकतांत्रिक देश भारत के 110 करोड़ लोगों का चिंतित होना स्वाभाविक है और भारत के वामपंथ सहित संवेदनशील लोग अमेरिका से पूछ रहे हैं कि इस असंगत और अन्याय के विरुद्ध विरोध प्रकट करना क्या मानवता को बचाने की लड़ाई का हिस्सा नहीं है।

भारतीय वामपंथ और उसकी प्रतिनिधि कम्युनिस्ट पार्टी, अमेरिकी जनता की विरोधी नहीं है बल्कि अमेरिकी सरकार की साम्राज्यवादी, विस्तारवादी एवं अंतर्राष्ट्रीय वित्तीय पूंजी हमलावर नीतियों की विरोधी है। हमें याद रखना चाहिए कि अमेरिकी जनता भी साम्राज्यवादी, विस्तारवादी अपनी सरकार की नीतियों के खिलाफ उठकर खड़ी होती है। तीन-चार वर्ष पूर्व 10 लाख अमेरिकी नर-नारियों ने वाशिंगटन व न्यूयार्क में प्रदर्शन कर मांग की थी कि दुनिया के अत्यंत पिछड़े देशों के ऊपर अंतर्राष्ट्रीय मुद्रा कोष व विश्व बैंक के लदे कर्जे माफ कर दिए जाने चाहिए। क्या अमेरिका के राष्ट्रपति ने चाहे वह किसी भी दल के हों अपनी ही जनता की इस तर्कपूर्ण, न्यायपूर्ण मांग को स्वीकारा—नहीं। यह वह प्रश्न हैं जिन पर ध्यान देना जरूरी है।

अनिल : क्या भारत को परमाणु अप्रसार संधि पर हस्ताक्षर करने चाहिए? यदि नहीं तो आप की नजर में भारत के लिए परमाणु हथियार के विकल्प को खुला रखने की व्यावहारिक जरुरत क्या है?

अतुल : भारत को किसी भी स्तर पर गैर-बराबरी पर आधारित संधि पर हस्ताक्षर नहीं करने चाहिए। तनाव रहित, शांतिपूर्ण, सह-अस्तित्व पर आधारित तथा संयुक्त राष्ट्रसंघ के मानवाधिकारों पर आधारित विश्व स्थापना की ओर आगे बढ़ने को यह जरूरी है कि परमाणु संपन्न अमेरिका सहित पी-5 देश भविष्य में किसी भी प्रकार के परमाणु परीक्षण पर एकतरफा रोक की घोषणा करें। परमाणु सैनिक उपकरण के निर्माण पर तत्काल रोक लगाएं और परमाणु हथियारों को शनैः-शनैः समाप्त करने की दिशा में आगे बढ़ें। अगर यह ऐलान होता है कि भारत को विश्व के अन्य देशों के साथ मिलकर परमाणु अप्रसार संधि पर हस्ताक्षर कर देने चाहिए। ऐसा नहीं होता तो यह कैसे मान लिया जाए कि भारत दुनिया पर दादागिरी कायम करने के लिए परमाणु सैन्य शक्ति का विकल्प खुला रखकर कुछ अनहोनी कर देगा। भारत ने आज तक किसी देश पर हमला नहीं किया। अमेरिका ने तो पचासों देशों में एकतरफा सैन्य दखलंदाजी की, परमाणु हथियार चलाए। लाखों लोगों को मारा

और इसके बावजूद वह विवेकवान परमाणु शक्ति देश होने का?गौरव हासिल करने के लिए बेशर्मी से विश्व बिरादरी के सामने खड़ा हो जाता है। इन तथ्यों को रखने से सत्य की जांच हो जाती है। मात्र अमेरिका विरोध मेरा मकसद नहीं।

अनिल : आज दुनिया को देखें तो सामाजिक-आर्थिक स्तर पर विकास के एक ही (बाजार केंद्रित, अमेरिकी) मॉडल का बोलबाला है। भारत भी उसी राह पर चलता दिखाई देता है। इस मॉडल से जो संस्कृति निकलती है, उसके मुताबिक धरती के सारे संसाधन मनुष्य के लिए हैं और मनुष्य के भूख की कोई सीमा नजर नहीं आती है। क्या प्राकृतिक संसाधनों के (प्रति व्यक्ति) इस्तेमाल की कोई सीमा होनी चाहिए? उपभोक्तावाद की वर्तमान दशा को देखते हुए क्या आपको गांधी की आज के संदर्भ में कोई राजनीति की सार्थकता महसूस होती है?

अतुल : विश्व के अधिकांश देशों में भूख, गरीबी, अशिक्षा अत्यंत सीमित स्वास्थ्य सुविधाएं आज के दौर में साफ दिखाई दे रही हैं। तथाकथित शीत युद्ध की समाप्ति के बाद 'एक ध्रुवीय विश्व' की सोच को लेकर अमेरिका व उसके सहभागी 'ग्लोबल विलेज' के लोकलुभावन नारे के तहत बाजारवाद की आड़ में अंतर्राष्ट्रीय वित्तीय पूंजी को स्थापित करने के महाअभियान में जुटे हैं। साम्राज्यवादी विचारधारा से लैस अर्थशास्त्री अब तीसरी दुनिया के देशों के बाजार पर अपने उत्पादित माल का कब्जा कराने, उनके जल-जंगल-जमीन सहित प्राकृतिक संसाधनों खदान से लेकर खेती तक हथियाने के लिए नई-नई नीतियाँ पेश कर रहे हैं। अफ्रीका के देशों के सोना से लेकर मैगनीज तक लूट कर ले जा रही अमेरिका सहित यूरोप की बहुराष्ट्रीय कंपनियाँ इन देशों के जन-गण को कंगाल बना रही हैं। कंगाली बढ़ाने में साम्राज्यवादी देशों का अपनी बहुराष्ट्रीय कंपनी और कॉरपोरेट घरानों को कूटनीतिक व राजनीतिक संरक्षण ही नहीं है। वरन् उनके हितों की रक्षा के लिए वह सैनिक कार्रवाई भी करती हैं। वहीं दूसरी ओर भूख व अकाल की स्थिति पैदा होने के लिए जिम्मेदार होने के बावजूद विश्व बिरादरी के सामने अपना मानवीय चेहरा दिखाने के लिए विश्व बैंक की ओर से कुछ डॉलर दान में देकर दानदाता का तमगा हासिल करने में जुटे हुए हैं। बीबीसी व सीएनएन व संचार माध्यम में यह फोटो भी दिखाए कि अकालग्रस्त बच्चे व माता को अमेरिकी व यूरोप के डॉक्टर कुछ बिस्कुट व ओस की बूंदें चटा रहे हैं। एक न्यायपरक 'विश्वसमाज' एवं 'विश्वग्राम' बनाने की दिशा में घृणित कार्रवाई मानवता के साथ अन्याय ही नहीं जुगाली भी है। पूंजीवादी के और आज के दौर के आक्रामक पूंजीवाद के द्वारा मानवीय संवेदनाओं से लैस विश्व नागरिक बनाने की दिशा में आ रही प्रलंयकारी नीतियों को बदलना होगा। और इसे बदलने की दिशा में बुद्ध की करुणा, लिंकन का साहस, मार्क्स के वैज्ञानिक समाजवाद, लेनिन की दृढ़ता, मार्टिन लूथर किंग की सामाजिकता और गांधी की अहिंसा व लोककल्याण की नीति के विशाल सामंजस्य की आवश्यकता

आज के दौर की प्राथमिकता होनी चाहिए।

अनिल : भारत और चीन की मौजूदा आर्थिक वृद्धि से कई पश्चिमी अर्थशास्त्री चिंतित हैं। उनका तर्क है कि अमेरिका की राह पर चल रहे इन देशों की आधी आबादी भी वहाँ के मध्यवर्ग की तरह रहने लगे तो उनकी जरूरतें पूरी करने के लिए दो धरतियाँ भी कम पड़ेंगी। पृथ्वी के प्राकृतिक संसाधनों की सीमितता को देखते हुए उनकी बात में दम दिखाई पड़ता है। आप क्या कहेंगे?

अतुल : एक सभ्य विश्वग्राम में सिर्फ न्यायसंगत होने की गुहार लगाना और मानवीय अधिकारों की चर्चा करने से बात नहीं बनेगी। इस धरती पर समुद्र और इसके नीचे आसमान और वायुमंडल हम सबकी साझी संपत्ति है। विज्ञान और तकनीक की विकसित व्यवस्था ने देशज सीमाएँ तोड़ दी हैं। वायु के प्रभाव पर रोक नहीं लगाई जा सकती, लेकिन अपने देश की सीमा पर खड़े होकर दूसरे देश में जाती वायु को बैक्टीरिया से प्रभावित कर उस देश के अंदर जाने वाली हवा से लोगों के जीवन को नारकीय बनाया जा सकता है। मानवता के विकास के इतिहास ने हमें बहुत कुछ सिखा दिया है। तार्किक भी बना दिया है, लेकिन प्राकृतिक संपदाओं का अगर न्यायिक वितरण नहीं हुआ तो अशांति बनी ही रहेगी। हम न्यायिक ही न हों, बल्कि न्याय करते हुए दिखाई भी दें। चीन व भारत आज के दौर में सेवा क्षेत्र के विस्तार के चलते विश्व विकास की सामान्य गति से थोड़ा आगे दिखाई दे रहे हैं। यह भी ध्यान देने योग्य है कि इन्हीं दो देशों में 240 करोड़ की आबादी रहती है। अर्थात आधी विश्व आबादी। विकास के कुछ पिरामिड इन देशों में खड़े हुए हैं। अच्छी बात है। स्वागत योग्य है। इन्हें साम्राज्यवाद लूट-खसोट से आजाद हुए अभी साठ साल ही हुए हैं। दोनों देशों में अलग-अलग तरह का जनतंत्र है। दोनों देश सैकड़ों वर्ष साम्राज्यवादी गुलामी में जीते रहे हैं। दोनों देशों में जन-गण की भावनाओं के आधार पर दो अलग-अलग तरह की सामाजिक क्रांतियाँ हुईं। आर्थिक रूपांतरण की प्रक्रिया में दोनों ही देशों में कुछ समान और कुछ अपने अनुभवों पर आधारित प्रयोग चल रहे हैं। विकास की दर की तेजी के दौर के बावजूद इन देशों की अस्सी फीसदी जनता अभी भी हाशिए पर पड़ी है। आर्थिक विकास की यात्रा में समाज के दस से पन्द्रह फीसदी ही लोग सुख-सुविधा संपन्न होकर गुजर-बसर करें और बाकी अधिकांश आस और चाह की हसरत में बैठे और खड़े रहें तो यह आर्थिक विकास कितना न्यायिक और मानवीय होगा?

दोनों देशों के अंदर किसान, मजदूर, ग्रामीण महिला, नौजवानों के बीच काम करने वाली क्रांतिकारी रूपांतरण विचारधारा से लैस लोग अपने-अपने स्तर पर व्यापक आर्थिक बराबरी के संघर्ष में लगे हैं।

अनिल : देश को 'सुपर पावर' बनाने के भारत के शासक वर्ग के सपने से आप कितना इत्तफाक रखते हैं। क्या भारत को महाशक्ति बनना चाहिए? क्या

एटमी समझौते से विश्व स्तर पर भारत की शक्ति और स्वायत्तता बढ़ेगी या वह अमेरिका की वैश्विक सत्ता का एक अंग बन जाएगा?

अतुल : भारत अपनी भौगोलिक और जनसंख्या की स्थिति से एक ऊर्जावान बड़ी शक्ति है। विश्व बंधुत्व, प्रेम, सौहार्द, जनतंत्र और शांतिप्रिय विश्व की धारणा के कारण भारत की आवाज महत्त्व रखती है। सुपरपावर का मेडल लटकाकर हम में एकस्ट्रा सुपरपावर बनने की ललक नहीं होनी चाहिए। हाशिए पर पड़े लोगों के बेहतर जीवन स्तर बनाने से हमारा जनतंत्र गरिमामय होगा। हम अपने देश को आगे ले जा पाएँगे। दुनिया के अन्य देशों के शोषित पीड़ित लोगों को संबल प्रदान करेंगे। उनके जीवन स्तर को बेहतर बनाने में योगदान दे सकते हैं। यह कहते हुए हम भारत को 'सुपर ह्यूमन पावर' बना सकते हैं। लेकिन यह आक्रमक पूंजीवादी नीतियों और बहुराष्ट्रीय कंपनियों की लूट-खसोट की नीतियों पर चलने से नहीं होगा। अपने बाजार लुटेरों के हवाले कर हम अपने किसानों के कटोरों में थोड़े बहुत रखे चावलों को लुटवाने का मार्ग प्रशस्त करेंगे। भारत एटमी शक्ति है। दो बार हम परमाणु परीक्षण कर चुके हैं, सारी दुनिया जानती है। भारत शांति व सह-अस्तित्व में विश्वास रखने वाला अपनी गतिविधियों से विश्व बिरादरी को सबूत देने वाला देश है। भारत की अपनी स्वतंत्र गुटनिरपेक्ष विदेश नीति रही है। हम समानता में विश्वास रखते हैं। पश्चिम के विचारकों, यूरोप के देशों तथा सबसे अधिक अमेरिका को दुनिया को यह बताना चाहिए कि जब शीतयुद्ध समाप्त हो गया, सोवियत संघ का विघटन हो गया, 'वारसा पैक्ट' देशों की सैन्य कमान विघटित हो गई तो 'नाटो' का विस्तार क्यों हो रहा है। कम्युनिस्टों का हौवा खड़ा करके अमेरिका व उसके सहयोगियों ने नाटो का गठन किया था और जवाब में सोवियत संघ ने वारसा पैक्ट बनाया था। आज नाटो को किससे खतरा है। सोवियत संघ तो रहा नहीं। आज नाटो में लगभग बाईस देशों से बढ़ाकर चालीस देशों को उसका हिस्सा बना लिया गया। क्या इन देशों की सेनाओं के संगठन नाटो को इसलिए बढ़ाया व चलाया जा रहा है कि तीसरी दुनिया के देशों के हीरे व सोने के खान, लोहा, अभ्रक व एल्युमीनियम के खदान, इनकी जमीन व इन देशों के समुद्र पर आने वाले समय में कब्जा कर लिया जाए। अमेरिका व ब्रिटेन ने इसी इरादे से इराक को हथिया लिया। अटल बिहारी वाजपेयी के नेतृत्व में एनडीए की सरकार के जमाने में अमेरिका ने यहाँ तक प्रस्ताव दे दिया कि भारतीय फौज इराक में अमेरिका के साथ मिलकर लड़े। कम्युनिस्ट पार्टी ने देशभर में व्यापक आंदोलन खड़ा किया और आखिरकार भारत की सरकार को इस प्रस्ताव से पीछे हटना पड़ा।

भारत-अमेरिकी परमाणु करार कहीं से भी भारतीय हित में नहीं है। इस करार के बाद सन् 2020 तक कहा जा रहा है कि भारत बीस हजार मेगावाट आणविक बिजली पैदा करेगा। वर्तमान में एक लाख चालीस हजार मेगावाट बिजली पैदा हो

रही है। इसमें से मात्र चार हजार मेगावाट यानी तीन फीसदी आणविक ऊर्जा है। सन् 2020 तक भारत आठ लाख मेगावाट बिजली पैदा करेगा। यह ऊर्जा थर्मल, हाइड्रो व गैर पारंपरिक ऊर्जा क्षेत्र से आएगी। बीस हजार मेगावाट आणविक ऊर्जा सन् 2020 में सम्पूर्ण ऊर्जा का मात्र पांच फीसदी ही होगी। आठ लाख हेक्टेयर खेती योग्य जमीन इन संयंत्रों में लगेगी। इसके लिए 11 लाख करोड़ रुपए खर्च होंगे। आणविक ऊर्जा केन्द्रों के तीन मील के दायरों से गाँव हटाये जाएँगे। यानि खेती भी नहीं होगी और जमीन भी बाँझ हो जाएगी। 11 लाख करोड़ रुपये कौन देगा—विश्व बैंक। वह भी ऊंची ब्याज दर पर। दस बिलियन डॉलर के अमेरिका में बेकार पड़े रिएक्टर भारत को बेचे जाएँगे। रिएक्टर की आमदनी, विश्व बैंक की आमदनी, अमेरिका की आमदनी अच्छा व्यापार है। आठ लाख हेक्टेयर जमीन खेती से हट जाएगी, खाद्यान्न की कमी होगी, खाद्य सुरक्षा भारत की प्रभावित होगी, फलस्वरूप भारत को अमेरिका से गेहूं मंगाना होगा। इस तरह से हम भरेंगे अमेरिका का खजाना। भारत का आणविक कचरा सुरक्षित फेंकने के लिए हर वर्ष तीन अरब डॉलर खर्च करने होंगे। आखिर कचरा फेंकेंगे कहाँ। बर्मा में, नेपाल में, भूटान में, श्रीलंका या राजस्थान के रेत में। वास्तविकता में इस परमाणु संधि के द्वारा हाइड एक्ट-123 के द्वारा हमारी स्वतंत्र विदेश नीति को अमेरिका की विदेश नीति के साथ गुत्थमगुत्था कर भारत को अमेरिका की विदेश नीति का हिस्सा बनाना है।

अनिल : अगर नाभिकीय समझौता यूपीए सरकार कर लेती है और वाममोर्चा समर्थन वापस लेकर सरकार गिरा देता है तो देश के भीतर और बाहर राजनीतिक स्थिति क्या होगी?

अतुल : वामपंथी दलों ने यह बात स्पष्ट कह दी है कि अगर यूपीए की सरकार गैर-बराबरी पर आधारित, देश की स्वतंत्र नीति पर कुठाराघात करने वाली भारत-अमेरिकी परमाणु संधि पर हस्ताक्षर करती है तो यूपीए की सरकार हमारा समर्थन खो बैठेगी। कई स्तरों की वार्ता के दौर में हम सरकार को यह बताते रहे हैं और इन वार्ताओं के दौर से हमारा यह भी प्रयास रहा है कि देश की जनता को इस समझौते के आंतरिक दांव-पेच व भारत को होने वाले नुकसानों के बारे में सचेत करते चलें। यूपीए के साझा न्यूनतम कार्यक्रम में इस तरह की संधि की कोई बातचीत का कोई प्रावधान नहीं था। हाल ही में पूर्व अमेरिकी उप विदेश मंत्री स्ट्रोब टालबोर्ट ने इसका रहस्योद्घाटन किया कि एनडीए की सरकार के विदेश मंत्री यशवंत सिन्हा के साथ इस संबंध में चौदह बार वार्ताओं का दौर चला लेकिन बीजेपी व यशवंत सिन्हा ने देश को अभी तक कुछ नहीं बताया। यह तो उनका अपने जमीर का सवाल है। भारत के कम्युनिस्ट अपनी जिम्मेदारी को बेहतर समझते हैं। और इस देश की मान-मर्यादा, साम्राज्यवाद विरोधी हमारे आंदोलन, 1857 के प्रथम स्वतंत्रता संग्राम की ज्वाला को ध्यान में रखते हुए भारत को साम्राज्यवादी साजिशों का हिस्सा नहीं बनने देंगे। भारत की कम्युनिस्ट पार्टियां देश की जनता से चाहती हैं कि इस संधि को राष्ट्रहितों की रोशनी में पढ़ा व देखा जाए।

मौत पर जश्न नहीं, मौत पर मातम हो

11, 28 मई 1998 को हिंद व पाक के ऐटमी धमाकों के ख़िलाफ़

—डॉ. खालिद जावेद जान

जश्न बरपा है मेरे शहर के बाज़ारों में
एक कैफ़ियते हीजान व जूनूं तारी है
ज़िन्दगी मौत के दरया में कहीं डूब रही है
ज़िन्दा लाशों का मगर रक़्से तरब जारी है।

हमने भी मौत की दुकान सजा ली खशा!
हम भी अब एटमी हथियारों के कारीगर हैं
हमने भी सीख लिया इलमे फ़ना ऐ लोगो
हम भी अब फ़ज़ले खुदा, मौत के सौदागर हैं।

वोह जो बरसों से तरसते रहे एक नाने जवीं
इनके पेट एटमी हथियारों से भर देंगे
वोह जिन्हें आज तलक छत भी मयस्सर न हुई
हम उन्हें राख का घर, आग का बिस्तर देंगे।

हमसे कुछ और तो दुनिया में नहीं बन पाया
वोह जो पहले से बना है, बिगाड़ तो सकते हैं
अपने हाथों में बसाना नहीं लिखा, तो क्या?
बसने वालों को एक पल में उजाड़ तो सकते हैं।

भूख की आग में जलते हुए इन जिस्मों को
अब यहाँ एटमी दोज़ख़ में भी जलना होगा
अपने खूं पर जहाँ आसेब कई पलते हैं
अब वहाँ ख़ौफ़ का आसेब भी पलना होगा।

ऐ मेरे शहर के बाशिन्दो! यह बारूद है मौत
और मौत पे जश्न नहीं, मौत पे मातम हो
ज़िन्दगी पहले ही ज़ख्मों से बहुत चूर हुई
अब नया ज़ख़्म नहीं, कोई ज़ख़्म का मरहम हो

हिरोशिमा के सुलगते हुए, ज़ख्मों की क़सम
अपने खलयानों को वीरान न होने देना
आज से जंग करो सिर्फ जंगबाज़ों के ख़िलाफ
अपने शहरों को कभी श्मशान न होने देना।

(डॉ. खालिद जावेद जान पाकिस्तानी शायर हैं)

परमाणु शक्ति का नेपथ्य

–रत्ना बड़ुआ मजुमदार
अनुवाद : सुशील गुप्ता

यह दुनिया असीम रहस्यों से भरपूर है यह बात कौन नहीं जानता? कितनी विचित्र है, इसकी जन्मकथा। उस जन्म-मुहूर्त से लेकर, यह पृथ्वी चार सौ करोड़ वर्ष पार कर आयी, उसकी गति क्या बेहद आसान, झंझटमुक्त थी? बैचित्र्यहीन थी? बिल्कुल भी नहीं। इस पृथ्वी की छाती पर, कितने-कितने आंधी-तूफान-बवंडर के झटके आ-आकर उससे टकराते रहे, बार-बार इस पृथ्वी के आंगन में धूमकेतु और उल्का, कतार बांधे बरसते रहे। मूल आधार सौर-शक्ति जलवायु और आबोहवा के नजरिये से जाने कितनी ही बार अपने को बदलती रही, इस ग्रह में हेर-फेर करती रही।

300 करोड़ वर्ष पहले इस पृथ्वी पर आदमजात का अता-पता नहीं था, सिर्फ आदिम समुद्र की छाती पर चंद एककोषी जीव विद्यमान थे, जब वायुमंडल में ऑक्सीजन नहीं था और सूरज का ताप, आज से लगभग 25 प्रतिशत कम था। लगभग दो सौ वर्ष पहले, ऑक्सीजन और इंसान, एक ही समय में, एक-दूसरे का हाथ थामे इस पृथ्वी में दाखिल हुए। वैसे, वे सब इंसान, आज के इंसान नहीं थे। आज का इंसान तो इक्कीसवीं शती की दहलीज पर खड़ा है। आज के इंसान को अतीत में अनगिनत सोपानों से गुजरकर, अनगिनत दहलीज लांघकर यहाँ तक आना पड़ा है। इस सफर में, उसे ढेरों समय और ढेरों स्थितियों से गुजरना पड़ा है। कभी दहन युग, कभी वरुण युग से दो-चार होना पड़ा है। अब, इंसान आ खड़ा हुआ है—कंप्यूटर युग में।

आज से आधा युग पहले चंद अमेरिकी वैज्ञानिकों ने हिसाब लगाते हुए कंप्यूटर से एक सवाल का जवाब मांगा था। कंप्यूटर ने उस भयंकर सवाल का भयंकर जवाब दिया था। पृथ्वी के दो अभिभावक या दंड-मुंड-पंडे, अमेरिका और रूस में अगर जंग छिड़ जाए, तो इस सौर-जगत में, तीसरी संतान, इस पृथ्वी पर शुरू हो

जाएगा—'परमाणु शीतकाल' जो अतीत के हिमयुग से कहीं ज्यादा भयंकर होगा। इस 'न्यूक्लिअर विंटर' के युग में आकाश-वाताश में सिर्फ धूल और धुआँ ही बिखरा होगा, जिसकी आड़ में सूर्य हमेशा ढंका रहेगा। पृथ्वी के चकनाचूर हो जाने के फलस्वरूप, वह सूर्य-आलोक से वंचित रहेगा, क्योंकि यह ध्वंस कार्य, परमाणु बम द्वारा दिए गए जख्मों के माध्यम से हुआ है। इसी वजह से उच्चतम पर्वत-शिखर पर फैले हुए धूल-धुएं से आसमान में सारा कुछ ढक जाएगा, यहाँ तक कि पेड़-पौधे तक उगना बंद कर देंगे। अगर तीसरा विश्व-युद्ध छिड़ा, तो यह पृथ्वी प्राणों की शीतल समाधि बन जाएगी। दुनिया के तमाम परिवेश-विशेषज्ञों ने इन दोनों देशों के विपुल अस्त्र शस्त्रों के सम्भार को, दोनों देशों के पाप का बोझ घोषित किया। आखिर क्यों? असल में यह सब मानव जाति के लिए भयंकर विभीषिकामय क्रूर अभिशाप, दूसरे महायुद्ध से ही शुरू हो गया था। चंद अर्वाचीन मंतव्य भी सुनायी दिए, हिरोशिमा-नागासाकी—ये दो शब्द, जितनी आसानी से उच्चारित किए जाते हैं, यह मामला भी उतना ही आसान है! लेकिन क्या वाकई आसान है?

उन दिनों द्वितीय महायुद्ध बिल्कुल चरम पर था—हिटलर की धौंस से सभी लोग, सभी देश थर-थर कांप उठे। लापरवाह, अक्खड़ फुयेरार की दुर्धर्ष फौज ने एक के बाद एक, यूरोप के विभिन्न देशों पर कब्जा जमा लिया। अनेक बार उन लोगों ने यह साबित कर दिया कि तमाम सुरक्षित-शक्तिशाली दुर्ग फतह करके, वहाँ अपनी दख़ल जमाने में वे लोग सिद्धहस्त हैं। एक-एक करके उन लोगों ने बेल्जियम की दुर्गमाला, फ्रांस की मैजिनो लाइन, रूस की स्तालिन लाइन जीत लिया और उन्हें धूल में मिला दिया। उन लोगों ने बिजली की रफ्तार से कुल अठारह दिनों में पोलैंड पर कब्जा कर लिया। बारह दिनों में डनकर्क, छब्बीस दिनों में फ्रांस, दस दिनों में सभी बाल्कन राज्य। लेनिनग्राद और मॉस्को को भी दखल कर लिया। इधर हिटलर देश में अकथनीय अत्याचार मचाये हुए था। यहूदियों के संहार के लिए वह मारण-यज्ञ में जुटा हुआ था। जर्मन लोगों ने एक विध्वंसी मारण बम तैयार कर डाला। यानी मित्र शक्तियों का आतंक छाया हुआ था। वैज्ञानिक महामति, आइन्स्टाइन जो खुद भी यहूदी थे और हिटलर के अत्याचारों के शिकार थे, तत्काल आशंकित हो उठे। उन्हें यह पक्का विश्वास हो गया था कि मारण-यज्ञ के आयोजक, इस हिटलर के हाथों अब अणु-बम का बेभाव दुरुपयोग होगा। पृथ्वी के ध्वंस की आशंका से आइन्स्टाइन छटपटा उठे। सभी डरे-सहमे वैज्ञानिक (मित्र शक्ति के सभी देश) मिलकर, बम बनाने में जुट गए। उन लोगों का इरादा था, हिटलर को डराकर, उसे अपनी करतूतों से बाज आने की धमकी देना। सन् 1945 की 11 जून को वैज्ञानिकों ने सामूहिक रूप से अमेरिकी युद्ध-सचिव को एक स्मारिका सौंपी, जिसमें यह सलाह दी गयी थी कि सद्यः निर्मित बम, अमेरिका के जन-आबादी से काफी दूरी पर विस्फोट किया जाए। इस अणु-बम की विध्वंसी शक्ति की जानकारी पाकर,

जर्मनी और जापान आतंकित होकर जंग रोक देंगे। बम तैयार करने के इस प्रकल्प को नाम दिया गया मशहूर 'मैनहटन प्रोजेक्ट' जिसमें अमेरिका, कनाडा, ब्रिटेन के वैज्ञानिक शामिल थे। उन लोगों का एक ही उद्देश्य था—पृथ्वी से युद्ध दूर करना। अगर उन लोगों की नेक सलाह मूल्यहीन हो गयी, तो डरा-धमकाकर ही, अगर काम बन जाए। उन लोगों के गुप्त 'मैनहटन प्रोजेक्ट' की भयंकर सफलता पहली बार तब नजर आई, जब सन् 1945 की 16 जुलाई को सुबह पांच बजकर उन्तीस मिनट, पैंतालीस सेकंड पर बम फूटा। एलमोगाड्रो के विस्तृत इलाके में इस विध्वंसी प्रलय के साक्षी, वैज्ञानिक रॉबर्ट, ओपेनहाइमर विह्वल हो उठे। इस परमाणु बम की रेडियोधर्मिता का भयंकर जहर, उस दिन एलमोगाड्रो से लेकर 1500 किलोमीटर दूर तक, इंडियाना प्रदेश के वाबाश नदी के जल में फैल गया और सारा कुछ जहरीला हो आया। जो लोग यूरेनियम, प्लूटोनियम या थोरियम जैसे मौलिक पदार्थों को खिलौना बनाकर खेल रहे थे, उनमें मशहूर वैज्ञानिक, ओपेनहाइमर हतवाक् हो उठे। इतना कुछ तो उन लोगों ने भी नहीं सोचा था हालांकि इससे पहले वैज्ञानिक, बेकारेल ने अपनी मामूली-सी गलती की वजह से, अपने बदन की चमड़ी तक जला ली थी। तमाम वैज्ञानिकों का अनुरोध ठुकराकर, अमेरिका ने, उन्हीं लोगों द्वारा तैयार किए गए दो बम—'लिटल ब्वाय' और 'फैट मैन' मानव बिरादरी पर बरसा दिए जो इस शती के प्रगतिशील तकनीक का जघन्यतम अभिशाप है। ये परमाणु बम सन् 1945 की 6 अगस्त को और नागासाकी में सन् 1945 की 9 अगस्त को बरसाये गए। कहने को यह पल भर का विस्फोट था, मगर इसका नतीजा? इन दोनों शहरों के असंख्य घर-मकान पल भर में ध्वस्त हो गए। तमाम पेड़-पौधे जलकर ख़ाक़ हो गए। इस शहर के तमाम लोग बलि हो गए। इस बारे में जापान सरकार के एक विवरण के मुताबिक—सन् 1969 से 1984 तक के 25 वर्ष के दौरान, इन दो शहरों के 75,530 लोग अणु-बम के शिकार हो गए और अपनी जान गंवा दी। बीमारी सिर्फ एक—कैंसर! विभिन्न अस्पतालों की वेटिंग लिस्ट में छत्तीस लाख लोगों के नाम दर्ज थे, क्योंकि अस्पतालों में जगह की कमी पड़ गयी थी। इन सभी लोगों को वही जानलेवा, सर्वनाशी रोग—कैंसर! वैसे इन लोगों में से कोई भी सन् 1945 के उस अशुभ दिन, इस दुनिया में पैदा नहीं हुआ था। इस भयंकर विष से तो उनके मां-बाप आक्रांत हुए थे। यह विषक्रिया, मानो प्रेतात्मा की तरह जापानियों का पीछा कर रही थी। अभी और कितने समय तक पीछा करेगी, कौन जाने?

यह ज़हर, रेडियोधर्मी पदार्थों का कुप्रभाव था। रेडियो-धर्मिता का यह अदृश्य धक्का, जीव कोष को ही विनष्ट कर देता था। या तो लोगों की जान ही ले लेता था या सेहत गड़बड़ रखता था। क्षुद्र से क्षुद्र कणों में तैयार जीवकोष इस तीव्र धक्के से टूट-फूटकर निःशेष हो जाते थे। इंसान के बदन में जितने सब द्रुत वर्धनशील कोष होते हैं, उन पर इनका प्रभाव जानलेवा होता है—चमड़ी, मज्जा और आंतों के

कोष! इसीलिए चार दशकों के बाद, आज भी जापान में तेज-रफ्तार से लिउकोमिया फैली हुई है। क्षतिग्रस्त शुक्राणु और डिम्बाणु से जो सब शिशु जन्म लेते हैं, वे लोग विकलांग, अंधे, विकृत-दिमाग, हाड़-हाड़ मरगिल्ले और दुर्बल नसोंवाले होते हैं। हिरोशिमा में बम-वर्षण के साथ-साथ ही, जिन लोगों ने अपनी जान गंवा दी, वे सभी लोग 1000 रैड रेडियो-धर्मिता के शिकार हुए थे। इससे जरा कम विकिरण उनके तन-बदन में दाखिल हुई थी, वे लोग सात से चौदह दिनों के अंदर यह दुनिया छोड़ने को लाचार हो गए थे। उन्हें असहनीय यंत्रणा झेलना पड़ी थी।

सिर्फ क्या जापानी लोग? जिस कनाडियाई वैज्ञानिक ने, जिनका नाम लुई स्लोटिन था, हिरोशिमा पर फेंके जाने वाले, 'लिट्ल मैन' बम को बनाया था। वे भी इस दुर्घटना में बलि चढ़ गए थे। कैसे? सन् 1946 की 21 मई को उन्होंने लॉस आलमिस में अपने सहकर्मियों को समझाया कि इस बम-विस्फोट की प्रक्रिया में उनका हाथ जल गया। जहरीली रेडियोधर्मिता का जहर, समूची देह में वहन करते हुए, नर्क की यंत्रणा झेलते हुए, करीब डेढ़ हफ्ते में ही, वे भगवान के प्यारे हो गए।

अब यह गौरतलब है कि जिस बम को जर्मनी पर बरसाना ही स्वाभाविक था, वह जापान पर क्यों बरसाया गया? असल में उन लोगों का लक्ष्य था–हिटलर! सिर्फ गोरी, चमड़ी होने की वजह से ही, जर्मनी को रिहाई मिल गई? और जापान पीतवर्णी होने की वजह से यह अभिशाप ढोते फिर रहे हैं? या पर्ल हार्बर का प्रतिशोध लेने की वजह से?

जैसे समूची दुनिया हतबुद्ध रह गई थी, उसी तरह वैज्ञानिक भी विमूढ़ रह गए थे। उनकी नाक पर चुटकी बजाकर मदोन्मत्त अमेरिका ने एक अद्‌भुत कानून पास करा लिया, जिसका नाम है–'मैकमोहन ऐक्ट'! सन् 1946 के उस कानून मुताबिक बम बनाने के सभी तथ्यों का एकमात्र अधिकारी बन गया, खुद अमेरिका! ब्रिटिश और कनाडियन वैज्ञानिक अछूत मान लिए गए। लेकिन इस वजह से क्या अन्यान्य देशों ने अपने हाथ समेट लिये? बिल्कुल भी नहीं! अमेरिका से चरम मुकाबला करते हुए, पश्चिम के बड़े-बड़े देश परमाणु-अस्त्र हो तैयार की दौड़ में, पूरे जोश के साथ शामिल हो गए। धीरे-धीरे छोटे-छोटे और उन्नतिशील देश भी इस खेल में मतवाले हो उठे। आज पृथ्वी के अनेक छोटे-बड़े देशों में परमाणु हथियार तैयार हो रहे हैं। पृथ्वी धीरे-धीरे बारूद के ढेर में परिणत होती जा रही है। यह दूरगामी दौड़-प्रतियोगिता दिनोंदिन और तेज रफ्तार पकड़ रही है। दो देश इस दौड़ में सबसे आगे हैं–दो विरोधी देश! धनतंत्री और समाजतंत्री! अमेरिका और सोवियत रूस! इससे जरा पीछे हैं ब्रिटेन, फ्रांस, कनाडा! इसके अलावा यूरोप के और भी देश और तीसरी दुनिया के कुछेक उन्नतशील देश भी इसमें शामिल हैं। यह दौड़ आखिर कब खत्म होगी? सभी प्रतियोगिताएं कभी न कभी तो खत्म होती हैं। लेकिन इस हथियार-प्रतियोगिता के अंत में, कौन-सी नियति हमारा इन्तजार कर रही है? इसका जवाब पाने की

हिम्मत नहीं होती, क्योंकि हम लोग यानी इस ग्रह के निवासी आखिर किस ढेर पर बैठे हुए हैं? इसका जवाब भला कौन देगा? यह शक्ति-परीक्षण या परमाणु संबद्ध इतिहास तो स्वार्थ, गोपनीयता, कूटनीति से भरा हुआ है। दूसरे महायुद्ध के समय से ही विश्व-इतिहास के साथ-साथ समानांतर ढंग से एक और अनन्त नदी की अनंत धारा के रूप में सदा प्रवहमान है।

वैज्ञानिक आइन्स्टाइन को परमाणु के अंदर अमित शक्ति का परिचय मिला था। एटम-बम की राह पकड़कर ही और एक नया रास्ता तैयार हो गया—परमाणु विद्युत का रास्ता! विविध कारणों से, खासकर प्रकृति-संबंधी सामग्री, निकट भविष्य में तेल और कोयले का भंडार खत्म होने की आशंका से ही, आधुनिक पृथ्वी ने परमाणु विद्युत उत्पादन का विराट कर्मकांड शुरू किया। परमाणु-वैज्ञानिकों के हाथों उन्नत से उन्नततर रिएक्टर समूह तैयार होने लगे। विएना की इंटरनेशनल ऐटोमिक इनर्जी एजेंसी ने हाल ही में 1990 के करीब एक समीक्षा प्रकाशित की है। उससे पता चला कि सन् 1988 में, समस्त विश्व में चालू रिएक्टरों की कुल संख्या 417 है। अब तक उत्पादित विद्युत का परिमाण 2,97,927 मेगावाट विद्युत था। इससे क्या स्पष्ट होता है? यानी परमाणु-विद्युत प्रकल्पों में विश्वासी लोगों की उम्मीद पूरी नहीं हो सकी। दुनिया में जितना भी विद्युत उत्पादन होता है, उसका कुल 16 प्रतिशत ही हमें परमाणु विद्युत-केन्द्रों से मिलता है। इस निराशाजनक स्थिति को दूर करने के लिए और उन्नततर इन्तजाम किया गया, ब्रीडर रिएक्टर तैयार किया गया और यह रिएक्टर भारत में भी तैयार किया गया। इन ब्रीडर रिएक्टर में, परमाणु ईंधन से बिजली पैदा करने की क्षमता, साधारण रिएक्टरों के मुकाबले आठ गुने अधिक होती है। लेकिन इतना सब करने के बाद भी दुनिया से विद्युत की अभावजनित बदहाली और अधिक बदतर हो गयी, हो रही है, होती रहेगी। यह बदहाली आखिर है क्या? भयावह दुर्घटना जनित चरम बदहाली! एक के बाद एक दुर्घटना के धक्के की वजह से हिरोशिमा-नागासाकी के दृश्यों की पुनरावृत्ति होती रही।

सन् 1957 की 10 अक्तूबर! आइरिश सागर तट पर, शोलाफील्ड परमाणु प्लांट में भयंकर दुर्घटना घटी। इससे पहले छुटपुट दुर्घटनाओं की संख्या तीन सौ है। कई दशकों से ब्रिटेन की सरकार इन दुर्घटनाओं की बात अस्वीकार करती आई। इसके अलावा वे लोग यह हक़ीक़त भी दबाते रहे कि हर दिन इस प्लांट से निकलने वाले परमाणु भस्म के कण-मिश्रित जहरीले जल का परिमाण पंद्रह लाख गैलन होता था, इसलिए आइरिश सागर का पानी दिनोंदिन जहरीला होता गया। समूची दुनिया में इस सागर का पानी ही सर्वाधिक रेडियोधर्मी है। यह पानी, दुर्घटना की आग बुझाने के लिए इस्तेमाल किया जाता है जिसका इस्तेमाल इस हालत में ठीक नहीं है, जिसके फलस्वरूप, रेडियोधर्मिता तीव्र ढंग से चारों तरफ फैल गई। यह ज़हर, दूरवर्ती अंचल, स्कैन्डिनेविया तक फैल गया। तीस लोगों की कैंसर रोग से मौत हो गई।

अभी भी असंख्य लोग यह रोग झेल रहे हैं।

सन् 1957 में ही रूस के जनजीवन पर भी मुसीबत के बादल मंडराने लगे। उड़ाल पर्वतमाला के क्रिसटिम नामक इलाके में स्थित प्लूटोनियम प्लांट में उस दिन जो दुर्घटना घटी, उसे तत्कालीन प्रेसिडेंट, निकिता क्रुश्चेव पूरी तरह दबा गए। सन् 1976 में रूसी जीव-वैज्ञानिक, जॅरेस मेन्डमेडेम निर्वासित होकर, रूस से इंग्लैंड चले गए, 'न्यूक्लिअर डिजास्टर इन द उड़ालूस' नामक, जो पुस्तक उन्होंने लिखी, उसमें इस दुर्घटना का विस्तृत वर्णन दिया। उस दिन रूसी जन-संपद से सैकड़ों प्राण अचानक गुम हो गए। घर-संपति ध्वंस हो जाने की वजह से हज़ारों-हज़ार परिवार, लमहे भर में शरणार्थी बन गए। क्रिसटिम इलाके के आस-पास के प्रायः तीस गांव, रातोंरात, निश्चिन्ह हो गए। भयंकर जहर इस कदर चारों तरफ फैल चुका था। इस खबर को सन् 1988 की दिसम्बर में रूस ने कबूल किया, लगभग बत्तीस वर्ष बाद।

सन् 1969 में गोवी के रेगिस्तान में स्थित परमाणु शक्तिकेन्द्र की उस सर्वनाशी दुर्घटना में वहाँ के बीस-कर्मचारी रेडियोधर्मिता के शिकार हो गए, इसकी परिणति की जानकारी नहीं मिली। सन् 1983 तक चीनी सरकार इस हकीकत को पूरी तरह गुप्त रखने में समर्थ हुई।

उसके बाद, अमेरिका में हैरिमवर्ग के करीब थ्री-माइल-आइलैंड में एक चरम दुर्घटना घटी। सन् 1986 की 25 अप्रैल की रात के आखिरी प्रहर में आकाश-वाताश जहरीले भाप से भर उठा--वहाँ के चार नंबर परमाणु चुल्ली में एक भयंकर विस्फोट हुआ। असावधान लोगों की दुर्दशा क्या हिरोशिमा-नागासाकी के असहाय-आक्रांत लोगों की याद नहीं दिला गई? चेरनोबिल की इस संहारिक दुर्घटना में 100 से 800 रैड रेडियोधर्मिता, चारों तरफ के लोगों में भयंकर रूप से फैल गई। हालांकि रिएक्टर के कर्मचारियों के संदर्भ में यह रेडियोधर्मिता, अंतर्राष्ट्रीय नियम मुताबिक, किसी हाल भी आठ दिन से अधिक नहीं थी यानी चेरनोबिल के जनसाधारण लोग उस दिन सहनशील मात्रा से सहस्रों गुने ज्यादा रश्मि के शिकार हुए थे। नतीजा क्या निकला? ये तमाम लोग खुद ही एक-एक रेडियोधर्मी किरणों के उत्स हो उठे। खून और मल-मूत्र के जरिये उनके प्रभावित तन बदन की रेडियोधर्मिता चारों तरफ फैल गई। लगातार उल्टियाँ करते-करते ढेरों लोगों की मौत हो गई। उल्टियों में वह रेडियोधर्मिता रश्मि वैसे चेरनोबिल के अधिकांश लोग ही मज्जा-रोग के शिकार हुए। उन दिनों ऐसी परिस्थिति आ पहुँची थी कि संगत कारणों से ऑपरेशन तक किसी काम नहीं आया। अब तक, चेरनोबिल की दुर्घटना में 33 लोगों ने दम तोड़ दिया। उनमें से दो लोगों की तत्काल मृत्यु हो गयी। ब्रिटिश वैज्ञानिकों द्वारा लगाये गए हिसाब मुताबिक ये जो ज़हर फैला था, वह बहुत जल्द ही कैंसर रोग के रूप में दस हजार (10,000) से चालीस हजार (40,000) रूसी लोगों के जीवन में पैठ जाएगा, जिसकी अमोघ परिणति एकमात्र मृत्यु होगी। इसके अलावा ब्रिटेन में भी करीब सौ

अतिरिक्त मृत्यु की संभावना है। दुर्घटना के अगले दिन ही रूसी सरकार ने अपनी विशेषज्ञ-टीम, वहाँ पैदा हुई परिस्थिति से मुकाबले के लिए भेजी थी। इस टीम के नेता थे—वैलेरी एलेक्सियेविच, जो रूसी विज्ञान अकादमी के प्रसिडियम के सदस्य थे और कुरताचव एनर्जी इन्स्टिट्यूट के डिप्टी-डायरेक्टर थे। सिर्फ इतना ही नहीं, इस विश्व विख्यात परमाणु वैज्ञानिक लेगाशव ने अपने देश में कुल मिलाकर, चौदह (14) चुल्लियों के नक्शे तैयार किए और उनके लिए स्थानों का चुनाव किया था। रूसी परमाणु यज्ञ में प्रमुख, रेडियोधर्मिता का मुकाबला करते हुए, कई दिनों तक स्थिति को अपने काबू करने में लगे रहे। बाद में, वे तमाम जख्म अपने बदन पर वहन करते हुए, अस्पताल में भर्ती होने को विवश हो गए। सन् 1988 की 27 अप्रैल को, अस्पताल में ही उन्होंने आत्महत्या कर ली। क्यों? उस जानलेवा यम के समान रोग, कैंसर से तंग आकर या विवेक के दंश से अधीर होकर? अपनी मौत से पहले, उस अभागे वैज्ञानिक ने कहा—रूस में इस क़िस्म की दुर्घटना की पुनरावृत्ति फिर होगी, क्योंकि अन्य 14 चुल्लियाँ इसी नक्शे के मुताबिक निर्मित हैं और इनमें निर्माण जनित त्रुटियाँ भयंकर हैं और इनमें आपात्काल में मुकाबला करने का इमर्जेंसी इंतजाम भी नहीं है। लेगाशव की यह आत्महत्या अगर विवेक की धारदार दंश की वजह से भी घटित हुई थी, तो भी क्या दुनियावालों से यह सवाल नहीं किया जा सकता कि अगर यह विज्ञान उनके राष्ट्र के कर्णधारों के निर्देश पर शुरू हुआ था, तो उसकी यह परिणति क्यों हुई? जिस समाजतंत्री देश में विज्ञान को जनहित के कार्यों में लगाया जाना चाहिए था, प्रकृति पर विजय पाने के लिए इसका उपयोग करना चाहिए था यही मार्क्सवाद का सिद्धांत है! लेकिन, नजर यह आया कि विज्ञान मारण-यज्ञ का परिचालक बन गया, उच्चतर क्षेत्रों में शक्ति-प्रयोग के अलावा और किसी भी रूप में इसका इस्तेमाल नहीं किया जा रहा है। लेगाशव की यह दुःखांत परिणति, क्रूर राष्ट्रीय निःशब्दता में ही घिरी रह गयी। उन लोगों ने चेरनोबिल की जनता के लिए कभी दुःख या अफसोस जाहिर नहीं किया। दुर्घटना के हफ्ते भर बाद रूसी प्रेजिडेंट ने रेड-स्क्वायर में जो भाषण दिया, उन्होंने इस प्रसंग का ज़िक्र तक नहीं किया। खैर उन्होंने भले यह जिक्र न किया हो कम से कम यह हकीकत सभी लोग जानते हैं। चेरनोबिल की इन रेडियो किरणों ने, केवल रूसी भूखंड में ही नहीं, पोलैंड, हंगरी, चेकोस्लोवाकिया, स्विट्जरलैंड के आकाश-वाताश को भी भयंकर तौर पर जहरीला बना दिया था। क्योंकि इन सभी देशों के वैज्ञानिकों के यंत्रों में यह सारा कुछ पकड़ में आ चुका था। क्रेमलिन हाउस में उन लोगों ने कई बार इसकी जानकारी पाने की कोशिश की, मगर उन लोगों को सटीक जानकारी नहीं मिली। हालांकि इससे काफी दिनों पहले से ही रूस में ग्लासनस्त और पेरेस्त्रेका की घंटा-ध्वनि, विश्वास दिलाने के लिए मॉस्को के घंटा-ध्वनि में ध्वनित हो रही थी। यह कैसी असंगति है? इसी असंगति का और एक उदाहरण है—सन 1988 की

दिसंबर को रूस के आर्मेनिया में भयंकर भूकंप आ गया। वहाँ का परमाणु रिएक्टर, वह दबाव सह नहीं पाया और वहाँ भयंकर दुर्घटना हो गई। फिर उसी किस्म की चरम दुर्दशा और मृत्यु के दृश्य की पुनरावृत्ति हुई। अब कहाँ तक गिनाया जाए? खबरों के सभी उत्स दबाये रखे जाते थे।

यह तो हुई रूस की बात! अब, जरा अमेरिका पर नजर डालें। अमेरिकी सरकार ने सन् 1957 में WASH - 740 शीर्षक से एक परिचर्चा शुरू की–'परमाणु चुल्ली में दुर्घटनाओं की कितनी संभावना?' परिचर्चा के दौरान इस सवाल के जवाब में कहा गया कि दुर्घटना की संभावना, एक लाख में कुल एक होती है। इसके मुताबिक इस निष्कर्ष पर आना बेहद आसान है कि एक लाख प्लांटों में अगर कुल एक घटना की संभावना है तो हर साल, हर रिएक्टर में यह संभावना तो एक सौ करोड़ में कुल एक है। यानी कहना चाहिए, ऐसी कोई दुर्घटना घटेगी ही नहीं जबकि परमाणु-चर्चा के इतिहास में रिएक्टर कोई और ही हकीकत बयान करती है। इसीलिए सन् 1975 में एक और समीक्षा प्रकाशित की गयी। इसको नाम दिया गया–WASH - 1400। इस बार की समीक्षा में यह कहा गया कि एकाधिक रिएक्टरों के सचल रहने की मियाद अगर बीस करोड़ वर्ष पार कर जाए तब एकाध दुर्घटना घट सकती है। हमारे यहाँ जितने भी परमाणु प्लांट सचल स्थिति में हैं उनकी परमाण्यु कई हजार वर्षों की है। तो क्या हम, दुनिया भर के लोग यह सवाल क्यों नहीं उठा सकते कि आखिर इतनी सारी दुर्घटनाएं कैसे घटीं? चेरनोबिल या आर्मेनिया ट्रेजेडी क्यों घटी? धनतंत्री अमेरिका या समाजतंत्री रूस क्या दुनिया के जनगण के इस सवाल का जवाब दे सकते हैं?

दरअसल समूची दुनिया में इस परमाणु-चर्चा के खिलाफ हलचल मचाना जरूरी है। जिन तमाम वैज्ञानिकों ने यह काम शुरू किया था सबसे पहले उन्हीं लोगों ने इसके खिलाफ आवाज उठायी थी। लुइ स्टालिन की मौत को अमेरिका ने जबरन दबाये रखा। नागासाकी-हिरोशिमा पर जिस व्यक्ति के द्वारा बम बरसाये गए, उसे आत्मग्लानि से घुटते-घुटते, अंत में पागल होकर आत्महत्या करनी पड़ी। हमें लेगाशेव के इतिहास की भी जानकारी हो गयी। लेकिन अपनी करतूत के लिए जितने जिम्मेदार ये खुद थे, उससे कहीं ज्यादा वे राष्ट्रनेता थे, जो देश-रक्षा की दुहाई देते हुए और खुद निष्कंटक परिवेश में रहते हुए, दूसरों के प्राणों से खेलते रहे। समाज-व्यवस्था और राष्ट्रीय कानून के आगे वैज्ञानिक और फौजी कर्मचारी नितान्त असहाय हो गए। वे लोग अपना विवेक तक गिरवी रखने को लाचार हो गए। इस मामले में क्या धनतंत्र, क्या समाजतंत्र, सभी एक जैसे थे। इसलिए बुद्धिजीवी सम्प्रदाय इसका विरोधी बन गया।

ब्रिटेन परमाणु चुल्ली के आस-पास के स्थानों में कैंसर और लयूकोमिया इतने बड़े पैमाने पर फैल गया कि इस बारे में समीक्षा की मांग उठी। यह मांग इतनी

जोरदार थी कि ब्रिटेन सरकार इसे नजरअंदाज नहीं कर पाई। सन् 1985 की 1 जनवरी को बर्कले रिएक्टर में चाबी जड़ दी गई और इसे बंद कर दिया गया। इस कारखाने में ताला लगने की घटना से, दुनिया के तमाम देशसमूह के कान खड़े हो गए। वह भी इतने अर्से के बाद! सिर्फ बर्कले ही नहीं, बहुत जल्द ही, ब्रिटेन के और रिएक्टरों को भूगर्भ में समाधिस्थ कर दिया जाएगा—यहाँ तक कि मशहूर विंडस्केल की चुल्ली तक।

उल्लेखनीय है कि सन् 1986 के बाद से अमेरिका ने अपने देश में एक भी चुल्ली नहीं बिठायी। ऑस्ट्रिया ने भी कोई नया रिएक्टर बिठाने पर रोक लगा दी। यह रंग-ढंग देखकर, एशिया में फिलिपाइन और ईरान ने यह काम शुरू करने के बावजूद, इसे छोड़ दिया। कनाडा, इटली, जर्मनी, फ्रांस, जापान में धीरे-धीरे इसके विरुद्ध प्रतिवाद शुरू हो गया। तो क्या परमाणु चुल्ली, जो परमाणु-विद्युत-उत्पादन कर रही है उसकी परमाणु विकिरण क्षमता अब खत्म होने वाली है? बिल्कुल भी नहीं, बल्कि इस मामले में तीसरी दुनिया के उन्नतिशील देश बहुत अधिक आग्रही हो उठे हैं।

असल में परमाणु ईंधन और आणविक ध्वंसलीला एक ही चीज हैं। आणविक बम और परमाणु ईंधन का 'चेन-रिएक्शन' मूलतः एक ही है। यह देखा गया कि परमाणु-कण, न्यूट्रॉन से अगर यूरेनियम के परमाणु पर चोट की जाए तो इस चोट के फलस्वरूप यूरेनियम की दरारों से स्ट्रेनशियम और जेनॉन निकलने लगता है। इन दोनों के साथ नए न्यूट्रॉन-कण। ये न्यूट्रॉन-कण अब, नए यूरेनियम परमाणुओं पर आघात करते हैं। प्रतिक्रिया वही एक होती है। सिर्फ एक बार या दो बार या नौ बार लगातार, यही प्रतिक्रिया होती है। इसीलिए इसे चेन-रिएक्शन नाम दिया गया है। यूरेनियम टूट जाने के फलस्वरूप स्ट्रेनशियम, जेनॉन और अतिरिक्त न्यूट्रॉन उपलब्ध होता है। हर बार विक्रिया-समय में पूरे वजन को अगर जोड़ा जाए, तो यह नजर आता है कि हर यूरेनियम परमाणु के विभाजन के फलस्वरूप हर बार कोई न कोई पदार्थ गुम होता जा रहा है। लेकिन गुम कहाँ होगा? विज्ञान की दुनिया में कहीं कुछ नहीं खोता।

इस प्रसंग में महान् वैज्ञानिक आइन्स्टाइन का क्या कहना है? उनका विश्वविख्यात समीकरण $E=MC^2$(शक्ति = पदार्थ का वजन × रोशनी की रफ्तार का वर्ग) के जरिये, आइन्स्टाइन ने इस प्रसंग में कहा था कि पदार्थ कभी भी हवा में गुम नहीं होते। पदार्थों की क्षय-प्राप्त शक्ति का परिमाण अति प्रचंड, तीव्र और असीम होता है। इसीलिए बम के साथ रिएक्टर में कहीं कोई फर्क नहीं होता। फर्क सिर्फ इतना है कि बम की विक्रिया सबमें एक साथ घटती है। और इसी के दम पर हिरोशिमा-नागासाकी, पल भर में अकल्पनीय आग और धक्के में निश्चिन्ह हो गए। दूसरी तरफ, रिएक्टरों को कहा जाता है—'लगाम-कसा-बम'। आइन्स्टाइन के

समीकरण मुताबिक एक ग्राम पदार्थ के क्षय में करोड़ों-करोड़ों कैलरी ताप मिलते हैं, जिसमें हजारों-हजारों गैलन जल खौलाये जा सकते हैं। परमाणु चुल्ली के अन्दर प्रबाल दबाव से पानी को खौला-खौलाकर भाप बनाया जाता है। उस भाप में कार्बाइन घुमाकर, विद्युत उपलब्ध किया जाता है। काम पूरा हो जाने पर ईंधन फेंक दिया जाता है। यह परित्यक्त ईंधन, बम तैयार करने का सर्वोत्कृष्ट मसाला है। ये सब स्वाभाविक तरीके के जहरीले होते हैं। ये सब राख नहीं होते। हालांकि एक किस्म के भस्म होते हैं, मगर दरअसल बदस्तूर भारी धातु होते हैं। इस जहरीले वर्ज्य पदार्थ को स्पर्श करने भर से रोग का शिकार होने की संभावना होती है। इंसान के समूचे बदन पर क्रिप्टन का हमला होता है। और दो वर्षों में उसे ल्यूकोमिया रोग होना अवश्यंभावी है। इंसान के पित्ताशय, प्लीहा और मांसपेशी पर सिजियम का हमला होता है। आयोडिन थाइरॉएड में जाकर जमते-जमते, बीस-तीस वर्ष बाद भी कैंसर हो सकता है। जहाँ यह हालत है, उसका वर्ज्य पदार्थ क्या कभी अमृत हो सकता है? रेडियो किरणों या ज्योति का विच्छुरण इतना कम होता है कि बेहद आसानी से हमारी त्वचा भेदकर, मांस में घुस आता है। किरणें तो बड़ी आसानी से हड्डी या धातु और कभी-कभी सीसा और कंकरीट की दीवार तक भेदकर अंदर उतर जाती हैं। अदृश्य-शक्ति के धक्कों से भी कहीं ज्यादा जोरदार होते हैं ये अदृश्य दुश्मन, जो हमारे अनजाने में ही तिल-तिल करके अपनी ध्वंसलीला जारी रखते हैं। इसलिए इसके वर्ज्य पदार्थ उन सब रिएक्टरों में ही जमते रहते हैं। इसलिए जब दुर्घटनाएं घटती हैं तो भयंकर मुसीबत होती है। ये अपार परमाणु संपन्न होते हैं। इनकी 'हाफ लाइफ' भी हमें चकित कर देती है। स्ट्रेनूशियम की मियाद अट्ठाईस (28), सिनेनियम की तीस(30) वर्ष। रेडियम का सोलह सौ (1600) वर्ष, प्लूटोनियम का चौबीस हजार (24000) वर्ष। जिसकी यह स्थिति है, उसकी जगह गहरे समुद्र में भी नहीं है, क्योंकि पानी में रेडियोधर्मिता का जहर घुलता जा रहा है। सभी लोग काफी चिन्तित हो उठे हैं कि इन सबका क्या किया जाए। परमाणु-विद्युत-चर्चा के शुरू में ही वैज्ञानिकों ने यह घोषणा कर दी थी। यह प्रक्रिया, सांप की पूंछ से खेलने के अलावा और कुछ नहीं है। लेकिन दुनिया के उन सभी देशों के तमाम मशहूर राजनीतिज्ञ और राष्ट्र नेताओं ने उनकी भविष्यवाणी पर कान नहीं दिया। अब जाकर उन लोगों की समझ में आया है कि वह जहरीला काल-सर्प अपना बड़ा-सा मुंह खोले, हमारे बिल्कुल करीब, बिल्कुल सटकर खड़ा है। उसकी जहरीली, धधकती हुई श्वास-प्रश्वास में हम इन्सान जल रहे हैं, झुलस रहे हैं, निःशेष होते जा रहे हैं। पिछले 100 (एक सौ) वर्षों में धरती की तापमात्रा एक डिग्री फारेनहाइट बढ़ गयी है। सन् 2030 में यह चार डिग्री तक बढ़ जाएगी। वैसे इस मामूली-सी वृद्धि को वैज्ञानिक वर्ग इतना महत्त्व क्यों दे रहा है?

आज पृथ्वी की उम्र चार सौ करोड़ वर्ष हो चुकी है। तीन सौ करोड़ वर्ष पहले

तक यहाँ ऑक्सीजन नहीं था। सूर्य का तेज भी, वर्तमान की तुलना में 25 प्रतिशत कम था। लेकिन हाँ, घने कार्बन डाइऑक्साइड का आच्छादन जरूर था जो इस विकीर्ण ताप को थामे रखता था और धरती पर तुषार-युग के आगमन को जी-जान से दबाये रखता था। पृथ्वी पर प्राण के आविर्भाव और विवर्तन में, इस गैस का काफी अवदान था। लेकिन, इसमें अति वृद्धि भली नहीं हो सकती। पिछले सौ वर्षों में इस वायुमंडल में कार्बन डाइऑक्साइड गैस की मात्रा 125 प्रतिशत बढ़ गयी है और तापमात्रा में चार डिग्री की वृद्धि हुई है। आगामी साठ वर्षों में गैस की मात्रा साठ प्रतिशत और बढ़ जाएगी और तापमान आठ डिग्री तक पहुँच जाएगा। वैज्ञानिकों द्वारा लगाए गए हिसाब-किताब से यह पता चलता है कि दुनिया के कल-कारखाने, हर साल, हवा में साढ़े पांच सौ करोड़ टन कार्बन-डाइऑक्साइड बिखेर देते हैं। और धरती के चालीस करोड़ यान वाहन मिलकर हवा में पचास करोड़ टन कार्बन डाइऑक्साइड गैस उंड़ेल रहे हैं। इसके अलावा तरह-तरह की पाक-विधियाँ—काठ, कोयला, उपले जैसे ईंधन की इस्तेमालजनित उत्स हैं। इसके भी ऊपर, इंसानों की ध्वंसात्मक लीला—अरण्य में, गांव-शहरों में, हर जगह हरियाली के विनाश-साधन हैं। इसके बाद भी प्रतिक्रिया न होना क्या अस्वाभाविक नहीं है? इस बारे में वर्ल्ड वाच इंस्टीट्यूट का कहना है कि हरियाली के विनाश के फलस्वरूप, इस ग्रह की हवा में हर साल चालीस से ढाई सौ करोड़ टन कार्बन डाइऑक्साइड गैस जमा होता जा रहा है। यह जो कुल परिमाण है—इसका कुल पंद्रह प्रतिशत उन्नतिशील देशों से जुड़ा है। चीन इस हिसाब में नहीं पड़ता। दुनिया की हवा मे कार्बन डाइऑक्साइड वितरण का गुनाह, अमेरिका और रूस का है। कुल हिसाब का 43 प्रतिशत, सिर्फ ये दोनों देश वायुमंडल को उपहार देते हैं, क्योंकि ये ही शिल्प उद्योग-समृद्ध देश हैं। उन्नत जीवन-यात्रा के अधिकारी! सन् 1983 में एशिया, अफ्रीका, दक्षिण अमेरिका और ऑस्ट्रेलिया का विशाल इलाका सूखे की मार से बेजान हो गया। फलस्वरूप जंगल के जंगल आग में जल गए। उस एक वर्ष में ही पृथ्वी के वायुमंडल में चार सौ करोड़ टन कार्बन घुलमिल गया। सन् 1983 से 1986 के तीन वर्षों में कार्बन डाइऑक्साइड दस प्रतिशत बढ़ गया। कुल तापमात्रा बढ़ी है 1.5 डिग्री सेल्सियस। यह सब 'ग्रीन हाउस एफैक्ट' के कारण हुआ। इसलिए सूखा हमारा एक और दुश्मन है।

शिल्प-विप्लव औद्योगिक क्रांति के बाद से ही पृथ्वी पर जीवन का चलचित्र ही रातोंरात बदल गया। इंसान बेहद तेजी से विज्ञान और तकनीक के क्षेत्र में आश्चर्यजनक परिवर्तन लाने में सक्षम हुआ। आरामदेह जीवनयात्रा की दिशा में, अनिवार्य सहयोग के तौर पर काफी कुछ दुनिया में उपलब्ध हो चुका है। इसीलिए हमें तरह-तरह के स्प्रे, प्लास्टिक फोम, फ्रिज की जरूरत पड़ती है। कितने नाम गिनाये जाएं। इन सबके लिए जो चीज अनिवार्य रूप से जरूरी है उसका नाम है—सी एफ सी यानी क्लोरो फ्लूरो कार्बन! जिसे तैयार किया जाता है—कार्बन,

क्लोरिन और फ्लोरिन नामक तीन मौलिक पदार्थ से। यह सी एफ सी आजकल की दुनिया में हमारा नित्य-संगी है।—शीत-ताप नियंत्रण में इसकी कद्र, फास्ट फूड संस्करण के पैकेट में! यह आपातू निष्क्रिय गैस, सी एफ सी वायुमंडल के ऊपर, जहाँ ओजोन गैस के स्तर जमे हुए रहते हैं, वहाँ पहुँचकर, एक सर्वनाशी भूमिका ग्रहण करती है। भूपृष्ठ से दस से तीस माइल की ऊँचाई पर यह ओजोन गैस स्थित है। कहा जाता है कि यह ऑक्सीजन का ही एक रूपान्तर है और अपने कामों में भी यह ऑक्सीजन जैसा ही इंसान का मित्र है। इंसानों के लिए यह ऑक्सीजन और ओजोन—दोनों ही परम अमृत हैं। सूरज के नुकसानदेह अति-बैंजनी किरणों से, यह ओजोन गैस का स्तर, हमेशा हमारी रक्षा करता हैं। ओजोन के आस्तरण ढाल बनकर, इन किरणों को ढंके रखते हैं। वर्ना ये अति-बैंजनी किरणें बहुत पहले ही समूची दुनिया में फैल जातीं और हर इंसान की त्वचा में कैंसर भर देतीं। शायद हर इंसान की आँखों में मोतियाबिन्द उतर आता। वैज्ञानिकों के हिसाब मुताबिक, किसी स्थान पर अगर आसमान में ओजोन गैस की मात्रा एक प्रतिशत कम हो जाती है, तो वहाँ आसमान के सूरज की अति-बैंजनी किरणें उस इलाके में दस हजार त्वचा-कैंसर रोगियों का सृजन करने में आसानी से सक्षम हो जातीं। बीच-बीच में, वायमुंडल में, इंसान की दोस्त यह ओजोन गैस बेहद तेजी से कम होती जा रही है—यह इसी सी एफ सी का काम है। हालांकि धरती के इस आधुनिक सभ्यता की पृष्ठभूमि में सी एफ सी न हो, तो काम ही नहीं चल सकता। एक तो कार्बन डाइऑक्साइड की अतिशय वृद्धि उसके साथ-साथ यह सी एफ सी।

इतने अर्से से वैज्ञानिक लोग यह उम्मीद करते आये थे कि यह ग्रह अभी और चार सौ वर्षों तक जिन्दा रहेगा। लेकिन, आज से पचास वर्ष बाद जब धरती का औसत तापमान, तीन से पांच डिग्री बढ़ जाएगा। पृथ्वी पर बरसात का रंग-ढंग ही बदल जाएगा। कंप्यूटर पर विश्लेषण करके, वैज्ञानिकों का यही कहना है कि ध्रुव प्रदेशों की बर्फ पिघलकर, महासागर के पानी की ऊँचाई बढ़ा देगा—कुल चालीस वर्षों में जल-स्तर बढ़कर एक मीटर ऊँचा हो जाएगा, जिसके फलस्वरूप इस ग्रह पर प्राचीन सभ्यता के युग से जो सब अंचल सभ्यता के पीठस्थान बने हुए हैं, उनमें से ढेरों स्थान गुम हो जाएंगे। उन अभिशप्त अंचलों के लोग शरणार्थी बन जायेंगें। अमेरिका के वर्ल्ड वाच इंस्टीट्यूट ने आगामी पचास वर्षों की इस विपत्तिमय संभावना का जो विस्तृत विवरण दिया है उसका कितना-सा हिस्सा हम हंसी में उड़ा सकते हैं? हम सब क्या वायुमंडल को विपुल मात्रा में कार्बनडाइऑक्साइड उपहार नहीं दे रहे हैं? यह वायुमंडल क्या आधुनिकता का शिकार नहीं हो रहा है? इस धरती पर अब तक राजनैतिक कारणों से जाने कितने ही लोग शरणार्थी बन गए, खासकर इस उपमहादेश में! इस दुर्गति के मूल में भी नेताओं की दुर्नीतिमूलक राजनीति और 'अहम्' ही था। यहाँ भी जिन भावी शरणार्थियों का ज़िक्र किया गया है वे लोग भी

संख्या में विपुल ही होंगे। करोड़ों-करोड़ों होंगे और वे लोग मुख्यतः गंगा-ब्रह्मपुत्र-मेघना-नील नदी के तटवर्ती अंचलों के और अमेरिका-मेक्सिको भी लगभग मरुभूमि जैसे होंगे। अपनी इस नई दुर्दशा के लिए हमारी फ्रैंकेस्टाइन सभ्यता, इंसान का तीखा अहंकार-बोध और लोभ भी जिम्मेदार हैं या इन सबके लिए इंसान ही जिम्मेदार है।

वैज्ञानिक लोगों ने इस अशुभ संकेत को स्पष्ट तरीके से सूचित कर दिया है। दुनियावालों को बार-बार जता दिया है। इसीलिए तो 'मॉन्ट्रिएल' समझौते की जरूरत पड़ी। सन् 1987 की 16 सितम्बर को कनाडा में चालीस देशों का सम्मेलन हुआ। इसका उद्देश्य था—विश्वव्यापी सी एफ सी की अग्रगति को कम करना। इस समझौते पर दस्तखत करने वाले सभी देश अपने-अपने देश में इसका उत्पादन कम करने को सहमत हो गए। लेकिन सभी देशों का प्रयत्न इसमें शामिल नहीं था। जैसे, चीन, ब्राजील, दक्षिण कोरिया, भारत। वजह? यहाँ भी इस वजह से शक्तिमान का अहंकार था। अमेरिका अकेले ही दुनिया के वायुमंडल में कुल सी एफ सी का 37 प्रतिशत बिखेरता है। उसके बाद यूरोप के सभी देश सामूहिक रूप से 37 प्रतिशत! जापान अकेले ही 11 प्रतिशत और एशिया के सभी गरीब देश—अफ्रीका, दक्षिणी अमेरिका के सभी राष्ट्र मिलकर कुल 5 प्रतिशत सी एफ सी हवा में छोड़ रहे हैं। बाकी 12 प्रतिशत रूस और उसके अनुगामी देश छोड़ रहे हैं। समूची दुनिया में साल में सात टन सी एफ सी इस्तेमाल करते हैं। जहाँ यह परिस्थिति है, वहाँ मॉन्ट्रियल समझौता बहुत ज्यादा तरफदारी का सूचक है। क्यों? इस समझौते में कहा गया, सन् 1989 तक उन्नत देशों के लोग साल में 500 ग्राम सी एफ सी इस्तेमाल करने के अधिकारी होंगे। दूसकी तरफ, उन्नतिशील देशों के लोग 300 ग्राम पाने के हकदार होंगे। इसीलिए इस एकतरफा समझौते के लिए भारत, चीन, ब्राजील, दक्षिण कोरिया और कई-कई अन्य देशों ने इस समझौते पर हस्ताक्षर करने की जरूरत नहीं समझी।

ठीक ऐसा ही मामला, परमाणु सीमितकरण समझौते के संदर्भ में भी घटा है। इसमें भी वही अमेरिका और रूस का अहंकार सर चढ़ बोल रहा है। वहाँ दादागिरी की धमकी भी पूरी तरह हजम करके, दस्तख़त करना होगा। सन् 1968 से ही यह समझौता लागू हो गया है, लेकिन भारत समेत और भी कई-कई देशों ने इस मामले में सिर नहीं झुकाया। इसीलिए इन सब देशों में परमाणु विद्युत की अग्रगति इस हालत में है। और इन सब उन्नतिशील देशों के लोग, चाहे जिस भी हालत में हों, उस विपुल इस्तेमाल का ख़र्च वहन करते रहेंगे।

परमाणु हथियार भी तैयार हो रहे हैं। कहा जा रहा है कि वह सब प्रतिरोध के लिए है, आक्रमण के लिए नहीं? अब वजह चाहे जो भी हो, हथियारों का संभार बढ़ता ही जा रहा है, प्रक्षेपण-अस्त्र आसमान में उड़ रहे हैं। परिवेश भी अधिक से अधिकतर दूषित होता जा रहा है। एक तो परमाणु-अस्त्र, उसके साथ-साथ परमाणु

विद्युत चुल्लियों के वर्ज्य पदार्थ और उनकी दुर्घटनाएँ, कार्बनडाइऑक्साइड की विपुल वृद्धि। ऑक्सीजन का ध्वंस, सी एफ सी द्वारा ओजोन गैस का संहार--इतने सब कारण, हम सबको कहाँ लिए जा रहे हैं, कौन लिए जा रहा है, वे लोग ही क्या सर्वेसर्वा हैं?

सवाल यही उठता है कि यह धरती क्या राष्ट्रनायकों की है? राजनीतिज्ञों की है? या आम जनता की? इस ग्रह के लोग जिन्दा रहें या मौत की नींद सो जाएँ सकुशल रहें या बदहाल रहें--यह सोचने का अधिकार क्या मुट्ठीभर लोगों को है? उनकी संख्या तो उंगली पर गिनी जा सकती है और उन लोगों ने जिन लोगों को दलित बना रखा है, उन लोगों की संख्या बहुत अधिक है। इस ग्रह के लोगों, और लोग भी नहीं, समस्त प्राणियों के बारे में सोचना होगा, क्योंकि जिंदा रहने का अधिकार सभी को है फिर भी समूची दुनिया में 'मत्स्य न्याय' ही जारी है। अगर समूची दुनिया के सभी आम लोग, जिसमें वैज्ञानिक, साहित्यकार, बुद्धिजीवी, दार्शनिक, शिल्पी, किसान, मजदूर, श्रमिक वगैरह, सभी शामिल हैं, अपने-अपने अधिकार, कर्तव्य, दायित्व के बारे में सजग हो उठें, तो क्या नहीं हो सकता? क्योंकि जनता ही तो शक्ति का मूल आधार है। यह समस्या भी उन लोगों के जीवन की है।

आज जिन परिस्थितियों में हम निवास करते हैं, उससे एक बात तो स्पष्ट है कि चाहे धनतंत्र देश हो या समाजतंत्र देश, इन दोनों ही वर्ग के दो प्रधान देश, हर तरह की खबरदारी की धमकियाँ दे रहे हैं। जिसको, जब मौका मिलता है, धमकी देने पर आमादा हो जाता है। स्वार्थान्धता, गोपनीयता, और कूटनीति से भरी परमाणु-चर्चा का इतिहास, इसकी मिसाल है। परिवेश दूषण का इतिहास भी इसी बात का समर्थन करता है।

अस्तु, यह बात आसानी से कही जा सकती है कि कार्ल मार्क्स ने पृथ्वी को बदलने का जो सपना देखा था, जो राह दिखायी थी, जिसके लिए वे इतनी लंबी जंग करते रहे, वह सब क्या अर्थहीन और व्यर्थ था? दोनों वृहद समाजतंत्री देशों के बहुमुखी सामाजिक परिवर्तन, प्रगति और जीवनशैली में बदलाव देखकर, हम सब चकित रह गए हैं। छोटे-छोटे समाजतंत्री देश भी इस मामले में काफी आगे बढ़ चुके हैं। लेकिन धनतंत्री देशों के एकछत्र विशेषणों को भी उन लोगों ने काफी आग्रह के साथ अपने अहंकार के रूप में ग्रहण किया। तृतीय विश्व-युद्ध की संभावना से परेशान उन लोगों ने खुद ही तीसरे विश्वयुद्ध की तैयारियाँ शुरू कर दी हैं। कैसे? हथियार जमा करके, हथियार सप्लाई करते-करते। 'इसीलिए आज की दुनिया में दो-दो राष्ट्र-प्रधान अब समझ गए हैं कि हथियार के संग्रह के बजाय उनके विनाश-साधन जरूरी हैं, वर्ना अगर जंग छिड़ गयी तो सभी की परिणति एक है। हालांकि इसमें अमेरिका-रूस अग्रणी हैं, फिर भी उन्हीं की पंक्ति में और भी तीन

देश बराबरी के स्तर पर खड़े हैं।' इसीलिए मार्क्सवाद के श्रेणी-संग्राम को धकियाकर पीछे हटा दिया गया है, क्योंकि श्रेणी-शत्रु को खत्म करने से बढ़कर अहम है, परमाणु-शक्ति का सिलसिला खत्म करना। हालांकि परमाणु-विद्युत हमारी बहुत सी जरूरतें पूरी करने में सक्षम है, फिर भी इस बात की गारंटी कौन देगा कि उसका खास 'आइसोटोप' प्लूटोनियम-239 के सहारे उन सब चुल्लियों में, कोई भी देश क्या परमाणु बम तैयार नहीं कर सकता? आजकल नीतिहीनता ही तो एकमात्र नीति है। इसलिए विश्व-राजनीति के रंगमंच पर दृश्य बदल चुके हैं।

इधर हम आम लोग सच्चे अर्थों में ही तीसरे विश्वयुद्ध के लिए तैयार हो रहे हैं। वह युद्ध, परिवेश, विषाक्तकरण के विरुद्ध है। दल, मत, देश, काल से ऊपर उठकर, इस ग्रह के लोग कंधे से कंधा मिलाकर एक ही कतार में खड़े होकर, एकजुट होकर जंग करेंगे। पिछले दोनों विश्वयुद्ध, दरअसल नायकों के युद्ध थे। राष्ट्र-प्रधानों के युद्ध! उनमें से कोई भी जनयुद्ध नहीं था। जबकि हमारा यह युद्ध, असल में जनयुद्ध है, तृतीय विश्व युद्ध, महायुद्ध! हमारे हाथ में कोई अणु-बम नहीं है। हमें इसकी जरूरत भी नहीं है। लेकिन हम विनाश के हाथों से दुनिया का उद्धार कैसे करें? पृथ्वी को परमाणु के जहर से कैसे मुक्त करें? हम इस पृथ्वी का विनाश नहीं चाहते, बचाना चाहते हैं, सूखा-बाढ़-भूकंप-आंधी-तूफान वगैरह प्राकृतिक विध्वंसी हमलों के प्रतिरोध के काम में, हम सब तकनीक और विज्ञान हथियार लेकर उतरें। हमें कालान्तक आंधी-व्याधि के हाथों से इंसान को बचाना ही होगा। यही तो होगा सच्चा संग्राम।

इस बारे में क्या हम लोग मिलकर नहीं बैठ सकते? अक्सर यही देखा गया है कि मार्क्स ने चाहे जितने भी निर्देश दिए हों, लेनिन ने चाहे जैसे भी प्रयोग किए हों, प्रयोग के क्षेत्र में सभी कुछ प्राकृतिक रूप में समाजतंत्र ने सुफल ही नहीं दिए। मार्क्सवाद के बाद भी, स्टालिनवाद, माओवाद आया, समाजतंत्री लोग भी एकबद्ध नहीं रह सके। उद्देश्य भले एक हों, मगर रास्ते अलग-अलग हो गए। खैर, व्यावहारिक क्षेत्र में थोड़ा-बहुत भूल प्रयोग हो सकता है। अगर हम सब एक साथ रह सकें, तो धनिक देशों के साथ भी इकट्ठे बैठने में समाजतंत्रियों को भला क्यों एतराज हो सकता है? दुनिया में उन लोगों की संख्या भी कुछ कम नहीं है। हालांकि धनतंत्र में काफी मिलावट है, इसमें बहुत ज्यादा, चरम नुकसानदेह पक्ष भी शामिल है, फिर भी समाजतंत्र आज तक क्या उसे विलुप्त कर पाया? उसका आसन तो अटूट है।

आजादी के फौरन बाद ही भारत में ऐटोमिक एनर्जी ऐक्ट पास हुआ। भारत सरकार ने ऐटोमिक एनर्जी कमीशन की प्रतिष्ठा की। सन् 1950 में वैज्ञानिकों ने जाइगड़ा में (झारखंड में) प्राकृतिक यूरेनियम के भंडार का आविष्कार किया और उसके बाद केरल के आलवे में अन्यान्य जरूरी परमाणु खनिज भी खोज निकाला।

उसी दशक में ट्रॉम्बे में भारत का परमाणु रिसर्च का काम महत्त्वपूर्ण स्तर पर जा पहुँचा। एशिया का पहला रिसर्च रिएक्टर, ट्रॉम्बे के अप्सरा में (तत्कालीन और देश के पहले प्रधानमंत्री पंडित जवाहरलाल नेहरू के नाम पर नामकरण), उसी समय से कार्य करना शुरू कर दिया। यही यानी ऐटोमिक एनर्जी इश्टैबलिशमेंट, ट्रॉम्बे में सन् पचास के दशक के अन्त तक, उपयोग योग्य परिमाण में यूरेनियम का उत्पादन शुरू हो गया। बाद में इस संस्था को नाम दिया गया--भाभा ऐटोमिक रिसर्च सेंटर। सन् 1944 में वैज्ञानिक डॉ. होमी जहांगीर भाभा ने इस देश में परमाणु गवेषणा शुरू की।

सन् 1945 में प्रतिष्ठित हुआ--टाटा इंस्टीट्यूट ऑफ फंडामेंटल रिसर्च। सन् 2002 में भारत में आणविक और परमाणुविक रिसर्च के क्षेत्र में अग्रणी, इस प्रतिष्ठान ने डीम्ड विश्वविद्यालय का सम्मान प्राप्त किया। खैर, यह तो बाद की बात है। सन् 1957 में मुम्बई का द पावर प्रोजेक्ट्स इंजीनियरिंग डिवीजन प्रतिष्ठित हुआ। सन् 1967 में यह संस्था, द न्यूक्लिअर पावर कार्पोरेशन ऑफ इंडिया, संक्षेप में एन पी सी आई एल में रूपान्तरित हो गया। सन् 1969 में मुम्बई के उत्तर में तारापुर ऐटोमिक पावर स्टेशन ने व्यापारिक स्तर पर उत्पादन शुरू किया। सन् 1995 के मध्य में तारापुर, राजस्थान के रावतभाटा, तमिलनाडु का कालपक्कम, उत्तर प्रदेश का नरोरा, गुजरात के काकरापुर की यूनिट-4 (4), इस देश की वृहदूतम परमाणु चुल्लियाँ चालू हुई। आजकल देश में एन पी सी आई एल की 15 चुल्लियाँ मौजूद हैं। इसमें विद्युत उत्पादन का कुल परिमाण 3310 मेगावाट है। सन् 1974 में राजस्थान के पोखरन में भारत का पहला परीक्षण मूलक परमाणु विस्फोट किया गया। उसके बाद, सन् 1998 में उसी जगह और भी पांच परीक्षण मूलक विस्फोट किये गए। सन् 2003 में केन्द्रीय सरकार ने कालपक्कम में भारतीय नवीकीय विद्युत निगम लिमिटेड की स्थापना की गयी। परमाणविक मौलिक थोरियम का संचय भारत के भंडार में, 3,60,000 टन से भी ज्यादा है। यूरेनियम-233 का इस्तेमाल करतें हुए, ऐसी चुल्ली पृथ्वी में एक ही है--उसका नाम कामिनी है। यह कालपक्कम के इन्दिरा गांधी ऐटोमिक रिसर्च सेंटर में स्थित है। सन् 1991 की जनवरी में ग्लवकॉसमॉस नामक एक संस्था के साथ क्रायोजेनिक इंजन के विषय में इंडियन स्पेस रिसर्च ऑर्गनाइजेशन ने एक समझौता किया। सन् 2003 में स्थापित स्ट्रेटेजिक फॉर्सेज कमांड पर भारत की टैक्टिकल और स्ट्रेटेजी के परमाणु अस्त्रों के प्रबंधन की जिम्मेदारी सौंपी गयी। इसके बाद, सन् 2006 की दिसम्बर में अमेरिकी कांग्रेस में हाइड एक्ट पारित हुआ। यह था, हेनरी जे हाइड यू एस इंडिया पीसफुल एनर्जी कोऑपरेशन एक्ट। सन् 1954 में 123 वें अनुच्छेद का पालन करते हुए, भारत-अमेरिका परमाणु समझौता किया जाए या नहीं, इस पर विचार किया गया। अभी बिल्कुल हाल में भारत-अमेरिका परमाणु समझौते को, संक्षेप में 'वन टु थ्री एग्रिमेंट' कहा जा रहा है, इसकी वजह है, अमेरिकी परमाणु शक्ति कानून के 123 वें अनुच्छेद को मानते हुए, यह समझौता

कानून गठित हुआ है। जिस भी देश के साथ अमेरिका द्विपाक्षिक परमाणु सहयोग पर समझौता करे, इसी धारा को मानकर चलना होगा। सन् 1947 में पोखरण के पहले परमाणु विस्फोट के बाद से तीस वर्ष से अधिक समय से परमाणु उच्च-तकनीक के अधिकार से भारत को वंचित रखा गया है। इस बार शायद इस दशा से मुक्ति मिल जाए। डाइवर्सिफाइड सॉर्स ऑफ एनर्जी यानी शक्ति का बहुमुखी उत्स। इससे भारत को शायद और दूर नहीं रहना होगा। इस समझौते के लिए तथ्य तकनीक, प्रतिरक्षा, महाकाश गवेषणा स्पेस रिचर्स या दवाओं वगैरह के क्षेत्र में प्रचुर भला होगा, संबद्ध पहल में इसी धारणा का पोषण किया जा रहा है। इस समझौते के विभिन्न पक्ष, हमें यही बताते हैं कि परमाणु शक्तिधर देश के तौर पर, भारत की अवहेलना नहीं की जा सकती। लेकिन, भारत अगर परमाणु विस्फोट करे, तो यह समझौता रद्द हो सकता है। और हाइड एक्ट के फलस्वरूप भारत की विदेश नीति में अमेरिकी छाया पड़ना अवश्यंभावी है। इससे भारत की सार्वभौमिकता क्या कमतर नहीं होगी? भारत, सच्चे अर्थों में ही, स्वयं सम्पूर्ण—अर्थनैतिक क्रमोन्नति की राह पर तेज़ी से आगे बढ़ रहा है। वहाँ दूसरों की ख़बरदारी क्या भली लगेगी?

(लेखिका परिचय : श्रीमती रत्ना बड़ुआ मजुमदार का उक्त प्रबंध—महाबोध बुक एजेंसी द्वारा सन् 1990 में 'नैरंजना से राइन' पुस्तक के पहले अध्याय में 'प्रारंभिक बात' शीर्षक से प्रकाशित हुआ था। यह पुस्तक आजकल अप्राप्य है। अब उसी प्रबंध को 'परमाणु शक्ति का नेपथ्य' शीर्षक से नए संयोजन के साथ, संशोधित रूप में पुनः प्रकाशित किया जा रहा है।)

आम जनता को रिएक्टरों की जानकारी का हक है

पत्रकार पद्मनाभन के साथ एईआरबी (एटामिक इनर्जी बोर्ड) के भूतपूर्व चेयरमैन *डॉ. गोपालकृष्णन* की बातचीत

–डॉ. गोपालकृष्णन
अनुवाद : सुशील गुप्ता

प्र. एईआरबी के चेयरमैन के तौर पर आपके कामकाज की मियाद पूरी होते ही, अगले ही दिन अपने देश के परमाणु केन्द्रों की सुरक्षा पर सवाल उठाया, क्यों?

उ. पिछले दिन तक मैं सरकारी नौकर था। सरकारी नौकर को प्रचार-माध्यमों से इस बारे में बातचीत करना सही नहीं होता। वैसे पहले भी, ये सब बातें, मैं सरकारी प्रतिष्ठान में, इतनी ही जोर-शोर से कहता रहा हूँ, सरकारी फाइल, कागजात इसके साक्षी हैं। इसके अलावा भी अगर आप गौर करें, तो यह स्पष्ट हो जाएगा कि तीन वर्षों तक मैं इस संस्था का चेयरमैन था। उस हैसियत से सुरक्षा की समस्या और उसके समाधान की कोशिश वगैरह के बारे में, अपेक्षाकृत अधिकाधिक संवाद, मीडिया से होता रहा। इसलिए आज जो कुछ मैं कर रहा हूँ, वह कहीं से भी आकस्मिक नहीं है। मेरी राय में अब वह वक्त आ गया है, जब जन साधारण को इस बारे में, अधिक से अधिक जानकारी होना, बेहद जरूरी है और इस दिशा में जनता, संवाद-माध्यम और पार्लियामेंट को मिलकर, आम जनता को अधिक से अधिक जानकारी देने और इसकी त्रुटियों का संशोधन करने की कोशिश करनी चाहिए।

प्र. 16 जून को दी गयी प्रेस-विज्ञप्ति में आपने कहा है–हमारा परमाणु संस्थापन (Atomic installation) काफी कुछ समय के प्रभाव में जीर्ण हो चुका है और पुराने-धुराने, अप्रचलित हो चुके यंत्र-सरंजाम के इस्तेमाल के

फलस्वरूप उनमें अनगिनत महत्त्वपूर्ण समस्याएँ नजर आने लगी हैं, हमारी जानकारी यह है कि नक्शे-मुताबिक परमाणु भट्ठियों की आयु पूरे चालीस वर्ष होती है। आजकल, भारतवर्ष में जितनी सारी भट्ठियाँ हैं, उनमें से किसी की भी उम्र चालीस वर्ष नहीं है। ऐसे में आप अपनी बात कैसे प्रमाणित करेंगे?

उ. एक रिएक्टर की उम्र, तत्त्वतः या उसके डिजाइन के मुताबिक चालीस वर्ष होती है यानी यह चालीस वर्ष तक तभी कार्य करने में सक्षम रहेगी, जब इसकी ठीक-ठीक देखभाल हो; ठीकठाक मरम्मत होती रहे; काफी सतर्कता से इसका जतन किया जाए। ऐसा नहीं है कि इसे चालीस वर्ष का गारंटी कार्ड दे दिया गया है। हम चाहे जिस ढंग से इससे काम लें, यह चलता ही रहेगा। उदाहरण के तौर पर मद्रास, तारापुर और राजस्थान के रिएक्टर को ही लें। ये सन् पचास के या साठ के दशक के आरम्भ तक तैयार किए गए थे, तब तक जितना ज्ञान अर्जित किया गया था, उसी के दम पर इन्हें तैयार किया गया था। अब तो हम उन्हें देखकर कह ही सकते हैं कि इनके निर्माण के उपादान, नक्शे में मंज़ूरशुदा पद्धति काफी पुरानी है। सुरक्षा के मामले में, हम काफी कुछ जान चुके हैं। मेरे कहने का मतलब है कि अगर हमें इन भट्ठियों को उनकी आयु के आखिरी दम तक कार्यक्षम रखना चाहते हैं, तो नयी-नयी आविष्कृत सुरक्षा तकनीक, वहाँ इस्तेमाल करना होगी।

उदाहरण के तौर पर मैं कहूँ कि तारापुर में उबलते हुए पानी वाली पद्धति की जो भट्ठी है वैसी भट्ठी दुनिया में आज कहीं भी उपयोग में नहीं है। इस डिजाइन से निर्मित जो दो-एक चुल्ली, अभी भी चालू हैं, बाद में उनमें अहम संशोधन परिवर्तन किया गया है। पुरानी चुल्लियों के संदर्भ में यह सवाल उठाया जाता है कि अतिरिक्त मेहनत और विपुल धनराशि खर्च करके, इनकी सुरक्षा की मात्रा को कमोबेश ग्रहणयोग्य बनाया जाए या इन्हें रद्द करके, नयी उन्नत तकनीक की चुल्ली बिठायी जाए? यानी एक देश के सामने यह आर्थिक-क्षमता का सवाल है। अमेरिका, जर्मनी या अन्यान्य एकाधिक पश्चिमी देशों में, वे लोग पुराने नक्शों से तैयार की गयी भट्ठियों में खतरे की संभावना यथा, 'इंटरग्रैनुलर स्ट्रेस कोरोसन' या दुर्घटना के समय में चुल्ली का कोर को शीतल रखने की व्यवस्था की कमी जैसी त्रुटियों में संशोधन-मरम्मत करने या फिर नयी चुल्ली बिठाने को लाचार हो गए। मेरी राय में इस किस्म की विकल्प व्यवस्था बेहद जरूरी है। वरना यांत्रिक नजरिये से यह मान लेना गलत है कि सन् 1950 में स्थापित कोई भी परमाणु चुल्ली सन् 1990 तक चलती रहेगी।

प्र. भारत की विभिन्न परमाणु भट्ठियों में जो एक सौ तीस खतरों की

संभावनाओं की बात आपने कही आपके ख्याल से वह सब अभी ही ठीक करना चाहिए? आप उनमें से चंद खतरों के बारे में विस्तार से बताएँगे?

उ. किसी निर्दिष्ट रिएक्टर की निर्दिष्ट खामियों के बारे में बताना, मेरे लिए शपथ तोड़ना होगा। इसके अलावा, नौकरी से अवकाश लेते वक्त मैंने संबंद्ध सारे कागजात लौटा दिए। इसलिए कमोबेश यादों के सहारे ही कुछ कह सकता हूँ।

इस बीच, अखबारों में आप लोगों ने यह खबर पढ़ी होगी कि सुरक्षा व्यवस्था की कमी और कमजोरियों को कमोबेश कई हिस्सों में बाँट दिया गया है। पहली त्रुटि, भट्ठी के कोर (Core) अंश को शीतल रखने की व्यवस्था सम्बन्धी कमी, दूसरी ऐसी अनगिनत भट्ठियां हैं, जिनके विभिन्न अहम यंत्रों के हिस्से, इस्तेमाल होते-होते, खतरनाक हद तक पुराने और जीर्ण हो गए हैं–उन सबको अभी ही बदल देना चाहिए या उन सबकी मरम्मत करनी चाहिए। इसके अलावा, किसी-किसी क्षेत्र में रिएक्टर या 'शट डाउन' व्यवस्था की सुरक्षा के लिए भी ढेरों काम करना जरूरी है। आमतौर पर यह कहा जा सकता है कि सुरक्षा व्यवस्था की एक अहम समस्या है–भूगर्भस्थ पाइप लाइन या जिन सब टैंकों में रेडियोधर्मी तरल जमा होती है, उनमें जगह-जगह लीकेज की संभावना है एक और बहुत बड़ी समस्या के बारे में तत्काल ही उपयुक्त व्यवस्था करना जरूरी है। वह है–न्यूक्लिअर प्लांटों के कर्मचारी रेडियोधर्मिता का यथासंभव कम सामना करें। इसके अलावा शायद एक और समस्या भी है–परमाणु भट्ठी की दुर्घटनाओं के परिणाम के बारे में जन-साधारण काफी हद तक बेखबर हैं।

ऐसा नहीं है कि ये समस्याएँ मैंने आविष्कार की हैं। ये समस्याएँ अर्से से विद्यमान हैं। मैंने पिछले दस वर्षों के डिपार्टमेंट ऑफ एटोमिक एनर्जी (DAE) नियोजित विभिन्न कमिटियों और विभिन्न सुरक्षा-निरीक्षण कमिटियों की रिपोर्ट अच्छी तरह, गौर से पढ़ी हैं। अतीत की घटनावली के उल्लेख-समेत ढेरों ऐसे रिपोर्ट, बहुत बड़े ढेर के रूप में अव्यवस्थित पड़े थे। हमने वे तमाम रिपोर्ट्स समेटकर ठीक तरह व्यवस्थित कर डाले, ताकि डीएई और भारत सरकार के उच्चतम महल, सुनिश्चित तरीके से सुरक्षा के बारे में गौर कर सकें और उस रिपोर्ट द्वारा की गयी सिफारिशों को कार्यान्वित कर सकें।

मैंने यह नहीं कहा कि कल ही कोई दुर्घटना घटनेवाली है। जिस बात पर मैं जोर देना चाहता हूँ वह यह कि सुरक्षा अभ्यास का यह अभाव बेहद चिन्ताजनक है। मसलन् सन् 1979 में यह देखा गया है कि 'परमाणु शक्ति' दफ्तर के (DAE) अपने लोगों द्वारा निर्देशित है। सन् 1987 में विशेषज्ञ कमिटी द्वारा सिफारिश की गई पर कोई विशेष सुरक्षा समस्या आज 1996

में भी जस की तस पड़ी है। मेरी राय में इस किस्म का काम तत्काल ही बंद हो जाना चाहिए और इस किस्म की खतरनाक त्रुटियाँ, एक निश्चित अवधि में खत्म करने का कार्यक्रम बनाना चाहिए।

प्र. 23 जून को एक प्रेस विज्ञप्ति में एईआरबी ने बताया है कि एक सौ तीस में से उन्तीस के मामले में, उन लोगों ने कार्य पूरा करने की समय-सीमा निर्धारित कर दी है। पचास के मामले में, एक्शन-प्लान संबंधी एईआरबी से बातचीत इस बीच पूरी हो चुकी है और कम से कम इक्कीस मामलों में एईआरबी के एक्शन-प्लान संम्बंधी बातचीत अब पूरी होने वाली है। उनका ख्याल है कि सारा कामकाज संतोषजनक ढंग से चल रहा है। ये दोनों बयान क्या परस्पर विरोधी नहीं हैं?

उ. कुल हफ्ते भर पहले, पिछले बोर्ड के एक सदस्य के तौर पर जिन साहब ने कामकाज की रफ्तार और ढंग से अप्रसन्नता जाहिर की थी हफ्ते भर में बोर्ड के नए चेयरमैन के तौर पर, वही साहब अचानक कामकाज की प्रगति पर सन्तोष जाहिर करते हैं। इस बात पर मुझे हँसी आती है।

वहाँ जिन विविध एक्शन-प्लान का उल्लेख किया गया है, वह सब असल में तीन पन्नों का निर्दिष्ट समस्याओं के बारे में लिखा हुआ एक 'राइट अप' है। इसके बाद, हर प्रोजेक्ट के संदर्भ में विस्तृत कार्य-पद्धति तैयार करनी है और उसके मुताबिक काम शुरू करना है। मेरा ख्याल है कि 130 जोखिम प्वाइंट (जो मैंने बताया है) सचमुच ठीकठाक ढंग से तय करने में तीन से पाँच साल का समय जरूर लगेगा।

बोर्ड ने ये एक्शन प्लान पहली बार सन् 1995 के नवंबर महीने के पहले हफ्ते मँगा भेजा। अगले सात महीने में बोर्ड को उसी तरह के तीन पृष्ठों वाले, उन्नीस राइट-अप मिले। इसे मैं किसी भी तरह, काम की अग्रगति नहीं मान सकता। भाभा ऐटोमिक रिसर्च सेंटर (BARC) की ओर से एक भी एक्शन-प्लान नहीं मिला। इस मामले में भी बोर्ड ने बड़ी चतुराई से खामोशी अख्तियार कर ली। मैंने अपने बयानों और साक्षात्कारों में यह बात बिल्कुल स्पष्ट कर दी है कि बीएआरसी ने जवाब न देकर एईआरबी की अवहेलना की है। आज भी मैं यह बात जोर देकर कह रहा हूं कि 23 जून यानी इस प्रेस-रिलीज के दिन तक बीएआरसी की तरफ से, एक भी एक्शन-प्लान उपलब्ध नहीं हुआ है। प्रेस-रिलीज में इस सवाल को नजरअंदाज कर दिया गया है। उससे बोर्ड ने खुले मन से यह विज्ञप्ति दी है। मेरी राय में, असल में यह डीएई की तरफ से की गयी रुटीन क्षति-नियंत्रण कार्य-पद्धति भर है। जब मैंने कहा कि एईआरबी असल में डीएई (डिपार्टमेंट ऑफ ऐटोमिक एनर्जी) के अधीन, एक संगठन है, तब मैं यही बात स्पष्ट करना चाहता था कि मेरी राय में, बोर्ड में

यह कहने की क्षमता होनी चाहिए कि सुरक्षा के क्षेत्र में कोई काम नहीं हुआ है, क्योंकि यही सच है।

मेरा ख्याल है कि आम लोगों को इन एक्शन-प्लान की हर बात जानने का अधिकार है। उस प्रेस विज्ञप्ति की एक और मजेदार बात की तरफ आपकी दृष्टि आकर्षित करना चाहूँगा—इसके लिए कोई समय-सीमा निर्धारित नहीं की गई है। निर्दिष्ट समय-सीमा के बिना किसी निर्धारित काम का क्या कोई अर्थ होता है? निर्दिष्ट समय-सीमा के अन्दर इन लोगों से काम कराने के लिए, मैंने समूचा कार्यक्रम तैयार किया था। इस कार्यक्रम को चौपट करने के लिए ही, उस समय-सीमा को सन् 1979 से 1986 तक 1986 से 1996 तक बढ़ाते गए।

प्र. लेकिन कम से कम उन्नीस मामलों में निर्धारित समय-सीमा के मुताबिक ही योजना बनायी गयी है न?

उ. इसके लिए मैं उन लोगों की तारीफ करता हूँ। लेकिन सच तो यह है कि जितना काम बाकी पड़ा है उसकी तुलना में, यह तो महज सागर में बूँद जितना है। अब, ये उन्नीस एक्शन-प्लान, विभिन्न कमिटियों को भेजना होगा, उनका विस्तृत विवरण देना होगा; आर्थिक अनुमोदन लेना होगा; काम की अनुमति लेनी होगी। उसके बाद ही, असली काम करने का सवाल उठता है। यह एक लंबी राह है अभी से इतना खुश होने जैसी कोई बात नहीं है।

प्र. काइगर प्रोजैक्ट में गुम्बद (Dome) की छत टूट पड़ने या नरोरा अग्निकांड के बाद, एईआरबी की भूमिका क्या थी?

उ. दोनों ही मामलों में एईआरबी ने जो जाँच कमेटी बहाल की थी, वे सभी पूरी-पूरी तरह तकनीक संबंधी थीं और उनकी एक विशेष मर्यादा थी। दोनों ही क्षेत्रों में विस्तृत रिपोर्ट दी गईं और यह उस व्यर्थता की ओर स्पष्ट रूप से इशारा करती है, जिसका एक बहुत बड़ा कारण है नियंत्रण व्यवस्था की त्रुटि। काइगर के मामले में, मैंने जो कमिटी नियुक्त की थी उसे मैंने एक खास जिम्मेदारी सौंपी थी—नियंत्रण व्यवस्था में मौजूद उन तमाम कमजोरियों के बारे में एक विस्तृत रिपोर्ट तैयार करें, जिनकी वजह से कोई दुर्घटना घट सकती है। सरकार के परमाणु ऊर्जा विभाग डीएई से मैं अनुरोध करूँगा कि नरोरा अग्निकांड और काइगर छत-ध्वंस की रिपोर्ट, जन साधारण के समक्ष प्रस्तुत करें, क्योंकि इन दोनों मामलों में जैसे बहुत-सी मूल्यवान शिक्षा उपलब्ध हो सकती है, उसी तरह इसके कई उद्वेगजनक पक्ष भी हैं। इन दोनों मामलों के साथ-साथ काकड़ा-पार बाढ़ के मामले में भी।

प्र. हाल ही में एक अखबार को दिए गए साक्षात्कार में आपने कहा है कि काइगर रिएक्टर चालू रहने के दौरान, अगर छत टूटकर गिरी होती, तो यह

सर्वनाशी दुर्घटना नहीं घटती। न्यूक्लिअर पावर कॉर्पोरेशन (NPC) ने 19 जून को अपने एक बयान में कहा है कि आपकी यह कोरी कल्पना है, वास्तविकता से बिल्कुल अलग! इस बारे में आपको क्या कहना है?

उ. एनपीसी ने जो कहा, सच कहा। कंस्ट्रक्शन और प्रेस स्ट्रेसिंग के समय छत पर दबाव सबसे ज्यादा रहता है। लेकिन इस किस्म की घटनाएँ भी होती हैं। अमेरिका का एक उदाहरण तो दिया ही जा सकता है, जहाँ निर्माण-कार्य पूरा होने के साल भर बाद, कंकरीट की गुम्बद टूट गिरी थी। इसलिए बाद में टूट गिरना, बिल्कुल असंभव है, यह मैं नहीं मानता।

रिएक्टर सुरक्षित रहेगा, एनपीसी का यह जवाब काफी कुछ संभावना पर होता है। जब वह घटना घटी थी, मेरा ख्याल है कि 150-200 टन वजन की कंकरीट का मसाला टूट गिरा। उसके नीचे के रिएक्टर को उसने नुकसान नहीं पहुँचाया। इसका प्रमुख कारण है कि उसके ठीक नीचे फिट किया गया विराट मचान पर ही कंकरीट का अधिकांश हिस्सा गिरा। अब, सामान्य कामकाज के दौरान, इस किस्म का मचान फिट रहे, यह जरूरी तो नहीं है! ऐसे में यह कंकरीट किसी बेहद अहम पम्प, किसी शट-डाउन सिस्टम या जो किसी अहम अंश पर गिरता, तो भयंकर मुसीबत आ सकती थी।

प्र. **नरोरा अग्निकांड या काइगर दुर्घटना के बाद एईआरबी द्वारा दिए गए प्रस्ताव क्या स्वीकार किए गए?**

उ. नरोरा के मामले में दिए गए सारे प्रस्ताव मंजूर कर लिए गए। कई एक रिएक्टरों के संदर्भ में, दिए गए चंद प्रस्तावों का पालन करना संभव नहीं था यानी पुराने किस्म के सभी रिएक्टरों में, अंत तक आग लगने की आशंका रह ही जाती है। काइगर के मामले में कमीशन ने रिपोर्ट स्वीकार कर ली और हमने इस बात पर जोर दिया कि वे सब प्रस्ताव कार्यान्वित भी हों। एनपीसी और उनके सलाहकार, फिलहाल जिस समस्या में पड़े हैं, वह यह है कि उन लोगों को किसी ऐसी दीवार पर, जो अभी भी खड़ी हो, कोई ऐसा गुम्बद बिठाना होगा, जिसके दबाव की पहले से ही जाँच कर ली गई हो और जो उस दीवार में फिट हो सकती हो। चार खिड़कियों समेत, एक पूर्व परीक्षित विशाल कंकरीट गुम्बद–लगता है, दुनिया में पहली बार इस किस्म के एक शोध-अंश की मांग की गयी है। उन लोगों को मेरी शुभकामनाएँ! अभी तक वे लोग नक्शे (design) आधारित, कोई रिपोर्ट तक नहीं दे पाए हैं।

प्र. **26 मार्च को एईआरबी की तरफ से दी गयी अपनी प्रेस रिलीज में आपने कहा है– एईआरबी के मानदंड मुताबिक, यह देखा जा रहा है कि डिपार्टमेंट ऑफ ऐटोमिक एनर्जी के अन्तर्गत किसी भी परमाणु चुल्ली में ऐसी कोई खतरनाक त्रुटि या कमी नहीं है, जिसके लिए आजकल चालू कामकाज बंद**

कर देना पड़े। हमारे बिचार से इसमें ऐसी कोई भयंकर त्रुटि नहीं है कि तत्काल ही भारत के सभी परमाणु संस्थानों में से, किसी भी संस्थान में चेरनोबिल जैसी भयंकर किस्म की दुर्घटना घट सकती है। फिर आज आप यह क्यों कह रहे हैं कि कम से कम 130 मामलों में तत्काल ही मरम्मत की जरूरत है?

उ. मैं अभी भी अपने पहले के वक्तव्य पर कायम हूँ कि यह चेरनोबिल किस्म की विध्वंसी दुर्घटना से यह बिल्कुल फर्क है। बिना देर किए, तत्काल ही कुछ मरम्मत का काम कराना जरूरी है। इस बात का यह मतलब हरगिज नहीं है कि अभी ही चेरनोबिल किस्म की काई दुर्घटना की आशंका की जा रही है जिन सुरक्षा व्यवस्थाओं का मैंने जिक्र किया है, वे सब प्रमुख रूप से परमाणु प्रौद्योगिकी से जुड़े हुए कर्मचारियों की रेडियोधर्मी विकिरण से सुरक्षा के सवाल से जुड़े हैं। कहीं-कहीं आम लोगों पर भी विविध मात्राओं में विकिरण का खतरा रहता है। चेरनोबिल दुर्घटना में अंत तक लगभग 8,000 लोग मौत की नींद सो गए थे। मुझे यह कतई नहीं लगता कि भारत के परमाणु शक्ति केन्द्रों में से कोई भी, बहुत जल्दी ही चेरनोबिल किस्म की कोई दुर्घटना होने की संभावना है। लेकिन ऐसा भी नहीं है कि हम वर्तमान त्रुटियों को जस का तस छोड़कर, निश्चिन्त हो लें।

सच तो यह है कि किसी भी प्रकल्प में भयंकर खतरे की संभावना नजर आते ही, वह प्लाट बंद कर देने की क्षमता (प्रशासनिक) मेरे पास थी। इसके बावजूद मैंने किसी भी क्षेत्र में ऐसा नहीं किया। इससे साफ जाहिर है कि अभी ही, ऐसे किसी खतरे की सम्भावना नहीं है! लेकिन और भी कई तरह के खतरे मौजूद हैं। जिसके जरिये शायद कई हजार लोग रेडियोधर्मिता के शिकार हो सकते हैं। या किसी और तरीके से, लोगों को नुकसान पहुँच सकता है। भले वह चेरनोबिल की तुलना में काफी निम्न स्तर का हो।

प्र. तेज़ सक्रियता के ख़तरों के बारे में जब जिक्र छिड़ा, तब बीएआरसी के 'तेज-सक्रिय तरल आवर्जना' रखने की व्यवस्था के बारे में आपने असन्तोष जाहिर किया था?

उ. जी हाँ! यह बात सही है! ट्रॉम्बे और तारापुर रीप्रोसेसिंग के प्लांटों में ऐसी सब टंकियाँ हैं, जो बीस साल पहले निर्मित हुई और इस दौरान उनमें से कई-कई 'लीक' करने लगी हैं। बीएआरसी की प्रेस-विज्ञप्ति में मैंने पढ़ा कि यह कहा गया है कि वे टंकियाँ या पात्र कंकरीट की ढलाई में बिठायी गयी हैं। इसलिए इनमें किसी जोखिम की संभावना नहीं है। अब जरा, गौर करें किसी भी चीज को बेहद सावधानी से रखने के लिए एकाधिक सुरक्षा की व्यवस्था की जाती है, लेकिन इसका मतलब यह नहीं है कि उसमें अगर कोई

टूटफूट हो या वह नष्ट हो जाए, तो भी चलेगा। बात यह है कि अगर वह (रेडियोधर्मी तरल) कंकरीट के ढक्कन में आकर जमा होता रहे, तो अर्से बाद, वहां से टपक-टपककर जमीन पर गिराने की संभावना तो बनी ही रहती है। दूसरी बात यह है कि वे टंकियाँ भूकम्प के झटकों से बेअसर हों, इस ढंग से नहीं बनायी गयी हैं। ऐसे में मामूली-से भूकम्प में भी रेडियोधर्मी तरल पदार्थ निकलकर जमीन पर फैल सकता है। मेरे खयाल से, इन सब मामलों में समाधान का एकमात्र उपाय है नयी टंकी तैयार करना और उनकी डिजाइन तैयार करते समय, इस बात का भी ख्याल रखना जरूरी है कि वे भूकम्प या अन्य किसी दैवी आपदा के झटके बर्दाश्त कर सकें।

प्र. **यह भी सच है कि इन टंकियों में से कई टंकियों की प्लानिंग या डिजाइन के कोई कागज हमारे पास नहीं हैं। ये कागजात बीएआरसी या डीएई के पास भी उपलब्ध नहीं हैं। अस्तु, हमें इस बात की बिल्कुल जानकारी नहीं है कि ये टंकियाँ या इनके आधार कैसे और किन-किन मानदंडों पर जांच-परख के बाद, निर्मित हुए। ऐसी हालत में अगर कोई सुरक्षा-रक्षा संस्था, इन दोनों में से किसी एक टंकी में दरार देखे तो वह क्या कर सकती है? हाँ, वह सिर्फ सलाह दे सकती है कि इनकी जगह नयी टंकी तैयार करने का इन्तजाम करें?**

उ. संबद्ध विभाग को इसे बहस का मुद्दा नहीं बनाना चाहिए।

प्र. **क्या आपको लगता है कि भारत में परमाणु क्रियाओं से सुरक्षा के बारे में जनचेतना का अभाव है?**

उ. जनचेतना का अभाव तो खैर है ही। बात सिर्फ परमाणु सुरक्षा के संदर्भ में ही नहीं है, जिन सभी गैर-फौजी क्षेत्रों में परमाणु-शक्ति का उपयोग किया जाता है ऐसे किसी भी विषय की जानकारी जनसाधारण को नहीं है हमारे कार्यक्रम या सुरक्षा-व्यवस्था के बारे में, मीडिया में भी लगभग कोई बातचीत नहीं होती।

प्र. **आपकी राय में इसका प्रतिविधान क्या है?**

उ. पहली बात तो यह है कि जो लोग परमाणु-तकनीक इस्तेमाल करते हैं, उन लोगों के मन में यह विश्वास होना चाहिए कि अगर वे लोग खुले दिल से ये बातें जनचेतना में भी लाते रहें, तो उन्हीं का भला होगा। क्या कुछ खतरनाक है और कहाँ सच में खतरे की बात नहीं है। कब चिन्तित होने की जरूरत है और किस बारे में परेशान होने की कोई जरूरत नहीं है—इस बात की जनता को सीधे-सीधे जानकारी होनी चाहिए। सिर्फ और कभी-कभी डीएई द्वारा प्रचारित कोई विज्ञप्ति भर ही इन्सान की जानकारी का एक मात्र जरिया नहीं होना चाहिए। यह जागरूकता लाने का प्राकृतिक उपाय है—उच्च

शिक्षा प्रतिष्ठानों या इसी स्तर के संस्थाओं को अपनी जानकारी और कार्यक्रमों में शामिल करना। अगर ऐसा किया गया, तो इन सब सवालों के बारे में खुल्लमखुल्ला बातचीत करना संभव होगा। यहाँ तक कि डीएई के तत्वावधान के बाहर भी इस तरह जनसाधारण धीरे-धीरे सटीक समझ बना सकेंगे।

इन सब विषयों में खुल्लमखुल्ला बातचीत न होने की अहम वजह यह है कि संबद्ध दफ्तरों की खासकर डीएई और बीएआरसी की नाक जरा ऊँची है। उन लोगों का खयाल है कि सिर्फ बीएआरसी से प्रशिक्षण-प्राप्त लोग या जिन लोगों को डीएई में काम करने की जानकारी है, सिर्फ वे ही लोग परमाणु-तकनीक समझ सकते हैं। परमाणु-तकनीक बेहद जटिल है। प्रतिरक्षा-तकनीक या 'अग्नि' या 'पृथ्वी' प्रक्षेपण तकनीक (Ignition and Compulsation of solid pro-pallants) के क्षेत्र में भी यह बात सच है। 'अग्नि' या 'पृथ्वी' का नियंत्रण या तकनीकी कौशल भी परमाणु-चुल्ली नियंत्रण की तरह ही जटिल है।

इसके बावजूद प्रक्षेपणास्त्र की तकनीक-कौशल के बारे में आजकल देश के विविध इंस्टीट्यूट ऑफ टेक्नोलॉजी भी कार्यरत हैं। आवश्यक गोपनीयता कायम रखते हुए अपने काम में दत्तचित्त हैं...। हाँ, मैं यह बात जरूर कबूल करता हूँ कि हमारे परमाणु कार्यक्रम का कुछेक हिस्सा गोपनीय रहता है। भगवान के लिए उन हिस्सों को अलग कर लिया जाए और उन मामलों में अतिशय गोपनीयता की रक्षा की जाए। लेकिन, परमाणु-शक्ति का जो गैर-सामरिक प्रयोग है जिस काम के लिए, देश के करदाता, साल में दो हजार करोड़ रुपये अधिक टैक्स देते हैं उन सबके बारे में, हिसाब लेने और जानने-समझने का, उन्हें पूरा-पूरा अधिकार है।

डॉ. ए. गोपालकृष्णन भारत के एटॉमिक एनर्जी बोर्ड (एईआरबी) के चेयरमैन थे। देश के परमाणु-शक्ति संबंधी सुरक्षा की उच्चतम क्षमता इसी संस्था के हाथ में है। सन् 1996 की 16 जून को रिटायर होने के अगले दिन ही श्री गोपालकृष्णन ने एक पत्रकार सम्मेलन में कहा कि देश के परमाणु-शक्ति केन्द्रों से सुरक्षा की हालत बेहद गंभीर और चिन्ताजनक है। सरकार के अधीनस्थ विभिन्न शक्ति-संस्थाओं ने श्री गोपालकृष्णन की बात का विरोध किया। इसके बावजूद ये शिकायतें लगभग कबूल की गईं। डॉ. गोपालकृष्णन से 'फ्रंटलाइन' पत्रिका के पत्रकार आर. पद्मनाभन को दिए गए लंबे साक्षात्कार का कुछ अंश यहाँ प्रस्तुत किया गया है। (अस्तु 'फ्रंटलाइन' से साभार।)

एईआरबी के भूतपूर्व चेयरमैन, डॉ. गोपालकृष्णन का परिचय :

समझौते से समझौता नहीं

बोध गया से राजघाट तक चली यात्रा का संदेश

–डॉ. ए.के. अरुण

भारत में परमाणु ऊर्जा की आवश्यकता अमेरिकी वर्चस्व और भारतीय संप्रभुता पर दो साल से चर्चाएँ चल रही हैं। सत्ता में बैठे लोग जनता को यह समझाने में लगे हैं कि देश में विकास के लिए परमाणु ऊर्जा जरूरी है। बुद्धिजीवी वर्ग परमाणु ऊर्जा ही नहीं परमाणु बम को भी जरूरी बताता है। भारत-अमेरिकी परमाणु समझौता फिर से कुलांचें मार रहा है। राष्ट्रीय-अंतर्राष्ट्रीय सवालों पर ज्यादा रुचि नहीं लेने वाला मध्यम वर्ग 'मौन' है। इसी 'मौन' को 'समर्थन' मान कर सत्ता प्रतिष्ठान अमेरिका परमाणु करार कर ताल ठोंक रहा है। गाँव और कस्बों के आम जन में यह भी धारणा है कि सत्ता पर काबिज पार्टियाँ व्यापक जन हित की बजाय अपने स्वार्थ पूर्ति हेतु 'कुछ भी' कर सकती हैं। जन संघर्ष से जुड़े कई समाजकर्मी कहते हैं, ''परमाणु समझौते के बाद भारत अमेरिका का 'जूनियर पार्टनर' बन गया है।

परमाणु विवाद के इन्हीं पहलुओं और परमाणु शस्त्र मुक्त विश्व की बात करते हुए गांधी जी की विचारधारा पर कार्यरत देश की अग्रणी संस्था 'सर्व सेवा संघ' के तत्वावधान में विगत 7 मई से 20 मई 2008 तक बुद्ध के महाबोधि स्थल (बोध गया) से महात्मा गांधी के समाधि स्थल (राजघाट, दिल्ली) तक एक जनजागरण यात्रा निकली जिसमें कोई 25 युवाओं ने भाग लिया। इस यात्रा में सर्व सेवा संघ के अलावा युवाओं के अखिल भारतीय संगठन–युवा भारत, राष्ट्रीय युवा संगठन, आजादी बचाओ आंदोलन, गांधी शांति प्रतिष्ठान, नवधान्य, गांधी स्मारक निधि, अवार्ड, सी. एन.डी.पी. सहित और भी जन संगठनों की भागीदारी थी।

परमाणु समझौता विरोधी इस जनजागरण यात्रा का मुख्य पहलू यह था कि गांधी जी की विचारधारा को मानने का दावा करने वाले संगठन सर्व सेवा संघ ने साफ तौर पर घोषित किया कि अन्य संगठनों में किंतु-परंतु हो सकते हैं लेकिन वह परमाणु ऊर्जा का भी विरोध करता है क्योंकि परमाणु ऊर्जा के खतरे भी परमाणु बम

से कम नहीं हैं। शांति के लिए परमाणु समझौता तो एक छलावा है। परमाणु से शांति की बात करने वाले भ्रम पैदा कर रहे हैं और साम्राज्यवाद के मंसूबे को ही बढ़ा रहे हैं। इसलिए सर्व सेवा संघ ने यह यात्रा 'अणु (हथियार) मुक्त विश्व के लिए' बैनर के तले निकाली है।

इस यात्रा से पूर्व कई जन संगठनों ने 29 मार्च, 2008 को दिल्ली में भारत-अमेरिकी नाभिकीय समझौते पर एक राष्ट्रीय सम्मेलन भी किया था। आजादी बचाओ आंदोलन और सर्व सेवा संघ की अगुवाई में आयोजित इस सम्मेलन में भी दर्जनों संगठन शामिल थे। इस सम्मेलन ने एक प्रस्ताव पारित कर भारत के राष्ट्रपति, प्रधानमंत्री और संसद को आगाह किया कि यह समझौता भारत में संवैधानिक दृष्टि से स्वीकार्य नहीं है।

पारित प्रस्ताव के मुख्य बिंदु निम्नलिखित हैंः-

(1) यह सम्मेलन मानता है कि भारत अमेरिका नाभिकीय समझौते की शुरुआत दरअसल अमेरिका ने अपने सामरिक और वाणिज्यिक हितों की पूर्ति के लिए की है। अमरीकी विदेश मंत्री कोंडालिजा राइस का अमरीकी कांग्रेस में दिया गया बयान, "निजी क्षेत्र विशेषकर मिलिट्री एयर क्राफ्टों और नाभिकीय रिएक्टर जैसे उद्योग के हितों को मजबूती से ध्यान में रखते हुए इस समझौते को तैयार किया गया है।" अमेरिकी मंशा को स्पष्ट कर देता है। नाभिकीय अस्त्र विशेषज्ञ गैरी मिलहोलिन कहते हैं, "वाशिंगटन का संदेश यह है कि अमेरिका के लिए निर्यात नियंत्रण का कोई महत्त्व नहीं है, बल्कि अमेरिकी कार्पोरेशन का मुनाफा ज्यादा महत्त्वपूर्ण है।" पिछले 37 वर्षों में अमेरिकी ने स्वयं कोई भी परमाणु बिजली घर नहीं लगाया है परंतु यह भारत में 30 नाभिकीय बिजली घर लगाने के लिए बहुत आतुर है और इसके लिए भारतीय जमीन पर अमेरिका के वर्तमान और पूर्व अधिकारियों के झुंड के झुंड रोज उतर रहे हैं। वे जल्द ही समझौता स्वीकार करने के लिए दबाव बना रहे हैं। इस शृंखला में निकोलस बर्न्स और रिचर्ड बाउचर के नाम प्रमुख हैं। यह कोई रहस्य नहीं है कि इस समझौते के लिए अमेरिकी कांग्रेस द्वारा हाइड एक्ट को शीघ्रता से पारित कराने के लिए अमेरिकी और भारतीय कंपनियों ने कांग्रेस के प्रतिनिधियों और सीनेटरों पर करोड़ों की भारी रकम खर्च की है। प्रतिवेदन कहता है कि अमेरिकी राष्ट्रपति बुश और भारत के प्रधानमंत्री मनमोहन सिंह ने इस संबंध में एक संयुक्त घोषणा जुलाई 2005 में वाशिंगटन में की है। यहाँ यह ध्यान देने की बात है कि 1991-95 में जब मनमोहन सिंह भारत सरकार में वित्त मंत्री थे तभी उन्होंने नाभिकीय कार्यक्रमों में भारी कटौती की थी जिसके फलस्वरूप यूरेनियम की खोज और उस समय बन रहे रिएक्टरों के कार्य में रुकावट आई थी।

(2) प्रतिवेदन कहता है कि भारत-अमेरिका नाभिकीय समझौता एक

तकनीकी समझौता है। देश के शीर्षस्थ वैज्ञानिक और रिएक्टर तकनीक के जानकार इस समझौते के खिलाफ हैं, और उन्होंने अपनी चिंताएँ बार-बार जाहिर की है। अमरीकी नेतृत्व में विश्व के नाभिकीय क्लब के देशों की तरफ से भारत पर पिछले तीस वर्षों से लगाए गए प्रतिबंधों के बावजूद, भारतीय वैज्ञानिक परमाणु ऊर्जा के कार्यक्रम को आगे बढ़ाने में सफल हुए हैं। थोरियम पर आधारित त्रिस्तरीय नाभिकीय ऊर्जा कार्यक्रम अब काफी आगे बढ़ चुका है। जुलाई 2005 के भारत-अमेरिका संयुक्त वक्तव्य में अमेरिका इस बात पर सहमत था कि भारत का यह परमाणु ऊर्जा विकास कार्यक्रम निर्बोध रूप से चलता रहेगा। परंतु नाभिकीय समझौते के लिए बनाए गए हाइड एक्ट द्वारा अमेरिका ने यह स्थिति बदल दी और समझौते का जो स्वरूप तैयार हुआ वह अब भारतीय वैज्ञानिकों को मंजूर नहीं है। इस एक्ट ने परमाणु इंधन की आपूर्ति को परमाणु परीक्षण न करने से जोड़ दिया है। इंधन आपूर्ति अब सुनिश्चित नहीं है और जले इंधन का पुनः प्रसंस्करण, जो कि भारत के त्रिस्तरीय विकास कार्यक्रम के लिए जरूरी है, की भी अनुमति भारत को नहीं होगी।

(3) प्रतिवेदन साफ करता है कि ''यह नाभिकीय समझौता सुरक्षित एवं पर्यावरण अनुकूल भरपूर प्राकृतिक स्रोत सूर्य, हवा, पानी आदि के शोध से भी वैज्ञानिकों का ध्यान हटाएगा।"

प्रतिवेदन के अनुसार यह समझौता दुनिया के दो बड़े लोकतंत्रों के बीच होगा परंतु यह आश्चर्यजनक है कि इस समझौते के भागीदार एक लोकतंत्र (अमेरिका) ने0 तो न केवल अपनी संसद से समझौते को शासित करने वाला एक कानून भी बनवा दिया है जबकि दूसरा भागीदार (भारत) इस समझौते को अपनी संसद के सामने लाने को भी तैयार नहीं था, और जब तैयार हुआ तो केवल संसद सदस्यों का मूड भांपने के लिए न कि समझौते पर पूरी बहस कराने और इसे वोट द्वारा पारित कराने के लिए।

(4) प्रतिवेदन का चौथा बिंदु कहता है कि भारत इस परमाणु समझौते पर हस्ताक्षर करके नाभिकीय अप्रसार सन्धि (एनपीटी) पर अपने सिद्धांतपूर्ण रुख के साथ विश्वासघात करेगा। दुनिया जानती है कि भारत का रुख रहा है संपूर्ण नाभिकीय अस्त्र अप्रसार का। अर्थात भारत परमाणु अप्रसार संधि पर तभी हस्ताक्षर करेगा जब परमाणु अस्त्र संपन्न देश अपने सभी परमाणु अस्त्रों का खात्मा करने पर सहमत हो जाएँगे। इस समझौते के द्वारा अमेरिका ने परोक्ष रूप से भारत को परमाणु अप्रसार संधि व्यवस्था के दायरे में लाने में सफलता पाई है। यह स्थिति इस क्षेत्र में परमाणु हथियारों की दौड़ को बढ़ावा देगी और विश्व शांति के लिए नुकसानदेह साबित होगी।

(5) प्रस्तुत प्रतिवेदन के अनुसार भारत के वैज्ञानिक और तकनीकी समुदाय

तथा भारत की संसद को अनदेखा करके तथा एक विश्व शक्ति (अमेरिका) जो अपने वायदे और समझौते तोड़ने के लिए कुख्यात है। (नवीनतम मामला क्योटो प्रोटोकाल का है) के दबाव में जूनियर भागीदार की हैसियत से इस समझौते पर हस्ताक्षर करके भारत सरकार एक खतरनाक रास्ते पर चल रही है।

अंतर्राष्ट्रीय परमाणु ऊर्जा एजेन्सी में दो बार ईरान के खिलाफ वोट देकर भारत सरकार ने अन्तिम हस्ताक्षर होने से पहले ही हाइड एक्ट के ईरान संबंधी प्रावधानों का पालन शुरू कर दिया है और हमेशा भारत के साथ खड़ा होने वाले ईरान के साथ भारत के संबंधों में कड़वाहट बढ़ रही है। जिन तीसरी दुनिया के देशों का भारत विगत 50 वर्षों से नेतृत्व कर रहा है उसकी निगाह में इस समझौते के बाद भारत अमेरिकी खेमे में चला जाएगा।

प्रतिवेदन मानता है कि यह समझौता एक अमेरिकी साजिश है और अमेरिका अपने चुनौती देने वाले देश चीन के बीच में भारत को एक बफर जोन के रूप में इस्तेमाल करने की मंशा रखता है। इस प्रतिवेदन पर सर्वसेवा संघ के अध्यक्ष डा. सुमन बरंठ, आजादी बचाओ आंदोलन के राष्ट्रीय संयोजक डा. बनवारी लाल शर्मा, प्रसिद्ध पर्यावरणविद् डॉ. वंदना शिवा, गांधी स्मारक निधि के सचिव रामचंद्र राही, गांधी शांति प्रतिष्ठान की अध्यक्षा राधा भट्ट, युवा भारत के राष्ट्रीय समवन्यक अशोक भारत, सीएनडीपी के संदीप पांडेय, राष्ट्रीय युवा संगठन के डा. विश्वजीत रॉय, एवार्ड के प्यारे मोहन त्रिपाठी के हस्ताक्षर हैं।'

इसी सोच के साथ शुरू हुई परमाणु समझौता विरोधी यात्रा। इस जनजागरण का शुभारंभ 7 मई 2008 को बुद्ध के महाबोधि स्थल (बोध गया) से हुआ। यात्रियों को हरी झंडी दिखाते हुए जाने माने पर्यावरणविद्, सुन्दर लाल बहुगुणा ने कहा कि यह सत्य और अहिंसा का संदेश देने वाले महात्मा बुद्ध की धरती है। बुद्ध का संदेश लेकर हम देश-दुनिया में फैल जाएं। उन्होंने कहा कि हिरोशिमा और नागासाकी और चेरनोबिल परमाणु ऊर्जा के विध्ववंसक रूप को दर्शाने के लिए काफी हैं। आज दुनिया में परमाणु हथियारों की होड़ लगी है।

बहुगुणा जी ने कहा कि सतत जागरूकता ही स्वतंत्रता की कसौटी है। हमें अपनी आवाज बुलंद करनी है। जनमत बनाना है। ताकि जन प्रतिनिधि उसे नजरअंदाज न कर सके। उन्होंने विनोबा भावे को उद्धृत करते हुए कहा कि, विनोबा ने ए.बी.सी. (अफगानिस्तान, बर्मा और श्रीलंका) के महासंघ की बात कही थी। आज भारत के लिए यह बेहद जरूरी है कि वह अपने पड़ोस के मुल्कों के साथ बेहतर संबंध बना कर एशियाई महासंघ की परिकल्पना को साकार करे।

जनजागरण यात्रा का नेतृत्व कर रहे सर्वसेवा संघ के पूर्व अध्यक्ष अमरनाथ भाई ने तो परमाणु ऊर्जा या बम दोनों की ही मुखालफत की। उन्होंने अपने उद्‌बोधन में कहा कि ''दुनिया में अणु ऊर्जा का चाहे शांतिमय उपयोग हो या युद्ध में दोनों

के परिणाम न केवल मानव जाति बल्कि पूरी सृष्टि के लिए विनाशकारी हैं। अणु ऊर्जा न तो सस्ती है और न ही सुरक्षित। इससे भविष्य की ऊर्जा जरूरतें पूरा करने का दावा खोखला है।

अमरनाथ भाई ने आगाह किया कि मौजूदा परमाणु समझौते से भारतीय उप महाद्वीप में परमाणु ऊर्जा की होड़ शुरू हो जाएगी। और इसका दुष्परिणाम सभी को भुगतना होगा। वैसे ही दुनिया भर में बढ़ता प्रदूषण प्रकृति के लिए इतना खतरनाक हो गया है कि पूरी दुनिया विनाश के कगार पर खड़ी है।

जनजागरण यात्रा के शुभारंभ के मौके पर आयोजित एक संगोष्ठी में बोध गया के समन्वय आश्रम के प्रमुख द्वारको भाई सुंदराणी, सुशीला सहाय, कृष्णनंदन गिरी, विहार प्रदेश सर्वोदय मंडल के अध्यक्ष तपेश्वर भाई, राष्ट्र सेवा दल के सच्चिदानंद सिंह आदि की उपस्थिति में गांधी स्मारक निधि, दिल्ली के सचिव और गांधीवादी कार्यकर्त्ता रामचंद्र राही ने भी वक्तव्य दिया। रामचंद्र राही ने सवाल किया, ''बम क्यों बनाया जाता है? बम कौन बनाता है? बम किसके लिए बनाया जाता है? आदमी से आदमी को इतना डर क्यों है? हम शांतिमय, युद्धमुक्त राष्ट्र का निर्माण नहीं कर सकते? क्या पूरी धरती को लाक्षागृह में बदलने की तैयारी है। और दुनिया का शांतिप्रिय आदमी क्या इसके लिए तैयार है?'' श्री राही ने स्पष्ट किया कि मात्र 3 प्रतिशत बिजली का उत्पादन परमाणु ऊर्जा से हो रहा है। स्वयं अमेरिका जो अपने यहाँ परमाणु ऊर्जा का उत्पादन सीमित मात्रा में कर रहा है। लेकिन दुनिया के परमाणु तकनीक बेचने पर आमादा है। जाहिर है यह उसके अपने व्यापार का हित का मामला है। उन्होंने चेतावनी दी कि अमेरिका की राजनीति और अवधारणा की बुनियाद में हिंसा छिपी है। गांधी जी ने इसे शैतानी सभ्यता कहा था।

बोध गया में परमाणु विरोधी जनजागरण यात्रा के सत्याग्रहियों ने एक रैली भी निकाली और शाम को जन सभा की भी। सर्वसेवा संघ के महामंत्री महादेव विद्रोही ने विस्तार से यात्रा के उद्देश्य एवं यात्रियों का परिचय कराया। उन्होंने कहा कि हम ऐसी दुनिया बनाना चाहते हैं कि जिसमें प्रदूषण भूख और गैरबराबरी न हो बल्कि समता और शांति हो।

जनजागरण यात्रा का पहला पड़ाव बिहार के औरंगाबाद जिले में था। जनजागरण यात्रियों का यह जत्था लगभग 10 बजे रात्रि में गया से यहाँ पहुँचा था। औरंगाबाद डी.ए.वी. स्कूल के प्राचार्य, शिक्षक और बच्चों ने यात्रियों का स्वागत किया। रात्रि विश्राम के बाद जनजागरण यात्रा के सत्याग्रहियों ने स्कूल में ही सभा की। लगभग 1500 छात्र-छात्राओं के बीच परमाणु बम के खतरे और मौजूदा राष्ट्रीय संकट पर चर्चा हुई। स्कूली बच्चों ने भी क्रांति गीत गाकर सत्याग्रही यात्रियों की हौसलाअफजाई की।

जनजागरण यात्रा 8 अप्रैल को डेहरी ऑन सोन होते हुए सासाराम आ गई।

यहाँ भोजन-विश्राम के बाद एक सभा हुई जिसमें सर्वोदय व गांधी धारा से जुड़े संगठनों के लोगों ने भाग लिया। इस सभा में अच्छी संख्या में ग्रामीण लोग भी थे। लगभग सभी लोगों ने कहा कि हमें बिजली चाहिए लेकिन ऐसी बिजली नहीं जो देश को कब्रिस्तान में तब्दील कर दे। सासाराम में जनजागरण यात्रा के लोगों ने स्वयं सेवा एवं सादगीपूर्ण जीवन तथा भोग से मुक्ति आदि मूल्यों को जीवन में उतारने का संकल्प लिया।

तेज धूप और भीषण गर्मी में जनजागरण यात्रियों का काफिला कैमूर की पहाड़ी को चीरता हुआ जब आगे बढ़ रहा था तो मौसम भी इनके धैर्य और दृढ़ता की परीक्षा ले रहा था। कैमूर की पहाड़ी के इर्द-गिर्द फैला गाँव बिहार में नक्सल प्रभावित क्षेत्र माना जाता है। रास्ते में स्वामी परमेश्वरानन्द महिला महाविद्यालय कुदरा, कैमूर के प्राचार्य ने भी जनजागरण यात्रियों का स्वागत किया। उन्होंने कहा कि भूदान आंदोलन स्थगित होने से नक्सली हिंसा में वृद्धि हुई है। उन्होंने यह भी कहा कि पूरी दुनिया को 17 बार तबाह कर देने लायक परमाणु हथियार विकसित देशों के पास हैं। परमाणु बिजली से निकलने वाला कचरा भी उतना ही घातक है तो ऐसे में कोई कैसे कह सकता है कि परमाणु ऊर्जा सुरक्षित ऊर्जा है?

ये जनजागरण यात्री रास्ते में कुदरा, भक्षुआ आदि के भूदान किसानों से भी मिले। यहाँ दिल्ली से जनजागरण यात्रा में शामिल इंजीनियरिंग कॉलेज के प्राध्यापक संजय शर्मा ने भी संबोधित किया। लगभग सभी वक्ताओं ने एक स्वर से भारत-अमेरिका परमाणु करार का विरोध किया और इसे जनविरोधी बताया।

9 मई को यात्रा वाराणसी आ गई थी। यहाँ शहरों और गाँवों में कई छोटे-छोटे कार्यक्रम हुए। नुक्कड़ सभाओं में जनजागरण यात्रियों ने जनता का नब्ज टटोला और जानना चाहा कि भारत-अमेरिका परमाणु करार पर आम लोग क्या सोचते हैं? लोगों ने परमाणु करार से अनभिज्ञता बताई और कहा कि इस संबंध में उन्हें कुछ भी पता नहीं।

जनजागरण यात्रा में प्रमुख रूप से शामिल युवाओं के अखिल भारतीय संगठन युवा भारत के राष्ट्रीय समन्वयक अशोक भारत ने एक सभा को संबोधित करते हुए कहा कि, "आर्थिक उदारीकरण, वैश्वीकरण और निजीकरण की नीति देश के लिए विनाशकारी सिद्ध हुई है। उन्होंने आंकड़ों से बताया कि देश में बेरोजगारी बढ़ी है। देशी उद्योग धंधे चौपट हुए हैं। खेती किसानी घाटे का सौदा बन गई है। किसान आत्महत्या कर रहे हैं। लेकिन सरकार विनाशकारी नीतियों से बाज नहीं आ रही। दुनिया में परमाणु ऊर्जा के प्रति बेरुखी बढ़ी है लेकिन अमेरिकी और अमीर मध्यवर्ग के दबाव में सरकार आत्मघाती परमाणु ऊर्जा के लिए जीतोड़ कोशिशें कर रही है। अशोक भारत ने विकल्प भी सुझाया। उन्होंने कहा कि प्रकृति संपन्न मानवतावादी नीतियों से हम न केवल अपनी ऊर्जा जरूरतों को पूरा कर सकते हैं बल्कि स्थायी व टिकाऊ व्यवस्था कायम कर सकते हैं।

काशी विद्यापीठ के निदेशक डॉ. रामप्रकाश द्विवेदी, बनारस हिन्दू विश्वविद्यालय में भौतिक शास्त्र की व्याख्याता डॉ. स्वाति, डॉ. आनन्द दीपायन, शरद कुमार साधक सहित वाराणसी के दर्जनों बुद्धिजीवियों व नागरिकों ने भी जनजागरण यात्रियों का स्वागत किया और परमाणु मुक्त विश्व की इस मुहिम को मानवता व प्रकृतिवादी बताते हुए अपना समर्थन दिया।

12 मई को यात्रा कई छोटे-बड़े शहरों से होती इलाहाबाद पहुँची। इलाहाबाद में आजादी बचाओ आंदोलन के समर्थकों व अनेक बुद्धिजीवियों ने यात्रा के स्वागत में दर्जनों नुक्कड़ सभाएँ आयोजित कीं। कई जगह अन्य जन संगठनों व ट्रेड यूनियन के नेताओं ने भी यात्रियों का स्वागत किया। यहाँ वक्ताओं ने एक मत से कहा कि मौजूदा परमाणु करार व्यापक षड्यंत्र और एक साम्राज्यवादी चाल का हिस्सा है। यह पूंजी का साम्राज्यवाद है। दुनिया के प्राकृतिक संसाधनों पर कब्जा करना इसका उद्देश्य है। आज साम्राज्यवाद अपनी उद्दंडता की पराकाष्ठा पर है। देशभक्तों को साम्राज्यवाद के मनसूबों को समझना होगा और इसके खिलाफ एकजुट होकर लड़ाई लड़नी होगी। यहाँ आजादी बचाओ आंदोलन के मनोज त्यागी, समाजवादी समाजकर्मी डॉ. विमल सहित अनेक लोगों ने भी अपनी बातें रखीं।

इलाहाबाद से यात्रा प्रतापगढ़, अमेठी एवं रायबरेली होते हुए आगे बढ़ी। प्रतापगढ़ में युवा समाजकर्मी समाज शेखर व वहाँ के अधिवक्ताओं ने रुचि लेकर सभाओं का आयोजन किया।

जनजागरण यात्रा में शामिल लोगों ने बताया कि अमेठी और रायबरेली जैसे महत्त्वपूर्ण चुनाव क्षेत्र के लोगों को भी परमाणु ऊर्जा के पक्ष या विपक्ष किसी भी चीज की जानकारी नहीं है। यह विडंबना ही है कि रायबरेली से चुनाव जीत कर देश की सरकार पर पकड़ रखने वाली सांसद सोनिया गांधी का चुनाव क्षेत्र भी कई महत्त्वपूर्ण मामलों पर जानकारी से बेखबर है। बहरहाल जनजागरण यात्रा के लोगों ने सभाओं के बहाने लोगों को जाग्रत करते हुए 15 मई तक लखनऊ पहुँचने का अपना लक्ष्य पूरा किया।

लखनऊ में जनजागरण यात्रियों का स्वागत जाने माने समाजकर्मी और फारवर्ड ब्लाक के प्रदेश अध्यक्ष श्री रामकिशोर ने किया। यहाँ जौहर फाउंडेशन के वसी सिद्दीकी, मिल्ली समाज के वसीम हैदर, मखमूर काकोरवी सहित मुस्लिम संगठनों के लोगों ने यात्रियों का स्वागत किया।

16 मई की सुबह कानपुर में जाने माने साहित्यकार गिरिराज किशोर ने सभा को संबोधित किया। उन्होंने कहा कि शक्तिशाली देशों द्वारा दूसरे मुल्कों पर दबदबा बनाना चिंताजनक है। गिरिराज किशोर ने गांधी के मानवतावाद की वकालत की और कहा कि महान मार्क्सवादी नेता लेनिन भी महात्मा गांधी से प्रभावित थे। जब गांधी पर यह आरोप लगता था कि वे पूंजीपतियों के लिए काम कर रहे हैं तब लेनिन ने कहा था, "जो आदमी इतने लोगों को एकजुट कर सकता है वह पूंजीपतियों के

लिए काम नहीं कर सकता।"

गिरिराज किशोर ने भी परमाणु समझौते को साम्राज्यवाद की एक चाल बताया और इसके विरोध की वकालत की। कानपुर में जाने माने पत्रकार व समाजकर्मी विजय-चावला व अन्य समाजकर्मियों ने भी परमाणु विरोधी यात्रा में भाग लिया तथा स्थानीय स्तर पर आयोजित सभाओं में जुड़े।

जनजागरण यात्रा एटा होते हुए आगे बढ़ रही थी। एटा के जाने माने समाजकर्मी जयप्रकाश भाई ने परमाणु ऊर्जा के विकल्प के रूप में सौर ऊर्जा से चलने वाले अम्बर चर्खा, चक्की, करघा आदि का प्रदर्शन किया। उन्होंने बताया कि आज सौर ऊर्जा परमाणु ऊर्जा का बेहतर विकल्प है लेकिन सोलर पैनल की तकनीक पर टाटा का एकाधिकार है इसलिए यह बेहद महँगा है। उन्होंने माँग की कि सोलर पैनल पर कंपनियों का एकाधिकार खत्म कर उसे जनहित में सार्वजनिक कर देना चाहिए।

18 मई को यात्रा आगरा पहुँच गई। यहाँ कई कार्यक्रम हुए। आचार्य कुल की मनोरमा शर्मा ने जनजागरण यात्रियों का आगरा में स्वागत किया। दोपहर यहाँ केंद्रीय हिन्दी संस्थान में एक सभा भी हुई। सभा की अध्यक्षता केंद्रीय हिन्दी संस्थान के निदेशक शंभुनाथ ने की।

शंभुनाथ ने कहा कि सर्वोदय का सिद्धांत बाजारोदय में परिवर्तित हो गया है। दुनिया को बाजार बनाने की कोशिश हो रही है। पूरी दुनिया में एक विशेष प्रकार की जीवनशैली थोपने की साजिश चल रही है। उन्होंने कहा कि दुनिया भर में केवल भारत में ही कोई बड़ा जन आंदोलन नहीं दिख रहा है। पहले दुश्मन हमारे सामने था। अब हमारे भीतर प्रवेश कर गया है। यह गहन आत्म निरीक्षण का मामला है। उन्होंने आशा व्यक्त की कि भले ही भारत में बड़े आंदोलन नहीं हैं। लेकिन छोटे-छोटे आंदोलनों की वजह से हम उम्मीद कर सकते हैं कि कोई बड़ा आंदोलन भी खड़ा हो सकता है।

शंभुनाथ ने कहा कि यह विचारधारा के संकट का युग है। यह विज्ञापन का युग है। विज्ञापन में झूठ का बोलबाला है। आज झूठ जिधर है शक्ति भी उधर है। परमाणु करार राजनीतिक उपनिवेशवाद थोपने वाला है। तीसरा विश्वयुद्ध शुरू हो चुका है। सिर्फ इस युद्ध का उपक्रम बदल गया है। आप सैनिकों से लदे जहाज नहीं हैं पर युद्ध लड़ा जा रहा है। उपभोक्तावाद बढ़ाकर साम्राज्यवाद हमारी प्रतिरोध शक्ति को कुंद कर रहा है। उन्होंने देश के जाग्रत समाज से सार्थक पहल की अपील की।

आगरा से मथुरा, वृंदावन, पलवल, फरीदाबाद होते हुए यात्रा 19 मई को दिल्ली पहुँच गई। जनजागरण यात्रियों ने 19 एवं 20 मई 2008 को दिल्ली के जन्तर मन्तर (संसद मार्ग) पर ध्यानाकर्षण सत्याग्रह किया। इसमें दिल्ली के कई बुद्धिजीवी, समाजकर्मी, पत्रकार, कलाकारों ने भी भाग लिया। दिल्ली सत्याग्रह में राजस्थान समग्र सेवा संघ के अध्यक्ष सवाई सिंह, हरियाणा सर्वोदय मंडल के महावीर त्यागी, सम्पूर्ण क्रांति मंच के देवेन्द्र सिंह, सर्वसेवा संघ के प्रकाशन मंत्री रामधीरज, बिहार

सर्वोदय मंडल के अध्यक्ष तपेश्वर भाई, महाराष्ट्र के लोक शासन आंदोलन के विलास सोनवणे, कानपुर से विजय चावला, आजादी बचाओ आंदोलन के डॉ. बनवारी लाल शर्मा, लोक सेवक मंडल के सत्यपाल मुंबई से सर्व सेवा संघ के सचिव शेख हुसैन, दिल्ली के वरिष्ठ अधिवक्ता प्रशांत भूषण, गांधी शांति प्रतिष्ठान के सचिव सुरेन्द्र कुमार, गांधी स्मारक निधि के सचिव रामचंद्र राही, सर्व सेवा संघ, म. प्र. के संतोष द्विवेदी, बिहार सर्वोदय मंडल से रमण कुमार, असम से पल्लवी एवं माया, जलंधर से नवीन, महाराष्ट्र से गणपत पाटिल, मुंबई से अनीश रंजन, दिल्ली से अजय सहाय, उ. प्र. से बंदना भारतीय, तरुण भारत संघ के राजेन्द्र सिंह, दिल्ली से रमेश शर्मा, प्रो. ओ.के.यादव, निशांत नाट्य मंच से डॉ. शमशुल इस्लाम, नीलिमा शर्मा, युवा भारत के प्रवक्ता एवं युवा संवाद के संपादक डॉ. एन. के. अरुण सहित अनेक पत्रकार, समाजकर्मी व नागरिक समूह उपस्थित थे।

दिल्ली सत्याग्रह में वक्ताओं ने माना कि भारत के वैज्ञानिक और तकनीकी समुदाय और देश की संसद को अनदेखा कर अमेरिका के दबाव में भारत सरकार ने जो परमाणु समझौता किया है वह देश के लिए आत्मघाती है। वक्ताओं ने यह भी रेखांकित किया कि ईरान के खिलाफ दो बार मतदान कर भारत ने अमरीकी हाइड एक्ट के ईरान संबंधी प्रावधानों का पालन शुरू कर दिया है। अमरीकी दबाव में ईरान के साथ गैस पाइप लाइन समझौते को भी भारत ने ठण्डे बस्ते में डाल दिया है।

वक्ताओं ने यह भी रेखांकित किया कि विश्व में भूमंडलीकरण के सबसे बड़े थिंक टैंक माने जाने वाले हावर्ड विश्वविद्यालय और आक्सफोर्ड शोध समूह ने भी परमाणु ऊर्जा के साथ जुड़े चारों खतरे--भारी कीमत, सुरक्षा, पर्यावरणीय दुष्प्रभाव और परमाणु कचड़ा निस्तारण को गंभीर चुनौती बताया और इस पर आपत्ति भी जाहिर की है।

सर्व सेवा संघ के अध्यक्ष डॉ. सुमन वरंठ ने परमाणु विरोधी सर्व सेवा संघ की मुहिम को जारी रखने का विश्वास व्यक्त किया।

निशान्त नाट्य मंच के डॉ. शमसुल इस्लाम व साथियों ने परमाणु विरोधी गीत व नुक्कड़ नाटक प्रस्तुत किए। उस मौके पर परमाणु करार विरोधी रैली भी निकाली गई। 20 मई को सायं 5.30 के गांधी स्मारक निधि में प्रार्थना सभा भी आयोजित हुई जिसमें विश्व शांति के लिए सत्याग्रहियों ने प्रार्थना की।

राष्ट्रीय गांधी संग्रहालय ने इस अवसर पर 'परमाणु (ऊर्जा) के खतरे' प्रदर्शनी का भी आयोजन किया। इस प्रकार परमाणु विरोधी यात्रा और अभियान का एक चरण पूरा होने पर कहा जा सकता है कि आम जनमानस को परमाणु व राष्ट्रीय सुरक्षा जैसे मुद्दों पर और जाग्रत करने की जरूरत है वर्ना 'रक्षा' के नाम पर कहीं 'हत्या' न हो जाए। यह अन्देशा तो बना ही रहेगा।

अमेरिका विरोध या वैकल्पिक विश्वदृष्टि

—सामयिक वार्ता

भारत-अमेरिका समझौते पर हुई बहस वैश्वीकरण के इस दौर में सिकुड़ती विश्वदृष्टि की परिचायक है। आज से पचास साल पहले भारत कहीं ज्यादा गरीब, सामरिक दृष्टि से कमजोर और बाकी दुनिया से कटा हुआ था। लेकिन उस दौर के राजनेताओं और बुद्धिजीवियों में एक नये विश्व की कल्पना कर सकने का साहस था। दुनिया से ज्यादा नजदीकी से जुड़ने के बाद आज बहस का दायरा सिकुड़ गया है। विश्वदृष्टि की जगह राष्ट्रीय हित, नीति की जगह रणनीति, दीर्घकालिक सोच की जगह अल्पकालिक नफे-नुकसान की चिंता और मजबूती की जगह मजबूरी ने ले ली है। देश और दुनिया को देखने की कसौटियाँ इतनी बदल चुकी हैं कि इस संकुचन को आत्मविश्वास की छलांग और मजबूरी को उपलब्धि की तरह पेश किया जा रहा है।

इस बहस का सबसे सकारात्मक पहलू यही है कि यह सवाल एक राष्ट्रीय बहस का मुद्दा बना। आज की दुनिया में बहुत कम देश ऐसे बचे हैं जहाँ अमेरिका से गाढ़े रिश्ते बनाना एक राष्ट्रीय बहस का मुद्दा बन सकता है। शायद इसी बात से राष्ट्रीय मीडिया को चिढ़ हुई। अमरीकी साम्राज्य, महानगरीय मध्यमवर्ग और शेयर बाजार से दबा मीडिया इस बात को बर्दाश्त नहीं कर पा रहा है कि ऐसे 'स्वर्णिम अवसर' का स्वागत करने की बजाय हमारे देश में एक 'टुच्ची राजनैतिक' बहस हो रही है। इस लिहाज से इस बहस का होना लोकतांत्रिक राजनीति की जरूरत को रेखांकित करता है। अपनी तमाम विकृतियों और सीमाओं के बावजूद हमारे देश की राजनीति में कुछ बुनियादी सवालों पर बहस की गुंजाइश बची है।

भारत-अमेरिका समझौता इक्कीसवीं सदी की दुनिया में भारत की स्थिति के बारे में सोचने का एक महत्त्वपूर्ण पड़ाव है। कहने को यह बहुत सीमित और तकनीकी करार है। इसके तहत अमेरिका सरकार भारत को किसी भी किस्म की परमाणु तकनीक के लेन-देन पर लगी पाबंदी को आंशिक रूप से हटा लेगी। भारत सरकार अपनी आणविक सुविधाओं का दो हिस्सों—सैनिक और असैनिक—में

बंटवारा करेगी। सैनिक सुविधाओं, यानि परमाणु बम बनाने के कारखानों, को अमेरिका अब भी किसी किस्म का तकनीकी सहयोग नहीं देगा। भारत को आजादी होगी कि वह अपना सैनिक कार्यक्रम अपने मन माफिक चलाए। लेकिन जिन सुविधाओं को 'असैनिक' उद्देश्य यानि सिर्फ बिजली बनाने के लिए चिन्हित किया जाएगा उनके लिए भारत अब अमेरिका से तकनीक और सामग्री आयात और निर्यात कर सकेगा। इसके बदले में भारत को इन असैनिक सुविधाओं के अंतर्राष्ट्रीय निरीक्षण के लिए रजामंद होना पड़ेगा। ताकि यह साबित किया जा सके कि असैनिक सुविधाओं का सैनिक उद्देश्यों के लिए दुरुप्रयोग नहीं हो रहा है। समझौता भारत के परमाणु हथियार कार्यक्रम पर कोई बंदिश नहीं लगाता। लेकिन अगर भारत और परमाणु विस्फोट करे तो अमेरिका को हक होगा कि वह अपनी असैनिक तकनीक को वापिस मांग सके। समझौते में भारत की विदेश नीति में दखल का कोई प्रावधान नहीं है। लेकिन इस समझौते को जारी रखने के लिए अमरीकी संसद ने अपने राष्ट्रपति पर यह बंदिश लगा दी है कि वह हर साल यह प्रमाण पत्र दें कि भारतीय विदेश नीति अमेरिका की ईरान नीति के खिलाफ नहीं है।

समझौते की भाषा बेशक सीमित है, लेकिन इसका राजनैतिक महत्त्व दूरगामी है। यह समझौता सिर्फ अमेरिका से नहीं हो रहा है। अमेरिका से समझौता अन्य सभी आण्विक शक्तियों से समझौते का दरवाजा खोलेगा। चोर दरवाजे से ही सही, भारत को आण्विक शक्तियों के क्लब में दाखिला मिल जाएगा। इस लिहाज से यह समझौता आण्विक ऊर्जा तक सीमित नहीं है। यह सीधे-सीधे आण्विक हथियार कार्यक्रम से जुड़ा है। क्लब में दाखिले की एवज में भारत सरकार व्यवहार में उस परमाणु अप्रसार संधि को स्वीकार करने जा रही है जिसे वह कल तक भेदभावपूर्ण बताती थी। अमेरिका से हो रहा यह समझौता केवल इस मुद्दे तक सीमित नहीं है। इस छोटी सी रस्म के जरिए भारत अंतर्राष्ट्रीय मंच पर अमेरिका से गांठ बांध रहा है, गुट निरपेक्षता की बची-खुची अस्थियों को प्रवाहित कर रहा है। और इस क्षेत्र में अमेरिका का खासमखास बनने की घोषणा कर रहा है। सोवियत संघ के विघटन के बाद से भारतीय विदेश नीति जिस दिशा में जा रही थी, यह समझौता उसकी परिणति है।

विदेश नीति के जानकार कहते हैं कि आज के हालात में भारत सरकार को इससे बेहतर सौदा नहीं मिल सकता था। पाकिस्तान सहित कई देश ऐसा ही समझौता करने को लालायित हैं। अमेरिका के भीतर इसे भारतीय खेमे की बड़ी विजय और भारत को दी गई एक विशेष छूट के रूप में देखा जा रहा है। अगर यह मौका वाजपेयी सरकार को मिलता तो वह भी निःसंदेह इस समझौते को स्वीकार कर लेती (और तब कांग्रेस इसका विरोध करने के सैद्धांतिक कारण ढूंढ रही होती।) लेकिन यह सब तर्क इस समझौते का समर्थन करने के लिए पर्याप्त नहीं है इस

समझौते के पक्ष-विपक्ष में खड़े होने से पहले तीन बड़े सवालों पर सोचना जरूरी है।

पहला सवाल आण्विक ऊर्जा का है। समझौते के समर्थक यह मानकर चलते हैं कि बिजली की बढ़ती मांग और पेट्रोलियम और कोयले की सीमित मात्रा को देखते हुए परमाणु ऊर्जा का कोई विकल्प नहीं है। और अगर परमाणु ऊर्जा चाहिए तो देश के बाहर से तकनीक और अन्य सामग्री चाहिए। लेकिन दुनिया भर का अनुभव सिखाता है कि परमाणु ऊर्जा बिजली बनाने की बेहद अकुशल और महंगी तकनीक है। जिसकी हकीकत उसके दावों से बहुत कम निकली है। तिस पर किसी दुर्घटना या फिर परमाणु कचरे के मानव जीवन और पर्यावरण पर दीर्घकालिक खतरे। देश की ऊर्जा आपूर्ति में परमाणु ऊर्जा के हिस्से को 3 फीसदी से बढ़ाकर अधिकतम 7 फीसदी करने के लिए इतना बड़ा जोखिम उठाना इस निर्णय की समझदारी पर सवालिया निशान लगाता है साथ ही यह इस निर्णय का विरोध करने वालों को एक विशेष जिम्मेदारी से बांधता है कि वे बिजली की खपत कम करने का मॉडल ढूंढ़ें और ऊर्जा के वैकल्पिक स्रोत खोजें जिनसे आण्विक और जीवाश्म ऊर्जा पर निर्भरता कम हो सके।

दूसरा सवाल आण्विक हथियारों का है। इन हथियारों के कुछ समर्थकों ने भी भारत-अमेरिका समझौते का इस आधार पर विरोध किया है कि समझौते की वजह से भारत अपने आण्विक हथियारों का विकास और विस्फोट नहीं कर पाएगा। लेकिन इस दलील में बहुत दम नहीं है। हकीकत यह है कि दूसरे पोखरण विस्फोट के बाद से भारत सरकार ने और विस्फोट न करने की खतरनाक घोषणा कर रखी थी। आज की दुनिया में परमाणु हथियार के मालिक होने के लिए आण्विक शक्तियों के क्लब में शामिल होना ही पड़ेगा और परमाणु अप्रसार संधि जैसी गैर बराबर व्यवस्था का अंग बनना पड़ेगा। भारत-अमेरिका समझौता इसी दिशा में ले जाता है। इसलिए इसका विरोध करने के लिए जरूरी है कि परमाणु हथियारों के औचित्य पर सवाल उठाए जाए, राष्ट्रीय सुरक्षा के लिए इन हथियारों की अनिवार्यता के मिथक को चुनौती दी जाए।

तीसरा और सबसे अहम सवाल अमेरिका से नजदीकी का है। समझौते के समर्थकों का तर्क सीधा-सादा है। अमेरिका आज दुनिया की एकमात्र महाशक्ति है। इस मगर से बैर मोल लेकर हम तालाब में नहीं रह सकते। अगर वह खुद हमारी ओर मित्रता का हाथ बढ़ा रहा है तो हम क्यूं न इस मौके का फायदा उठाएँ? अगर इसके लिए ईरान से दोस्ती त्यागना भी पड़े तो कीमत ज्यादा नहीं है। बेशक अमेरिका चाहता है कि भारत को चीन के बरक्स खड़ा किया जाए, लेकिन हमें इस इच्छा से बंधने की कोई मजबूरी नहीं है। यूं भी चीन कौन-सा हमारा अंतरंग मित्र है? कुल मिलाकर इस सौदे में नफा ही क्या है। अगर तात्कालिक नफे-नुकसान की सोचें, या फिर समकालीन विश्व के शक्ति संतुलन, अमेरिकी प्रभुत्व और अन्य शक्तियों

के बिखराव को स्थायी अवस्था मान लिया जाए तो समझौते के पक्षधरों की दलील हल्की नहीं है। लेकिन अगर इसे दीर्घकालिक हितों की कसौटी पर कसा जाए तो इस जुए में बहुत बड़ा जोखिम है। पिछले पचास साल का अमेरिका के 'दोस्तों' का इतिहास यही बताता है कि वफादारी एकतरफा होती है और रिश्ते की कीमत दोस्त ही चुकाता है। यूं भी अगले पचास साल की दुनिया का नक्शा समझे बिना अमेरिका के पाले में खड़े हो जाने से चीन, ईरान और पश्चिम एशिया समेत दुनिया के कई इलाके से संबंध की संभावना खत्म हो जाएगी। यह संभव है कि इज्जत तो जाएगी ही, काम भी नहीं बनेगा। अगर इसे नैतिक पैमाने पर नापें तो यह कदम निःसंदेह भारतीय विदेश नीति को उन आदर्शों से बहुत दूर ले जाता है जिनकी दुहाई भारत ने हर अंतर्राष्ट्रीय मंच पर दी गई है यह सच है कि भारतीय विदेश नीति की कथनी और करनी में हमेशा बड़ी फांक रही है। चाहे वह सोवियत खेमे से नजदीकी बनाए रखना हो या आण्विक हथियार बनाना या फिर पड़ोस में दादागिरी-भारतीय विदेश नीति ने अपने व्यवहारिक कामकाजों में गुट निरपेक्षता, शांति और सह अस्तित्व जैसे आदर्शों को कभी आड़े आने नहीं दिया। इन तमाम कमजोरियों के बावजूद भारतीय विदेश नीति खुल्लम-खुल्ले तौर पर महाशक्तियों के वर्चस्व विस्तार का अंग नहीं बनी। सोवियत संघ का पतन होने के बाद से अमेरिका ने सारी दुनिया पर एकछत्र राज स्थापित करने की मुहिम छेड़ रखी है और सभी अंतर्राष्ट्रीय नियम-कानून को ताक पर रख दिया है। इतिहास के इस दौर में ऐसी साम्राज्यवादी शक्ति के पाले में खड़ा होकर भारतीय विदेश नीति उस न्यूनतम मर्यादा को तोड़ रही है जिसे उसने कमोबेश बनाए रखा था। इतिहास के जिस दौर को भारत के शासक अंतर्राष्ट्रीय मंच पर भारतीय शक्ति के कदम का दौर मानते हैं वही दौर उसकी इच्छा शक्ति, संकल्प और हैसियत के संकुचन का दौर भी साबित हो रहा है। देश का बौना राजनैतिक नेतृत्व देश की छवि को भी बौना कर रहा है।

राजनैतिक नेतृत्व का बौनापन इस समझौते और विरोध दोनों में ही दिखाई पड़ता है। एक ओर तो देश के प्रधानमंत्री हैं जिनकी कमजोरी ही उनकी योग्यता है, जिन्हें राजनीति से खास लेना देना नहीं है और जो किसी भी सवाल पर समझौता करने को तत्पर रहते हैं। तीन साल तक हर छोटे-बड़े मुद्दे पर झुकने को तैयार प्रधानमंत्री जब एक मुद्दे पर अड़ते हैं तो देश के आम आदमी के सुख-दुख पर नहीं, सार्वजनिक जीवन से मर्यादा या आदर्श के सवाल पर नहीं, बल्कि अमेरिकापरस्ती के सवाल पर। दूसरी ओर देश का सबसे बड़ा विपक्षी दल है जो अपनी शुरुआत के दिनों से ही अमेरिकापरस्ती की वकालत करता आया है। उसकी तकलीफ यह है कि जब गठबंधन का समय आया तो सेहरा कांग्रेस के सर बंधा। इस खिसियाहट में कल तक अमेरिका परस्ती की अगुआई करने वाला यह दल आज राष्ट्रीय संप्रभुता की दुहाई देकर इस समझौते का विरोध कर रहा है।

कम्युनिस्टों द्वारा भारत-अमेरिका समझौते का विरोध एक अलग श्रेणी में आता है। यह जरूर है कि एक समय रूसपरस्ती की वकालत करने वाले जब 'स्वतंत्र विदेश नीति' की दुहाई देते हैं तो कुछ अटपटा सा लगता है। यह भी कहा जा सकता है कि सिंगूर और नंदीग्राम में चोट खाई माकपा को एक नैतिक मुद्दे की तलाश थी और वह मुद्दा अब विदेश नीति में ही मिल सकता था। फिर भी कुल मिलाकर वाममोर्चे के समझौता विरोध में अवसरवादिता की तुलना में सिद्धांत का अंश ज्यादा है। उन्हीं के राजनैतिक विरोध के चलते ही अमेरिका का अश्वमेध यज्ञ कुछ हफ्तों के लिए रुका है और देश में राजनीतिक बहस की गुंजाइश बनी है। लेकिन इस सवाल पर सरकार गिराने और मध्यावधि चुनाव कराने में एक गहरा खतरा है जिसकी ओर माकपा का नेतृत्व सजग नहीं है। अगर चुनाव भारत-अमेरिका समझौते के मुद्दे पर हुआ और अगर अन्य कारणों से माकपा और भाजपा की सीटें घट गयीं तो यह निष्कर्ष निकल सकता है कि यह अमेरिका परस्ती के पक्ष में जनादेश है।

फिर भी भारत-अमेरिका समझौता एक ऐसी प्रवृत्ति और सोच का हिस्सा है जिसका विरोध करना आज का युगधर्म है। जो भी व्यक्ति और समूह एक स्वतंत्र और समतामूलक भारत और वसुधैव कुटुम्बकम के आदर्श में विश्वास करते हैं उनकी जिम्मेवारी बनती है कि वह इस प्रवृत्ति का राजनैतिक प्रतिरोध करें। यह जिम्मेदारी एक सतही और शाब्दिक अमेरिका विरोध से पूरी नहीं होगी। इस समझौते का विरोध करने वालों को आण्विक ऊर्जा और आण्विक हथियारों के विकल्प तैयार करने होंगे और इन विकल्पों के पक्ष में जनमानस बनाना होगा। विदेश नीति में अमेरिकापरस्ती से बचने का मतलब होगा अमेरिका के नेतृत्व में चल रही राजनैतिक और आर्थिक विश्वव्यवस्था का विकल्प खोजना, इस प्रयास में लगे व्यक्तियों, समूहों और देशों का एक वैकल्पिक गठबंधन बनाना, और अमरीकी निजाम से अलग रहने की कीमत अदा करने की तैयारी करना। एक वैकल्पिक विश्व दृष्टि और विकास के मॉडल के बिना अमेरिका विरोध का झंडा उठाना राजनैतिक अगंभीरता की निशानी है। भारतीय विदेश नीति के इस नवीनतम मोड़ से आहत और व्यथित हर भारतीय का यह धर्म बनता है। कि वह एक वैकल्पिक सभ्यता की दिशा में एक छोटी पगडंडी का निर्माण शुरू करे, कम से कम अपने आप को साबित करे कि विकल्पहीन नहीं है दुनिया।

(सामयिक वार्ता/अगस्त-सितंबर 2007)

पर्यावरणीय विनाश का समझौता

–मेधा पाटकर, अरुणा राय, संदीप पांडे
(का साझा बयान)

(इस समझौते से भारत इस उप महाद्वीप में अमेरिका का एक ग्राहक बन जाएगा जिसके माध्यम से अमरीका अपने आंचलिक व अंतर्राष्ट्रीय संबंध बनाते हुए प्रत्यक्ष व अप्रत्यक्ष तौर पर यहाँ प्रवेश कर लेगा। इस पूरी प्रक्रिया से भारत और पाकिस्तान के बीच हथियारों की होड़ में वृद्धि होगी, जिसके परिणामस्वरूप दोनों के बीच चल रही शांति प्रक्रिया भी बाधित होगी।)

प्रसिद्ध समाजसेवी मेधा पाटकर, मैगसेसे पुरस्कार प्राप्त अरुणा राय व संदीप पांडे द्वारा जारी एक संयुक्त वक्तव्य में कहा गया है कि भारत-अमेरिका परमाणु समझौते से राष्ट्र की सुरक्षा और सप्रंभुता को खतरा होगा और कि परमाणु ऊर्जा का रास्ता हमें पर्यावरणीय विनाश की ओर जाएगा। उन्होंने संयुक्त प्रगतिशील गठबंधन (यूपीए) द्वारा बिना सार्वजनिक बहस के इस संधि के कार्यान्वयन पर रोक लगाने की मांग की है।

इन समाजसेवियों ने अपने वक्तव्य में कहा है कि भारत-अमेरिका परमाणु समझौते के बारे में काफी कुछ लिखा जा चुका है। इसके विरोध में शुरुआत प्रतिष्ठित वैज्ञानिकों द्वारा की गई थी। हम सब जो कि जन संगठनों के प्रतिनिधि हैं। अपना मत दोहराना चाहते हैं कि यह समझौता न केवल लोकतंत्र विरोधी है बल्कि यह शांति के विरुद्ध है और टिकाऊ पर्यावरणीय ऊर्जा, उत्पादन एवं आत्मनिर्भर आर्थिक विकास के भी विरोध में है।

वाममोर्चा यह प्रश्न कर रहा है कि इस तरह का अंतर्राष्ट्रीय समझौता बिना किसी सार्वजनिक बहस और सलाह के किस प्रकार भारतीय जनता और संसद पर थोप दिया गया है। वहीं दूसरी ओर अमेरिका कांग्रेस ने भारत के साथ प्रस्तावित परमाणु व्यापार की स्वीकृति प्रदान करने हेतु अमरीकी कानूनों में परिवर्तन हेतु डेढ़

वर्ष तक विचार-विमर्श किया था। इसके विपरीत भारत द्वारा इस संबंध में अपनाई गई प्रक्रिया पूर्णतया अलोकतांत्रिक थी। यह समझौता अमेरिका द्वारा पूंजीवादी चीन से मिल रही चुनौती को भारत के साथ सामरिक संबंध बनाकर चोट पहुँचाने का सफल प्रयास है। इस अनुबंध में परमाणु ईंधन व तकनीक का हस्तांतरण बिना पूरी सुरक्षा के उपलब्ध करवाने का प्रावधान किया गया है। इस बात में कोई शक नहीं है कि इस समझौते से कारपोरेट जगत को परमाणु ईंधन व तकनीक के दोहन, निर्यात और दुरुपयोग का मौका मिलेगा। हथियारों की दौड़ में भी इसका दुरुपयोग रोकना अत्यंत कठिन हो जाएगा।

हालांकि इस समझौते के संबंध में हमारा मूलभूत विरोध इसके परमाणु हथियारों एवं परमाणु ऊर्जा दोनों तरह के उपयोगों को लेकर है। इससे उत्पन्न रेडियो विकिरण के माध्यम से स्वास्थ्य, जल और पर्यावरण पर पड़ने वाले अपूरणीय क्षति को बहुत ही हल्के ढंग से और बहुत ही गैर जिम्मेदारना तौर पर नकार दिया गया। परमाणु उत्पादन की पूरी प्रक्रिया जो कि यूरेनियम खान से प्रारंभ होती है के प्रलयंकारी खतरे हैं और एक स्वतंत्र राष्ट्र के नाते हम किसी अन्य राष्ट्र द्वारा न्यायोचित ठहरा देने को अपना तर्क नहीं मान सकते। अपने ही देश में झारखंड में जादुगुड़ा व राजस्थान में कोटा और पोखरण में सामान्य नागरिकों पर परमाणु प्रयोग के दुष्परिणामों को हम स्पष्ट रूप से देख सकते हैं।

भारत में हमारे पास पुनर्उत्पादित हो सकने वाली ऊर्जा का समृद्ध भंडार है एवं वह हमें सुलभ भी है। सौर ऊर्जा, पवन व समुद्री लहरों से प्राप्त ऊर्जा का पूर्ण दोहन मानव ऊर्जा के माध्यम से करना चाहिए। इस हेतु सस्ते यंत्र व औजार बना सकने हेतु समुचित तकनीक, शोध व विकास के न्यायोचित वितरण को ठीक-ठाक प्राथमिकताओं से जोड़ना चाहिए। वर्तमान शासन व्यवस्था की इस हेतु कोई राजनीतिक इच्छा-शक्ति ही नहीं है। अनुमान बताते हैं कि इन वैकल्पिक और पर्यावरण हितैषी स्रोतों से काफी मात्रा में ऊर्जा का उत्पादन हो सकता है। परमाणु ऊर्जा के विकल्प को व्यापक सार्वजनिक बहस और पूरी जानकारी प्राप्त करने हेतु उपलब्ध करवाना आवश्यक है।

इस समझौते की वजह से परमाणु ऊर्जा से इतर भी कई प्रश्न खासकर अमेरिका सरकार व कारपोरेट द्वारा भारत पर नियंत्रण को लेकर उठ रहे हैं। इसके माध्यम से हमारे सारे प्राकृतिक संसाधन सबके लिए खुल जाएंगे। इस समझौते के माध्यम से भारतीय परमाणु रिएक्टरों को अगले 40 वर्षों तक अबाध कच्चामाल उपलब्ध करवाने की व्यवस्था है, परन्तु कुछ सुरक्षात्मक समझौतों के कारण यह भविष्य के लिए तो केवल वादा भर करता है। यह सब कुछ अमरीकी कांग्रेस की निगरानी की शर्तों के अंतर्गत निर्भर है। इस पूरी प्रक्रिया में भारतीय संसद को दरकिनार कर दिया गया है।

सरकार यह सिद्ध रही है कि वह हमारे प्राकृतिक संसाधनों, ज्ञान व सस्ते श्रम का वाणिज्यिक हितों द्वारा शोषण कराए जाने के पक्ष में है। भाजपा और इसके सहयोगी भी सत्ता के इस खेल में पूंजीवादी ताकतों के समर्थन से डटे हैं। वामदलों ने अपनी स्थिति का लाभ उठाते हुए यह महत्त्वपूर्ण मुद्दा उठाया है। गैर दलीय जन समूहों के पास भले ही संसद की शक्ति न हो परन्तु हमारे पास महत्त्वपूर्ण मुद्दों को संबोधित करने का सामर्थ्य है। जिसकी अनदेखी नहीं की जा सकती। भारतीय संविधान जो कि इस तरह के समझौते के साथ ही साथ अंतर्राष्ट्रीय संधियों एवं समझौते की बिना लोकतांत्रिक मंत्रणा के स्वीकृति की अनुमति देता हैं, में संशोधन कर इस संबंध में सार्वजनिक विमर्श और जनमत संग्रह को अनिवार्य करने को पूर्व शर्त बना देना चाहिए।

समाज सेवियों ने आग्रह किया है कि इस समझौते पर हस्ताक्षार करने के पूर्व भारतीय मतदाताओं से स्वीकृति लेनी ही चाहिए।

(इस बयान के तीनों हस्ताक्षरी मैगसेसे पुरस्कार प्राप्त समाज सेवी हैं)

संधि करने का अधिकार संसद को होना चाहिए

–मुचकुन्द दुबे/राजीव धवन/बी.के. केलिया

(21 जुलाई, 2007 को दिल्ली में एक सेमिनार भारत के पूर्व मुख्य न्यायाधीश जस्टिस जे.एस. वर्मा की अध्यक्षता में आयोजित किया गया जिसका विषय था–सरकार का संधि करने का अधिकार। सेमिनार से निकले निष्कर्षों के आधार पर जस्टिस वर्मा, प्रो. मुचकुन्द दुबे (पूर्व विदेश सचिव), डॉ. राजीव धवन (वरिष्ठ अधिवक्ता) तथा श्री बी.के.केलिया (संयोजक पेटेंट कानून पर राष्ट्रीय कार्यकारी समूह) ने एक संयुक्त वक्तव्य जारी किया जिसका मुख्य अंश हम यहाँ दे रहे हैं।–सं.)

संधि करने का अधिकार क्यों महत्त्वपूर्ण है?

1.1 संधि करने तथा उन्हें लागू करने के कार्यपालिका के अधिकार को नियंत्रित करने के उद्देश्य से संविधान में एक संसदीय कानून बनाने का प्रावधान किया गया। (अनुच्छेद 253, प्रविष्टि 14, सूची-I अनुच्छेद 246 के साथ पढ़ें)। यह इस बात की निगरानी के लिए लागू होना था कि कोई भी संधि भारत में ऐसे लागू करने योग्य अधिकार नहीं सृजित कर सकती जब तक विधायिका संधि की बाध्यताओं को कानून में न बदल दें और देश के कानून का हिस्सा न बना लें।

इस समावेशन सिद्धांत का सम्मान करते हुए बाद में सर्वोच्च न्यायालय ने यह फैसला दिया कि कुछ अधिकार वृद्धि करने वाली संधियाँ संविधान के मूल प्रावधानों का अंग मानी जाएगी।

(देखिए विशाका (1997) 6, SCC, 241)

1.2 जो भी हो, संविधान निर्माताओं ने जिस संवैधानिक विधान का स्वरूप सोचा था उसमें संधियों पर संसद और सार्वजनिक बहस की मनाही नहीं की थी जब उन पर चर्चा हो रही हो, वार्ता हो रही हो मंजूर की जा रही हो या पुष्टि हो रही हो। निश्चित रूप से यह अपेक्षा की गयी थी कि (अ) सभी संधियों पर अंतिम फैसला

लेने से पहले उन पर भारत में ठीक तरीके से चर्चा होगी और (आ) किसी भी दशा में संधियाँ केवल विधायिका और संसद द्वारा ही लागू की जाएँगी (यही समावेशन सिद्धांत है।) संविधान निर्माताओं ने यह मान लिया था कि संधि करने का अधिकार संसदीय लोकतंत्र का एक अंग होगा और वह उसके ऊपर नहीं होगा।

1.3 फिर भी, संधि करने का अधिकार अपने में एक कानून बन गया है। भारत में संधि करने के अधिकार की प्रकृति को समझने की जरूरत है। संधि करने का अधिकार मात्र प्रशसकीय अधिकार है। किसी अन्य प्रशासकीय अधिकार की तरह यह संसदीय नियंत्रण और जवाबदेही के तहत आता है। संधियाँ करने के अधिकार को खासतौर से लिखा नहीं गया है। संविधान के अनुच्छेद 73 में सामान्य प्रशासनिक अधिकारों से यह अधिकार भी उपलक्षित होता है। लेकिन संधि करने के अधिकार का असर यह है कि इसमें विधायिकी संघवाद को ही खत्म करने की ताकत है। नतीजतन संधियों को लागू करने के लिए संसद प्रदेशों के विषयों पर भी कानून बना सकता है।

1.4 संधि करने के अधिकार का महत्त्व इसलिए है कि यदि डब्लूटीओ जैसी बहुपक्षीय संधि का उल्लंघन भारत द्वारा होता है तो भयंकर परिणाम वाला विवाद चालू हो जाता है। ऐसे ही, परमाणु करार पर 123 समझौता जैसी संधि के बाह्य नतीजे होंगे। आगे के दशकों में भारत के प्रशासन पर संधि करने के अधिकार के व्यापक और गहरे असर पड़ेंगे। भारत के लोकतंत्र के लिए यह चुनौती है जिस पर कभी भी ठीक तरह से ध्यान नहीं दिया गया और उस पर तुरन्त ध्यान देने की जरूरत है जिससे भविष्य में संधियाँ किए जाने वाले अधिकार से मात्र कलम के एक हस्ताक्षर से राष्ट्र के हित गिरवी न रख दिए जाएँ और संधि पर बहस पर्याप्त न होने या न होने पर भी वह देश पर लागू न हो जाय। अगर बड़े नाजुक मुद्दों पर भारत वैश्विक संधियों से बंध जाएगा तो उसकी संप्रभुता और अस्मिता स्वतः ही प्रभावित होगी।

1.5 यह रेखांकित करना जरूरी है कि संधि करने का अधिकार एक प्रशासनिक अधिकार है। किसी अन्य प्रशासनिक अधिकार की तरह इस अधिकार को भी संसद के प्रति जवाबदेह बनाना आवश्यक है। हमें ऐसे तरीके खोजने होंगे जिससे यह जवाबदेही बन सके। इस जवाबदेही में ये बातें भी शामिल होनी चाहिए। (अ) वार्ता करने वाले देशों को भारत की यह स्थिति पूरी तरह उजागर कर देनी होगी कि संधि को अन्तिम रूप तब तक नहीं दिया जा सकता जब तक भारतीय लोकतंत्र के अन्तर्गत इस पर पारदर्शी चर्चा न जो जाए। (आ) एक तंत्र तैयार किया जाए जिससे संधि से जुड़ी सारी सूचनाएँ पेश करके सार्वजनिक तौर कर खुली चर्चा हो, (इ) यह सुनिश्चित किया जाए कि संधि पर हस्ताक्षर करने से पहले जनता और संसद के सामने संधियों और भारत की स्थिति को रख दिया जाए। और (ई) अंतिम

करार करने से पहले पूर्ण संसदीय बहस होने की व्यवस्था की जाए। वर्तमान में संसद द्वारा पुष्टि की कोई व्यवस्था नहीं है। यदि ऐसी मंजूरी विधिवत होनी है तो संविधान में संशोधन करना होगा। लेकिन कोई कारण नहीं कि एक संवैधानिक परम्परा आरोपित न की जाए इस संधि करने के अधिकार पर, जिससे इस अधिकार की लोकतांत्रिक जवाबदेही सुनिश्चित हो जाए।

क्या किया जाए?

सेमिनार ने सर्वसम्मति से यह निष्कर्ष निकाला कि सरकार को संसद में एक विधेयक पेश करना चाहिए जिसमें निम्नलिखित प्रावधान हों :

1. बहुपक्षीय और द्विपक्षीय संधियों से जुड़े सभी मुद्दे संसद में लाए जाएँगें। संसद संधियों के लिए बनी संयुक्त संसदीय समिति में मुद्दे भेजेगा और यह समिति जानकार विशेषज्ञों और प्रभावित होने वाले लोगों से सलाह करके उनकी जाँच पड़ताल करके अपनी रिपोर्ट संसद को देगी जिस पर संसद में बहस होगी।
2. साथ ही साथ, उचित मामलों में मुद्दों को राज्य सरकारों की राय के लिए भी उनके पास भेजा जाएगा।
3. जिन संधियों के संघीय ढाँचा प्रभावित होता हो, उन पर तब तक हस्ताक्षर नहीं होंगे जब तक राज्य सरकारों की राय आ जाए और भारत की संसद में उन पर चर्चा न हो जाए।
4. कुछ संधियाँ संसद की पुष्टि के बाद ही मान्य की जाएँगी।

सरकार के संधि करने के अधिकार पर दो उच्च स्तरीय लोक आयोगों और संविधान की कार्य प्रणाली की पुनरीक्षा हेतु राष्ट्रीय आयोग ने जाँच-पड़ताल की है और अपनी संस्तुतियाँ सरकार को दी हैं लेकिन सरकार ने उन पर कोई कार्यवाही नहीं की है।

यदि सरकार संसद में उपयुक्त विधेयक न लाए तो सभी राजनैतिक दलों को प्राइवेट मेम्बर विधेयक संसद में लाना चाहिए।

देश-देश में परमाणविक घटना-दुर्घटना की तालिका

—कुमारेश मित्र
अनुवाद : सुशील गुप्ता

दुनिया भर में परमाणविक-हथियार और परमाणविक रिएक्टर ने जो आधुनिक साम्राज्य गढ़ डाला है, बेहद गोपनीयता की वजह से, वे सब छोटे-छोटे पुलिसिया राष्ट्रों का ही प्रतीक है। इसलिए परमाणविक घटना-दुर्घटना का विस्तृत इतिहास खोज निकालना अतिशय दुष्कर, प्रायः असंभव कार्य है। इसके बावजूद समूची दुनिया के प्रचार-माध्यम विज्ञान संगठन, अमेरिका में सूचना और जानकारी प्रदान करने वाले कानून के दम पर प्रकाशित सरकारी हिसाब-किताब और ग्रीनपीस जैसे गैर सरकारी संगठनों द्वारा दी गयी रिपोर्ट से काफी सारी जानकारी संग्रह करना संभव हो सका है। इन सभी खबर-संग्रह में अन्तर्जाल माध्यम काफी मददगार साबित हुए हैं।

इसलिए यहाँ इस किस्म की अनेक घटना-दुर्घटनाओं की तालिका दी जा रही है। ये सारी रिपोर्ट पढ़ने के बाद, यह समझ में आ जाएगा कि मानव-समाज किस तरह भयंकर आत्महननकारी विभीषिकामय परिस्थिति के सामने आ खड़ा हुआ है। यह अन्दाजा लगाने के पर्याप्त कारण हैं कि प्रायः हर रोज ही दुनिया में कहीं न कहीं परमाणु सम्बन्धी कोई न कोई दुर्घटना घट रही है या विपदाओं की सृष्टि हो रही है, क्योंकि आजकल दुनिया के सभी उन्नत देशों और बहुतेरे उन्नतिशील देशों में परमाणविक रिएक्टर मौजूद है। और परमाणु बमों के अधिकारी देशों की संख्या भी कम नहीं है। यहाँ तक कि अमेरिकी रक्षा कार्यालय के बेहद रूढ़िवादी हिसाब-पत्तर से यह जानकारी मिलती है कि हर साल ही परमाणु-अस्त्र संबंधी एकाध बड़ी दुर्घटना घटती रहती है। इन तमाम दुर्घटनाओं का प्रमुख कारण है—या इन्सानी भूल या तकनीकी असफलता या दोनों का समन्वय!

नीचे दी गयी रिपोर्ट से यह बात स्पष्ट हो जाती है कि भुने हुए अनाज के दानों की तरह, परमाणु बम, किसी न किसी दुर्घटना या मानव-कृत इच्छा के फलस्वरूप आकाश से धरती पर या समुद्र पर गिरे हैं अनगिनत परमाणु शक्ति-संचालित

सबमेरीन परमाणविक सामग्रियों समेत समुद्र में डूब गयी हैं और जल के गहरे तल में समाहित हैं। चूंकि परमाणु विभाजन-सक्षम कोर और साधारण विस्फोटक समेत हथियारों के अलग-अलग पुर्जे हवाई जहाज, जल, स्थल की राह ले जाए जाते हैं। इसलिए इन सब दुर्घटनाओं के विस्फोट और व्यापक क्षति-साधन के बावजूद, प्रलयंकारी परमाणविक ध्वंसलीला नहीं घटी। लेकिन परमाणविक रिएक्टर दुर्घटना में काफी सारे प्रलयंकारी ध्वंस-कांड घटे हैं, जो संबद्ध देश दबाने की कोशिश कर रहे हैं। अधिकांश ही परमाणविक रिएक्टर की दुर्घटनाओं का कारण उसकी शीतलीकरण व्यवस्था का और अन्यान्य तकनीकी असफलता है। लेकिन काफी सारी ऐसी घटनाओं को लिपिबद्ध किया गया है, जहाँ दुनिया महज भाग्यवश ही परमाणविक विस्फोट के हाथों से सही-सलामत रह गई। वैसे ऐसे भी उदाहरण मौजूद है, जब परमाणविक रिएक्टर क्षतिग्रस्त हुए हैं। आँधी-तूफान-बवंडर, परमाणविक वज्र अँधेरे को उड़ा ले गया है। और समुद्र में गर्क कर दिया; सागर की उत्ताल लहरें, अपने किनारे तोड़कर, दूर-बसे परमाणविक शक्ति-केन्द्र को बहा ले गयी हैं। चूंकि अमेरिका और भूतपूर्व सोवियत यूनियन, परमाणविक अस्त्र-शस्त्र और परियोजनाओं के एकछत्र मालिक थे, इसलिए इन दोनों देशों में ही अधिकांश परमाणविक दुर्घटनाओं का घटना स्वाभाविक ही था। भूतपूर्व सोवियत यूनियन की वज्र-कठोर गोपनीयता की वजह से इन सब दुर्घटनाओं की खबरें, दुनिया में बहुत ज्यादा प्रकाशित नहीं होतीं। लेकिन सोवियत यूनियन के पतन के बाद विगत शती के नब्बे के दशक के आरंभ में हमें जो अनेक सोवियत परमाणविक दुर्घटनाओं के बारे में, बिल्कुल अचानक जो खबरें प्राप्त हुईं, वह बेहद अर्थपूर्ण हैं। अमेरिकी सरकार अपने आक्रामक चरित्र के बल पर बाहरी दुनिया के सामने इन तमाम दुर्घटनाओं की खबर दबाये रखने में कोई कमी नहीं रखती। लेकिन देश के अन्दर गणतांत्रिक व्यवस्था की बदौलत और विरोधियों द्वारा जोरदार आवाज उठाने की वजह से, उस देश में होने वाली अनेक दुर्घटनाओं की खबर हमें मिलती रहती है। अमेरिकी प्रतिरक्षा कार्यालय ने सन् 1968 में, परमाणविक हथियार सम्बन्धी ऐसी 13 अहम दुर्घटनाओं की खबर प्रकाशित की है, जो सन् 1950-68 के दौरान घटीं। सन् 1980 में इसी तालिका को विस्तार देते हुए उसने सन् 1950-80 के दौरान घटी, 32 घटनाओं का विवरण प्रकाशित किया। यह भी उल्लेखनीय है कि पहली तालिका में दी गयी अनगिनत अहम घटनाओं का जिक्र दूसरी तालिका में नहीं है। इसके अलावा जापान के समुद्र और ग्रीनलैंड की धरती पर अमेरिकी विमान समेत, परमाणु बम गिराने जैसी दुर्घटनाओं की खबर से, यह जानकारी भी मिलती है कि अमेरिका परमाणु-हथियारों के मामले में अन्यान्य देशों के नियम-कानून की परवाह ही नहीं करता। इसके अलावा, बाहरी दुनिया के विभिन्न देशों से परमाणु दुर्घटना की खबर शायद ही कभी मिलती हो। विगत शती के अन्तिम दशक और इस वर्ष की शुरुआत में जापान में

हुई बड़ी-बड़ी रिएक्टर दुर्घटनाएँ हमारे विकासशील देशों के लिए बेहद महत्त्वपूर्ण हैं। हमारी इस तालिका में विभिन्न देशों के परमाणु-बम और हाइड्रोजन बमों का पहला विस्फोटों का उल्लेख है। वैसे इन सभी देशों के उच्च-शक्तिवाले, परवर्ती विभिन्न विस्फोटों का पता लगाना, काफी मुश्किल काम है। वह सब इस तालिका में नहीं है। लेकिन, नीचे दी गयी तालिका से यह बात स्पष्ट हो जाती है कि इन्सानी भूल-चूक और तकनीकी नाकामी--इन दोनों कारणों से, रोज ही दुनिया का जन-स्वास्थ्य और परिवेश दूषित होता जा रहा है।

1945

(1) **16.07** : अमेरिका के न्यू मेक्सिको में पहला परमाणु बम विस्फोट किया गया।

(2) **06.08** : जापान के शहर हिरोशिमा पर सुबह 8.15 बजे अमेरिका ने 12.5±1 किलोटन का परमाणु बम (यूरेनियम 235) गिराया। विस्फोट की लपटों की ऊँचाई थी (580±15) मीटर! सन् 1976 में राष्ट्रसंघ के सेक्रेटरी जेनरल को सौंपी गयी। जापानी सरकारी संस्था, नागासाकी सिटी कमीशन की रिपोर्ट मुताबिक सन् 1945 के अंत तक मृतकों की संख्या 1,40,000±10,000 थी। भयंकर रूप से घायलों की संख्या 15 से 20 हजार।

(3) **09.08** : जापान के शहर नागासाकी पर भी सुबह 11 बजकर 2 मिनट पर अमेरिका ने 22±2 किलो टन का परमाणु बम (प्लूटोनियम 239) फेंका। विस्फोट की लपटों की ऊंचाई थी (503±10) मीटर। नागासाकी सिटी कमीशन द्वारा दी गयी रिपोर्ट के मुताबिक सन् 1945 के अंत तक मृतकों की संख्या 70,000±10,000! घायलों की संख्या अनगिनत।

1946

(4) **25.07** : अमेरिकी परमाणु-परीक्षण 'बेकर' द्वारा जिन जहाजों पर प्रयोग किए गए उनमें अप्रत्याशित मात्रा में प्लूटोनियम दूषण भर गया।

1949

(5) **29.08** : सोवियत यूनियन ने अपना पहला परमाणु-बम विस्फोट किया।

(6) **02.12** : अमेरिकी परमाणु-परीक्षण 'ग्रीन रन' के फलस्वरूप, हैनफोर्ड, न्यूक्लिअर ताल्लुका (Complex) से 70 मील दूर तक विभिन्न सम्प्रदायों के लोग तेज़-सक्रिय दूषण के शिकार हो गए।

(7) **11.04** : एक परमाणु-अस्त्र, चार अतिरिक्त विस्फोटक पदार्थ और 13 नाविकों को लेकर, एक बी-29 बम-वर्षक, न्यू मेक्सिको के मंजानो फौजी शिविर के करीब, एक पहाड़ पर टूट गिरा। इस टकराव में बम की ऊपरी पर्तें, पूरी तरह खुल गयीं। और उसमें भरा हुआ विस्फोटक पदार्थ, ईंधन के तेल के स्पर्श से जल

उठे। न्यूयार्क टाइम्स की रिपोर्ट मुताबिक इस अग्निकांड की लपटें 15 मील दूर से भी नजर आती रहीं। इस दुर्घटना में 13 विमान-चालक कर्मचारियों की मौत हो गयी। वैसे परमाणु-अस्त्र के समस्त उपादान और चार अतिरिक्त विस्फोटक, बाद में बरामद कर लिये गए। चूंकि परमाणु-हथियार और हथियार के 'कोर' या मज्जा विमान में अलग-अलग जगहों पर रखे गए थे। इसलिए परमाणु-विस्फोट की संभावना नहीं थी।

(यू एस ए)

<u>**1950**</u>

(8) 13.07 : ओहिओ के लेबानल में न्यूक्लि-संबद्ध विभाजन-सक्षम (bissile) कोर के अलावा एक परमाणु-अस्त्रवाही बी-50 बम-वर्षक प्रशिक्षण-विमान, मशीनी गड़बड़ी की वजह से 7000 फुट की ऊँचाई से तेजी से नीचे आ पड़ा और सीधे धरती पर टूट गिरा। इसका नतीजा यह हुआ कि शक्तिशाली विस्फोटक के बारूद-मसालों की वजह से जो विस्फोट हुआ उसे 25 माइल दूर से भी महसूस किया गया और जहाँ वह विमान गिरा था, वहाँ 25 फुट गहरा और 200 वर्ग फुट का इलाके में गड्ढा बन गया। इस दुर्घटना में 4 अफसर और 12 प्रशिक्षण प्राप्तकर्ता विमान कर्मचारी की मौत हो गयी।

(9) 05.08 : केलिफोर्निया में सुइसून 'एयरफोर्स बेस' से न्यूक्लिआइ विभाजन-सक्षम कोर के अलावा एक परमाणु-हथियार के साथ एक बी-29 विमान उड़ान भरने ही वाला था कि दुर्घटनाग्रस्त हो गया। विमान में मौजूद सामान्य विस्फोटक बम, दुर्घटना के 15 मिनट बाद, फट गए। उनकी विकट आवाज 30 मील दूर तक गूंज उठी। धरती पर 60 फुट चौड़ा और 6 फुट गहरा गड्ढा बन गया। इस विमान-दुर्घटना और बम-विस्फोट में कुल मिलाकर 19 लोग मौत की नींद सो गए।

(10) 10.11 : एक बी-50 अमेरिकी बम-वर्षक विमान के कर्मचारियों को सुरक्षा कारणों से कनाडा से उड़ान भरने के समय, विमान में रखे हुए परमाणु-हथियारों में शक्तिशाली साधारण विस्फोटक 12 मील चौड़ी, सेंट लॉरेंस नदी के मध्य में फेंक देना पड़ा। इस विस्फोट से लगभग 25 मील के इलाके में स्थित घर-मकानों के खिड़की-दरवाजे झनझनाकर काँप उठे। पेंटागन ने इस विस्फोट-स्थल का कोई निश्चित उल्लेख नहीं किया। (कनाडा)<u>**1952**</u>

(11) 03.10 : इंग्लैंड ने पहली बार परमाणु-विस्फोट का परीक्षण किया।

(12) 12.12 : चक नदी पर परीक्षाधीन, जल-नियन्त्रित भारी परमाणु-रिएक्टर में, दुनिया की पहली वृहद परमाणु-रिएक्टर दुर्घटना घटी। ऑपरेटर ने गलती से चार वैल्व खोल दिए, कंट्रोल रॉड ऊपर उठ आया। कई-एक सेकंड के अन्दर वैल्व बंद करके हतबुद्ध सुपरवाइजर ने रिएक्टर में स्वाभाविक अपकर्ष वापस लाने के लिए गलत बटन दबाने का निर्देश दे डाला। 44 वें सेकंड में शक्तिकेन्द्र के पदार्थविदों ने रिएक्टर की कोर में अतिरिक्त भारी जल मिलाकर, यह अपकर्ष बंद कर दिया।

इतने सबके बावजूद, लगभग तीन मिनट बाद, भीतरी दबाव से रिएक्टर के चार टन वजन का ढक्कन उड़ गया। लाखों-लाखों गैलन तेज-सक्रिय जल रिएक्टर के अन्दर जम गया और यूरेनियम ज्वलनशील कोर आंशिक तौर पर जल गया। वह तो शुक्र है कि रिएक्टर से निर्गत-तेज-सक्रिय पदार्थ की मात्रा, नियंत्रण में लाना संभव हुआ। किसी के मृत होने या घायल होने की घटना नहीं घटी। **(कनाडा)**

1953

(13) **18.08 :** सोवियत यूनियन ने हाइड्रोजन-बम का पहला विस्फोट किया।

(14) **14.10 :** ब्रिटेन के परमाणु-परीक्षण के फलस्वरूप निर्गत तेज़-सक्रिय पदार्थ, धरती पर फैलने के फलस्वरूप, ऑस्ट्रेलिया की मरुभूमि पर बसे आदिम आधिवासी, उसके शिकार हुए।

1954

(15) **01.03 :** अमेरिका के परमाणु-अस्त्र परीक्षण, 'ब्रैभो' के रेडियोधर्मी पतन से प्रशान्त महासागर के द्वीप-रोंगे लैप के आधिवासी लोग, अस्त्र-विकिरण के शिकार हुए।

1955

(16) **25.09 :** सुमेरु के समुद्र में नोभाया जेमलिया में सोवियत यूनियन ने पानी के नीचे, पहला परमाणु विस्फोट किया।

(17) **09.11 :** ई बी आर 'फास्ट ब्रीडर' परमाणु-रिएक्टर का कोर गल गया। **(यू एस ए)**

1956

(18) **10.03 :** दो-दो परमाणु-अस्त्र-कोरवाही एक बी-47 विमान फ्लोरिडा से उड़ा, भूमध्यसागर पार करते हुए, उसने निर्दिष्ट पहले टैंकर से ईंधन संग्रह किया, लेकिन समुद्र के वक्ष पर दूसरे टैंकर से बिल्कुल सम्पर्क नहीं किया। यहाँ तक कि समुन्दर पार करके, निर्धारित गंतव्यस्थल तक भी नहीं पहुँचा। काफी खोज-बीन की गयी, लेकिन उस विमान, परमाणु-अस्त्र-कोर और विमान-परिचालक कर्मचारियों का कोई अता-पता नहीं मिला। **(यू एस ए)**

(19) **27.07 :** इग्लैंड के केम्ब्रीज से 20 मील दूर, रॉयल एअरफोर्स स्टेशन से उड़ान भरने के बाद, बी-47 बम-वर्षक दुर्घटनाग्रस्त होकर टूट गिरा और तीन-तीन एम के-6 परमाणु बम सामग्रियों को चोट पहुँचायी, हालांकि उस बम में न्यूक्लिआइ विभाजन-सक्षम कोर नहीं रखा गया था। बहरहाल परमाणु-विस्फोट नहीं हुआ। यहाँ तक कि शक्तिशाली सहायक विशाल परिमाण में साधारण विस्फोट भी नहीं फटे। लेकिन इस दुर्घटना में तीन विमान कर्मचारियों की मौत हो गयी।

1957

(20) 22.05 : एक परमाणु-अस्त्र और इसका न्यूक्लिआइ विभाजन-सक्षम कोर विच्छिन्न हालत में रखकर, टेक्सस की विमानवाहिनी अड्डे से न्यू मेक्सिको के अड्डे से हटाते हुए, बीच में ही 1700 फुट की ऊँचाई से इसके वाहक जहाज-बी-36 के अन्दर विस्फोट हुआ। उन अस्त्रों को पैराशूट को सहारे उतारने की कोशिश की गयी, मगर सफलता नहीं मिली। धरती से टकराते ही विस्फोट हुआ और ध्वंस हो गया और बड़े से कटोरे की तरह 25 फुट लम्बा-चौड़ा और 12 फुट गहरा एक गड्ढा बन गया। दुर्घटना के ध्वंसावशेष और बम के टुकड़े, न्यू मेक्सिको के निटलैंड अड्डे से प्रायः 4.5 मील दक्षिण में, करीब एक मील के क्षेत्र में बिखर गए। वैसे गड्ढे के बाहर, कोई तेज-सक्रिय दूषण नजर नहीं आया। **(यू एस ए)**

(21) 28.07 : एक सी-124 परिवहन विमान में न्यूक्लिअर विभाजन-सक्षम कोर के अलावा दो-दो परमाणु अस्त्र, न्यू जर्सी के अड्डे पर ले जाया जा रहा था, ऐसे में विमान के दो इंजन फेल हो गए। विमान के कर्मचारियों ने सुरक्षा के इरादे से, विमान-उड़ान की ऊँचाई कम करने की कोशिश की और दोनों हथियार न्यू जर्सी के करीब, अमेरिका के पूर्वी तट पर अटलांटिक महासागर में फेंक दिया।

(22) 11.09 : रॉवी फ्लैट्स न्यूक्लिअर अस्त्र कम्प्लेक्स में 15 के जी प्लूटोनियम में आग लग गयी।

(23) 29.09 : चेलियबिनस्के के करीब किस्तिम में परमाणु क्षेत्र में शीतलता-सृजन की व्यवस्था में गड़बड़ी आ गई और वहाँ एक रसायनिक विस्फोट हुआ। फलस्वरूप 70-80 टन तेज-सक्रिय पदार्थ हवा में घुल-मिल गया और हजारों-हजार वर्ग मील का इलाका दूषित हो गया। हजारों-हजार लोग विकिरण-दूषण के शिकार हो गए। हजारों-हजार लोगों को उनके घर-द्वार से निकालकर, सुरक्षित स्थान पर ले जाया गया। **रूस**

(24) 07.10 : दक्षिण ऊरल पर्वतमाला के किशटिस शहर से 12 मील दूर, एक सोवियत परमाणु-अस्त्रों के कारखाने के तेज-सक्रिय वर्जनाओं में विस्फोट हुआ। नतीजा यह हुआ कि तेज-सक्रिय विकिरण के दूषण आच्छादित इलाके से 10,000 से भी अधिक लोगों को सुरक्षित स्थान पर ले जाना पड़ा। इस समूचे मामले को गुप्त रखने की कोशिश में, सोवियत अधिकारियों की तरफ से क्षय-क्षति और मृतक-घायलों की विस्तृत रिपोर्ट प्राप्त नहीं हुई।

(25) 7-12.10 : इंग्लैंड के लिवरपूल के उत्तर में, विंड-स्केल के ग्राफाइट नियंत्रित वायुशीतलकृत परमाणु रिएक्टर की सभी धौंकनी (Lowless), ग्राफाइट रॉड में नियंत्रित उत्ताप सृजन के लिए, बंद कर दी गयी। ऐसी हालत में ग्राफाइट की तापमात्रा अप्रत्याशित रूप से बढ़ गयी और उसे रोकने के लिए पूरे चार दिनों तक कई-कई उपाय किए गए। फलस्वरूप ग्राफाइट की तापमात्रा और बाहरी विकिरण

मात्रा के बढ़ने-घटने की आपात् अराजकता के बावजूद, अंत में दोनों ही तेजी से बढ़ते गए। ग्राफाइट और रिएक्टर का तीन टन यूरेनियम जलकर खाक हो गया। कर्मचारियों ने सारे चैनल खोल डाले और कार्बन डायऑक्साइड का इस्तेमाल करके, चुल्ली को बचाने की कोशिश की। जब वे लोग असफल हो गए, तो 11 और 12 अक्तूबर की दोपहर तक पानी में चुल्ली को बुझाने की कोशिश की गई। चुल्ली ही नष्ट हो गई। अविराम विकिरण निर्वासन की वजह से महासंकटमय परिस्थिति के हाथों से, दुनिया को रिहाई मिली।

बिखरी हुई विकिरण में 200 वर्ग मील के अहाते में बसे गांवों में प्रदूषण फैल गया। कुछेक गायों और अन्यान्य पशुओं की मौत हो गयी। आयोडिन-131 चूंकि बहुत ज्यादा मात्रा में मौजूद थे, इसलिए संबद्ध इलाकों के 150 गौशालाओं के दूध जब्त कर लिए गए। उस विकिरण में स्ट्रन्शियम की उपस्थिति नजर नहीं आयी। पानी में प्रदूषण नहीं फैला।

(26) 11.10 : एक बी-47 बम-वर्षक विमान, परमाणु हथियार और उसके न्यूक्लिआइ विभाजन-सक्षम कोर, अलग-अलग लेकर, फ्लोरिडा से उड़ान भरने ही वाला था कि दुर्घटनाग्रस्त हो गया और टूटकर धरती पर आ गिरा। परमाणु-अस्त्र और कोर से पूरे चार घंटों तक आग की लपटें उठती रहीं। बाद में काफी देर तक काला-काला धुआँ उगलता रहा। उस अस्त्र का लगभग आधा हिस्सा उसी तरह पड़ा रहा। हालांकि इसके मूल हिस्से, काफी क्षतिग्रस्त हालत में बरामद किये गए।

(यू एस ए)

<u>1958</u>

(27) 31.01 : सम्भवतः फ्रेंच-मोरोक्को की एक गुप्त अमेरिकी अड्डे से, हमला करने में सक्षम, एक परमाणु-अस्त्र वाही विमान बी-47, उड़ने ही वाला था कि उसके ईंधन का आधार फट गया। वह विमान पूरे सात घंटे तक जलता रहा। ध्वंसावशेष में प्रदूषण-मात्रा काफी-ज्यादा थी, मगर आस-पास के इलाकों में प्रदूषण अपेक्षाकृत कम फैला। **(यू एस ए)**

(28) 05.02 : न्यूक्लिआइ विभाजन-सक्षम कोर के अलावा एक परमाणु-अस्त्रवाही बी-47 बम-वर्षक विमान के साथ, वर्जिया के सभान्ना के एक एफ-86 विमान से टकरा गया। विस्फोट से बचाव के लिए विमान कर्मचारियों ने सभान्ना नदी के मुहाने से कई-एक मील दूर, किसी अज्ञात स्थान में पानी के अतल में परमाणु अस्त्र फेंक दिए। पानी से टकराने पर भी शक्तिशाली साधारण विस्फोटक भी नहीं फटे। बाद में काफी तलाश के बाद भी वह अस्त्र नहीं मिला।

(29) 05.02 : इंग्लैंड में 'ग्रीनहम कॉपमन एअरबस में' एक बी-47 बम-वर्षक विमान उड़ने के लिए तैयार ही था कि इंजन में गड़बड़ी नजर आयी और 8000 फुट की ऊँचाई से दो 1700 गैलन के ईंधन टैंक नीचे फेंक देना पड़ा।

दुर्भाग्यवश एक और परमाणु-अस्त्रवाही बी-47 विमान से कुल 65 फुट दूर गिरकर, धरती से टकराव की वजह से दोनों टैंकों में विस्फोट हुआ और 16 घंटों तक उनसे आग की लपटें उठती रहीं। इस आग में कम से कम एक परमाणु-अस्त्र का विस्फोटक फट गया और चारों तरफ यूरेनियम और प्लूटोनियम ऑक्साइड जैसा तेज-सक्रिय पदार्थ के चूरे बिखर गए। यहाँ तक कि 'एअरबस' के बाहर 20 ग्राम तेज-सक्रिय पदार्थ की भी जानकारी प्राप्त हुई।

(30) 05.02 : एक अमेरिकी फौजी प्रमाणपत्र की रिपोर्ट के मुताबिक कोई अज्ञात अमेरिकी प्रशिक्षण विमान (परमाणुविक) एम के-7 हथियार लेकर, आसमान में उड़ान भरने के दौरान ही टूट गिरा और उसका ध्वंसावशेष 0.25 मील लम्बे, 250 फुट चौड़े क्षेत्र में बिखर गया।

(31) 11.03 : किसी दुर्घटनावश एक बी-47 ई विमान से, दक्षिण कैरोलिना के फ्लोरेंस से साढ़े छः मील पूर्व, 15000 फुट की ऊँचाई से न्यूक्लिआइ विभाजन-सक्षम कोर के अलावा एक परमाणु-अस्त्र नीचे फेंक दिया गया। शक्तिशाली बम के सामान्य बारूदी मसाले के विस्फोट से धरती पर 50-70 फुट चौड़ा, 25-30 फुट गहरा, कटोरे के आकार का खड्डा बन गया और नजदीक के 6 मकान काफी क्षतिग्रस्त हो गए।

(32) 04.11 : परमाणु-अस्त्रवाही एक बी-47 बम वर्षक विमान में टेक्सस में 'एअरफोर्स बेस' से उड़ान भरते समय आग लग गयी और 1500 फुट की ऊँचाई से टूट गिरा। दुर्घटना में उस विमान के एक कर्मचारी की मौत हो गई। और साधारण विस्फोटक फट गया। जहाँ वह गिरा वहाँ 6 फुट गहरा और 35 फुट आयतन के बड़े कटोरे जैसा गड्ढा बन गया। बहरहाल, परमाणु-अस्त्र के उपादान बाद में बरामद किए गए।

(33) 26.11 : अमेरिका के लुइसियाना में 'चेनाल्ट एअरफोर्स बेस' में प्रतीक्षारत एक बी-47 विमान में आग लग गयी। बीच का परमाणु-अस्त्र ध्वंस हो गया। विमान के ध्वंसावशेष का तेज-सक्रिय प्रदूषण काफी नजदीकी इलाकों तक ही सीमित रहा।

<u>1959</u>

(34) 18.01 : एक अज्ञात प्रशान्त महासागरीय अड्डे में एक प्रशिक्षण-विमान से, असावधानी वश ईंधन टैंक, ग्राउंड पर प्रतीक्षारत (न्यूक्लिआइ विभाजन-सक्षम कोर के अलावा) परमाणु-अस्त्रवाही एक एफ-100 विमान पर फेंक दिया गया। नतीजा यह हुआ कि वे हथियार धू-धू करके जल उठे। बहरहाल सात मिनट के अन्दर आग बुझा दी गई। कोई प्रदूषण नहीं फैला। **(यू एस ए)**

(35) 06.07 : न्यूक्लिआइ विभाजन-सक्षम कोर को छोड़कर, परमाणु बमवाही एक सी-124 अमेरिकी विमान उड़ा ही था कि टूट कर गिर पड़ा और विमान में आग

लग गयी। ध्वस्त अस्त्र के ठीक नीचे जमीन पर सीमित प्रदूषण फैल गया।

(36) 18.08 : विमान समूह वाहक 'यू एस एस वास्प' में प्रलयंकारी अग्निकांड हो गया और परमाणु अस्त्रसमूह जलने लगे। वास्प के नीचे तख़्ता लगाकर समुद्र से पानी पम्प करके, वह आग बुझायी गयी और संकट टाला गया।

(37) 25.09 : एक अमेरिकी नौ-जहाज, न्यूक्लिआइ विभाजन-सक्षम कोर के अलावा परमाणु-अस्त्र ले जाते समय, वाशिंगटन के हुइडर द्वीप के करीब, पगेट साउंड में दुर्घटनाग्रस्त हो गया। वे अस्त्र कभी बरामद नहीं हो सके।

(38) 15.10 : अमेरिकी मिसिसिपी अड्डे से उड़ान भरकर, केन्टुकी के हार्डिन्स बर्ग में, धरातल से लगभग 32,000 फुट की ऊँचाई पर एक बी-52 बम-वर्षक विमान ईंधन संग्रह कर ही रहा था कि ईंधन विमान के-135 से, आसमान में ही टकरा गया। इस टक्कर में 8 नाविकों की मौत हो गयी और विमान में स्थित दो परमाणु बमों में से एक आंशिक तौर पर जल गया लेकिन किसी तरह के परमाणु अस्त्रों के उपादान हवा में नहीं बिखरे और प्रायः सभी हथियार, अक्षत हालत में बरामद कर लिए गए।

<u>1960</u>

(39) 12.01 : 'सभान्ना नदी री-प्रॉसेसिंग परमाणु रिएक्टर' नए सिरे से चालू करते हुए, वह अमेरिकी तकनीकी विशेषज्ञों के नियंत्रण के बाहर हो गया।

(40) 13.02 : फ्रांस ने पहला परमाणु-विस्फोट किया।

(41) 03.04 : वाल्ज में परीक्षणाधीन परमाणु रिएक्टर में परमाणु-ईंधन की तापमात्रा अस्वाभाविक तौर पर बढ़ गयी। और रिएक्टर पिघल गया। और रेडियोधर्मी उपादान और विकिरण बाहर बिखर गए।

(42) 07.06 : न्यू जर्सी में BOMARK–(BO=BOEING की जगह, MARK= Michigan Aeronautical Research Centre की जगह इस्तेमाल किया गया है मिसाइल प्रक्षेपण के निर्धारित समय से ठीक दो मिनट पहले, उच्च ताप हिलियम टैंक और ईंधन टैंक में विस्फोट हो गया। सुरक्षा-प्रबन्ध अगर ठीक समय पर कार्य न करता, तो न्यूयॉर्क टाइम्स में छपे एक लेख के मुताबिक, मानव समाज के इतिहास में और एक परमाणु-विस्फोट जैसा विध्वंसी कांड हो जाता 100 पाउंड T.N.T विस्फोट की तीखी आग में वह मिसाइल गल गयी और गली हुई मिसाइल में परमाणु क्षेपण-मस्तक (War-head), बाद में पूरे पैंतालीस मिनट तक जलता रहा। अस्त्र का और एक हिस्से, फोरियम-युक्त, मैग्नेशियम में आग लग गयी। इन सभी घटनाओं के फलस्वरूप अस्त्राधीन अंचल में प्लूटोनियम और तेज-सक्रिय विकिरण बिखर गया।

(यू एस ए)

(43) 08.06 : न्यूयॉर्क टाइम्स समाचार पत्र में किये गए उल्लेख से ज्ञात होता है कि लिबिया में भी यही दुर्घटना घटी इस बारे में कोई विशद् विवरण नहीं मिलता।

1961

(44) 03.01 : इदाइफॉल्स में 200 किलोवाट परीक्षाणाधीन जंगी परमाणु रिएक्टर दूरवर्ती उत्तर-मेरु अंचल के स्टेशनसमूहों में विद्युत सप्लाई के लिए तैयार की गयी थी। चुल्ली के विभिन्न कंट्रोल-रॉड दो महीनों तक आपस में लिपटे रहने का एक इतिहास था, इसलिए मरम्मत और रखरखाव के लिए रिएक्टर को बंद रखा गया था। उस दिन (03.01.1961) कंट्रोल रॉड की व्यवस्था को ठीकठाक करके रिएक्टर चालू किए जाने वाला था। रात के समय, जब तीन कर्मचारी काम कर रहे थे, अचानक दूर से एक अलार्म-बेल सुनायी दी। स्वास्थ्य पदार्थविद्या के लोग-बाग दौड़कर आये। उन्होंने देखा रिएक्टर का घर अक्षत था, रोशनी भी जल रही थी। घर के प्रवेश-पथ पर विकिरण मात्रा 15 रैडर थी। एक रैड, विकिरण-दग्ध प्रति ग्राम पदार्थ का 100 अर्ग-शक्ति शोषण के बराबर होती है, उस दिन कंट्रोल-रॉड के पास पहुँचते ही, यह मात्रा बढ़कर, 200 रैडर प्रति घंटा हो गई।

सुरक्षा का प्रतिरक्षा-सूट पहनकर, उन लोगों ने देखा कि रिएक्टर वीभत्स ढंग से डगमगा रहा था, विकिरण की मात्रा 500 रैडर प्रति घंटे से भी ज्यादा थी। दो कर्मचारियों में एक कर्मचारी, उस वक्त भी जिंदा था। तीसरा कर्मचारी कंट्रोल रॉड में पिन-बिद्ध होकर सीलिंग से झूल रहा था। उनकी बेजान देह, वहां से हटाने के बाद भी, उनकी विकिरण मात्रा 400 रैडर से भी ज्यादा थी। मृत देह समाहित करने के लिए, वह काफी ज्यादा गर्म थी। इस दबावमुक्त (नॉन-प्रेसराइज्ड) रिएक्टर में किसी प्रकार की गलन नहीं हुई थी। 10 प्रतिशत से भी कम विकिरण ही बाहर फैला था। फिर भी यह समस्त परमाणविक दुर्घटनाओं में वह अन्यतम, सर्वाधिक भयावह रात थी, हृदय-विदारक दुःस्वप्न जैसा खौफनाक!

(45) 16.01 : ब्रिटेन में एक अज्ञात अमेरिकी जंगी-अड्डे से परमाणु बमवाही एक विमान उड़ने ही वाला था कि ईंधन तेल छलक गया और विमान में आग लग गयी। आग धू-धू करके जलती रही और अन्दर रखा हुआ परमाणविक-अस्त्र बेतरह दग्ध और क्षतिग्रस्त हो गया। यह दुर्घटना इतनी बड़ी थी कि अमेरिका के प्रतिरक्षा कार्यालय के सहकारी सेक्रेटरी ने इस बारे में यू एस ज्वाएंट कमीशन ऑन ऑटोमेटिक इनर्जी (JCAE) के चेयरमैन को एक गुप्त पत्र लिखा और उनका ध्यानाकर्षित किया। वैसे अमेरिकी सरकार ने खुले तौर पर इस दुर्घटना को कभी कबूल नहीं किया।

(46) 19.01 : एक या एकाधिक परमाणु-अस्त्रवाही एक ट्रेनिंग बम-वर्षक-विमान-बी-52, टेक्सस से उत्तर डकोटा रवाना हुआ। बीच-राह में उताहते-मॉन्ट्रियाल के आसमान में 36,000 फुट से 40,000 फुट की ऊँचाई पर उठते समय, विमान को अचानक एक जबर्दस्त धक्का लगा और चकरी की तरह तेजी से गोल-गोल घूमते हुए नीचे गिरने लगा। विमान की बायीं तरफ की इंजन में आग लग गई और 7000 फुट की ऊँचाई पर विस्फोट हुआ। विमान विभिन्न

आकार के टुकड़ों में धज्जी-धज्जी बिखर गया। ध्वंसावशेष साढ़े ग्यारह मील लम्बे और 3.2 मील चौड़े क्षेत्र में बिखर गया। इस दुर्घटना में 5 विमान-परिचालकों की मौत हो गई। **(यू एस ए)**

(47) **24.01 :** उत्तर कैरोलिना के गोल्डसबोरो में एक बी-52 बम-वर्षक विमान, गठन-सम्बन्धी त्रुटि के कारण, आकाश में ही टूट गया और 2000-10,000 फुट की ऊंचाई से दो-दो परमाणु-बम नीचे धरती पर गिर पड़े। पहले का पैराशूट सही ढंग से काम कर रहा था। इसलिए धरती से टकराने पर भी बम को मामूली-सी क्षति हुई। दूसरे के साथ ऐसा नहीं हुआ, इसलिए धरती से टकराते ही दूसरे बम के उपादान, विशाल क्षेत्र में बिखर गए। इस बम की छः सुरक्षा व्यवस्थाओं (Safety Devices) में से पांच व्यवस्थाएँ तो फेल हो गईं, मगर छठी स्विच ने दुनिया को और एक विध्वंसी परमाणु-महामुसीबत से बचा लिया। काफी तलाश की गयी, मगर वे बम जिस ढंग से गिरे थे, उस पानी में डूबे खेत-खलिहानों से इसके सुसमृद्ध यूरेनियम कोर बरामद नहीं किया जा सका। आम आधिवासी इस गुमशुदा अस्त्रों के हिस्से खोज न निकालें। यह सोचकर अमेरिकी हवाई-फौज ने खेत-खलिहानों का वह पूरा इलाका खरीद लिया। इस दुर्घटना के बाद, अमेरिका और सोवियत यूनियन ने अपनी-अपनी सुरक्षा-व्यवस्था की संख्या बढ़ा दी। **(यू एस ए)**

(48) **29.01 :** अमेरिका के आकाश में एक परमाणु-बमवाही विमान-बी-52 दुर्घटनाग्रस्त हो गया। खैर, वे बम तो नहीं फटे, मगर 8 विमान-कर्मचारियों में से 3 की मृत्यु हो गयी।

(49) **14.03 :** केलिफोर्निया के यूक सिटी में एक परमाणु-अस्त्रवाही बी-52 बम-वर्षक विमान दुर्घटनाग्रस्त होकर धरती पर आ गिरा। परमाणु-बम धरती पर गिरकर छिटक गया और बम को सुरक्षा-व्यवस्था के रक्षाकवच की वजह से, हथियारों के शक्तिशाली साधारण विस्फोटक में कोई विस्फोट नहीं हुआ। **(यू एस ए)**

(50) **04.07 :** सोवियत परमाणुविक सब-मेरीन 'के-19' में स्थित दो परमाणुविक रिएक्टरों में से एक रिएक्टर की नियंत्रण-व्यवस्था की नली फट गयी। उससे निकलती हुई रेडियोधर्मी विकिरण की वजह से, विमान के एक कर्मचारी ने दम तोड़ दिया।

1962

(51) **04.06 :** प्रशान्त महासागर में वलयाकार प्रबाल-द्वीप डानसन में थर् रॉकेटर वहन करते हुए परमाणु-अस्त्र प्रक्षेपण का अमेरिकी प्रयास असफल हो गया। लेकिन वह प्रक्षेपक (booster) काम नहीं कर सका और ध्वंस हो गया और वह हथियार प्रशांत महासागर के द्वीप के निकट ही गिर पड़ा। उच्च वायुमंडल में, अमेरिका का परमाणु-परीक्षण का यह पहला प्रयास था।

(52) **20.06 :** उच्च वायुमंडल में परमाणु-विस्फोट का अमेरिका का दूसरा

प्रयास भी असफल रहा। डॉन्सन द्वीप में थर् प्रक्षेपक इस बार भी सक्रिय नहीं हुआ। परमाणु-अस्त्र प्रशान्त महासागर के जल में जा गिरा।

1963

(53) 10.04 : 123 नाविकों समेत एक अमेरिकी परमाणु-सबमेरीन, अटलांटिक महासागर में डूब गया।

(54) 13.11 : टेक्सस में सन एन्टोनिओ थेडिना फौजी अड्डे में जब तीन कर्मचारी परमाणु-बम से शक्तिशाली विस्फोटक उपादान अलग कर रहे थे, तब 120 पाउंड विस्फोटक में आग लग गई और वह फट गया। कहा जाता है, प्रदूषण की मात्रा मामूली-सी ही थी। **(यू एस ए)**

1964

(55) 10.01 : एक बी-52 डी, बम-वर्षक विमान दो परमाणविक-अस्त्र मैसाचुसेट्स के फौजी अड्डे से जॉर्जिया के फौजी अड्डे तक ले जा रहा था। वे दोनों अस्त्र इतने कौशल से रखे गए थे कि विमान के साथ, दोनों बमों का किसी भी तरह का मशीनी या त्रिद्युत सम्पर्क नहीं था। मेरी गोल्ड के कुम्बरलैंड से 17 मील दक्षिण-पश्चिम के आसमान में, विमान वायुमंडल में अचानक प्रचंड तूफान में घिर गया। 29.500 ± फुट से 33.000 फुट ऊपर उठते हुए, और भयंकर तूफान में घिर गया और टूटकर धरती पर आ गिरा। लेकिन वे दोनों अस्त्र प्रायः अक्षत हालत में खोज निकाले गए।

(56) 21.08 : एक अमेरिकी उपग्रह ने 1.2 के जी प्लूटोनियम, दुनिया के वायुमंडल में बिखेर दिया।

(57) 08.05 : चीन ने अपना पहला परमाणु-बम विस्फोट का परीक्षण किया।

(58) 16.10 : चीनी लोगों ने एक और परमाणु विस्फोट किया।

(59) 05.12 : दक्षिण डकोटा के एल्सवर्थ में हवाई-फौज के अड्डे में जब कर्मचारी मरम्मत के काम में जुटे हुए थे, तब अचानक ही एक 'री एंट्री व्हेकल' चालू हो गया और उसने अस्त्रवाही-मिसाइल के तल में टक्कर मारी और अस्त्र प्रक्षेपण की कोशिश की। मिसाइल की सुरक्षा-व्यवस्था तत्काल सक्रिय हो उठी और दुर्घटना होते-होते रह गयी। **(यू एस ए)**

(60) 08.12 : इंडियाना के पेरु के एक फौजी अड्डे में, एक बी-58 बम-वर्षक विमान, गतिशील स्थिति में, रनवे में नियन्त्रण खो बैठा और फिसल गया। विमान वाही पांच परमाणु-हथियारों में आग लग गयी। हालांकि कोई विस्फोट तो नहीं हुआ और उस अंचल में प्रदूषण की मात्रा भी कम ही थी।

1965

(61) **04.01** : सभान्ना नदी री-प्रोसेसिंग परमाणु रिएक्टर से 6.5 के जी प्लूटोनियम का काम बाहर निर्गत हुआ। (यू एस ए)

(62) **10.05** : 'सभान्ना नदी री-प्रोसेसिंग शक्तिकेन्द्र' में आठ घनमीटर शीतल सृजनकारी जल का बाहरी प्रकाश हुआ।

(63) **05.12** : अमेरिकी विमान-वाहक टाइकन् देरोगा, उत्तर वियतनाम के युद्ध-मिशन से जब जापान लौट आया, एक ए-8 ई 'स्काइ हॉक-स्ट्राइक विमान' - टाइकन देरोगा का एक एलिवेटर अचानक लुढ़ककर, जापान के रिउक्यू द्वीपसमूह से कई एक मील दूर, प्रशान्त महासागर के जल में विलीन हो गया। इस दुर्घटना में अस्त्र, विमान और विमान-चालक गुम हो गए। सन् अस्सी के दशक के मध्य में, इस दुर्घटना के सटीक तथ्य प्रकाशित होने के बाद, जापान और अमेरिका के रिश्ते में तिक्तता आ गयी, क्योंकि जापान के कानून मुताबिक, जापान की धरती और आकाश में परमाणु-अस्त्रवहन निषिद्ध था। सन् साठ के दशक के मध्य में पेंटागन ने जनता को गलत-सलत समझाने की कोशिश जरूर की कि शायद विमान के भीतरी हिस्से में स्थित बी-43 हाइड्रोजन बम, प्रशान्त महासागर के मध्य गिरकर, समुद्र तले के विशाल लहरों में दबाव से फट गया हो।

1966

(64) **17.01** : स्पेन के आकाश में चार हाइड्रोजन बम वाही एक बी-52 अमेरिकी बम-वर्षक विमान से ईंधन भरने के प्रयास में के सी-135 टैंकर विमान से टकरा गया। बम-वर्षक विमान टूट गिरा और चार हाइड्रोजन बम में से दो बम, स्पेन के पालोमेयर्स पर गिरा और फट गया। तीसरा बम गिरने के बावजूद अक्षत रहा। चौथा बम समुद्र में जा गिरा। पालोमेयर्स से लगभग 1400 टन दूषित मिट्टी और उद्भिद, अमेरिका यथावत् सहेज रखने के इरादे से (!) अपने साथ ले गया। इस दुर्घटना का ध्वंसावशेष जल-स्थल को मिलाकर, लगभग 100 वर्ग मील तक का क्षेत्र प्रभावित हुआ था। के सी-135 विमान में 40,000 गैलन तेल जल गया और सात विमान कर्मियों की मृत्यु हुई।

3,000 नौ-अधिकारी, 33 नौका, असंख्य जहाज, विमान तथा लोगों को लेकर, इतिहास में अन्यतम सबसे वृहद खोजी दल, 80 दिन तक तलाश करता रहा और समुन्दर की सतह से बम भी बरामद कर लिया।

(65) **02.07** : दक्षिणी प्रशान्त महासागर में फ्रांस के परमाणु-बम का परीक्षण विस्फोट शुरू हुआ।

(66) **05.10** : डेट्रएट से 30 मील दूर दक्षिण में लगूना समुद्र तट पर, 5

अक्तूबर 66 में फेर्मी-ब्रीडर चुल्ली के दो ईंधन-नियन्त्रण रॉड की तापमात्रा बढ़ गयी। (580^0 एफ से बढ़कर 700^0 एफ), विकिरण की मात्रा में भी वृद्धि हुई। ईंधन-समेत कोर भी अंशतः गल गया।

चूंकि ब्रीडर रिएक्टर में समृद्ध यूरेनियम का घनत्व, साधारण रिएक्टर की तुलना में बहुत ज्यादा होता है, कोर का ईंधन गल जाने के फलस्वरूप गला हुआ पदार्थ, एक जगह जमा होकर संकट (Critical) पार कर सकता है। इसके परिणामस्वरूप अनियन्त्रित यूरेनियम विभाजन-प्रक्रिया शुरू हो जाती है। और प्रचुर ताप पैदा होता है। इससे बहुत बड़ा खतरा हो सकता है। यहां तक कि विस्फोट की भी संभावना पैदा हो जाती है।

इसलिए काफी वक्त लगाकर, विभिन्न भौतिक त्रुटि मिटाकर रिएक्टर को 200 मेगावाट शक्ति-स्तर तक लाकर, सन् 1970 के अक्तूबर महीने में दुबारा चालू किया गया। मरम्मत के काम में 13.2 करोड़ डॉलर ख़र्च हुए। लेकिन सन् 1972 के अगस्त महीने में चुल्ली के लाइसेंस का नवीकरण नहीं किया गया और इसे बंद करने की प्रक्रिया शुरू कर दी गयी।

1967

(67) 05.11 : इंग्लैंड में परमाणु-शक्ति चालित बैलिस्टिक मिसाइल सब-मेरीन —'HMS Rehulse', प्रक्षेपण के 30 मिनट बाद तक, ज़मीन पर चारों तरफ नाचता रहा।

(68) 07.11 : फ्रांस के ग्रेनोबल् परमाणु-शक्तिकेन्द्र से तेज-सक्रिय उपादान और विकिरण निकलने लगा।

1968

(69) 21.01 : न्यूयार्क से चार परमाणु-बम लेकर ग्रीनलैंड के थुले विमान-अड्डे जाने की राह में, एक बी-52 बम-वर्षक विमान के चालक की केबिन में आग लग गयी। थुले विमान-अड्डे से सात मील दूर, अवतरण के समय, धरती से टकराते ही विमान में विस्फोट हुआ और आग की भीषण लपटें उठने लगीं। चारों बम ध्वस्त हो गए। कम से कम एक बम, बाहरी आवरण के विस्फोटक आग में फट गए। नतीजा यह हुआ कि अवतरण के समय, विमान के यात्रा-पथ की दोनों तरफ 30 गज दूर तक प्लूटोनियम और अन्यान्य रेडियोधर्मी पदार्थ, सिगरेट की डिब्बी के आकार में टुकड़े-टुकड़े होकर बिखर गया। उस दुर्घटना में एक नाविक की मृत्यु हो गयी।

चूंकि ग्रीनलैंड, डेनमार्क की दखल में था और उस देश की जमीन और आसमान पर परमाणु-अस्त्र निषिद्ध था, इसलिए डेनमार्क के आदिवासियों ने इस घटना के विरोध में विशाल-विशाल जुलूस निकाले और डेनमार्क सरकार ने अमेरिकन के प्रति अपना कड़ा प्रतिवाद जाहिर किया। इसलिए अमेरिका के प्रतिरक्षा कार्यालय

के सचिव, रॉबर्ट मैक्नामारा उस देश से परमाणु बम वापस लौटा लाने का निर्देश देने को विवश हो गए।

(70) 12.02 : टोरेन्टो में परमाणु-बम समेत एक बी-52 विमान दुर्घटना ग्रस्त होकर टूट गिरा। **(कनाडा)**

(71) 18.05 : एक अमेरिकी उपग्रह-प्रक्षेपण के समय दुर्घटनाग्रस्त होकर, कैलिफोर्निया के समुद्र-तट के करीब टूट गिरा और उसकी रेडियोधर्मिता खत्म हो गयी।

(72) 21.05 : कुछेक अनजाने परमाणु-अस्त्र लेकर परमाणु-शक्ति-चालित अमेरिकी सबमेरीन 'यू एस एस स्कॉर्पियन' भूमध्यसागर में तीन महीनों तक नकली युद्ध की ट्रेनिंग खत्म करके, वर्जिनिया के नट्फक में लौट रहा था। एजोरस् से 400-500 मील, दक्षिणी-पश्चिमी समुद्र में, 10,000 फुट की गहराई में, किसी अज्ञात कारणवश, वह सबमेरीन डूब गया। इस दुर्घटना में 77 नाविकों की मौत हो गयी।

(73) 24.05 : सोवियत परमाणु-सबमेरीन-'के-27' में किसी घटनावश तेज-सक्रिय विकिरण निकलने लगी और उस वजह से 5 नाविकों की मौत हो गयी।

(74) 02.10 : 'लॅ' हेश रिप्रोसेसिंग शक्तिकेन्द्र' में छेद हो जाने की वजह से खतरा घिर आया।

<u>1969</u>

(75) 14.01 : परमाणु विमान-वाहक (Aircraft Carrier) 'यू एस एस इन्टरप्राइस' में आग लग गयी और विस्फोट हो गया। 28 विमान-कर्मचारियों की मौत हो गयी। **(यू एस ए)**

(76) 21.01 : स्विट्ज़रलैंड के लूसेंस बैडे में परीक्षाधीन परमाणु-रिएक्टर में मशीनी गड़बड़ी की वजह से तेज-सक्रिय (रेडियोधर्मी) पानी का बहिर्निर्गमन होने लगा।

(77) 11.05 : रॉकी फ्लैट परमाणु-अस्त्र क्षेत्र में आग लग जाने की वजह से प्लूटोनियम, स्वतःस्फूर्त तरीके से जल गया।

(78) 20.09 : सोवियत अंतरिक्षयान के असफल प्रक्षेपण से वायुमंडल में तेज-सक्रिय प्रदूषण फैल गया।

(79) 17.10 : 'सेंट लॉरेन्स द्यूयस याक्स परमाणु शक्ति-केन्द्र' में भयंकर उत्ताप निकलने लगा और इसमें परमाणु ईंधन जल गया।

<u>1945</u>

(80) 21.02 : परमाणु अस्त्रागार में कम से कम दो श्रमिकों को एक साथ काम करना होगा, इस कानून का उल्लंघन करते हुए भूतपूर्व पश्चिम जर्मनी का बोएटिन जोन नामक एक श्रमिक ने अस्त्रों के रखरखाव के समय, अचानक एक अमेरिकी पार्सिंग बैलिस्टिक मिसाइल विस्फोटक का अवरोधक बोल्ट और विस्फोट-सक्षम केबल हटा दिया। फलस्वरूप वायर-हेड जमीन पर गिरकर क्षतिग्रस्त हो गया।

सौभाग्य से कोई विस्फोट नहीं हुआ, लेकिन प्रक्षेपण स्थल (Launch Had) जनशून्य करके उस इलाके को सील कर दिया गया।

(81) 12.04 : अटलांटिक महासागर में सोवियत परमाणु-सबमेरीन डूब गया।

(82) 14.04 : 52 नाविकों समेत सोवियत परमाणु सबमेरीन भारत महासागर में डूब गया।

(83) 17.04 : दक्षिणी प्रशान्त महासागर में एक परमाणु परीक्षास्थल में एक फ्रांसासी जहाज दुर्घटनाग्रस्त हो गया, परिणामस्वरूप प्लूटोनियम समुद्र में बिखर गया।

(84) 28.05 : एक अमेरिकी परमाणु सबमेरीन 'डैनिएल बून' पानी में टकरा गया।

(85) 04.11 : समुन्दर में अमेरिकी परमाणु अस्त्रों (डेस्ट्रया का) के बीच विस्फोट हुआ और दो मल्लाहों की मौत हो गयी।

(86) 10.11 : स्कॉटलैंड के होली लक् सबमेरीन अड्डे में चंद परमाणु अस्त्र-सज्जित मिसाइलवाही अमेरिकी नौसेना के सबमेरीन का टेंडर 'यू एस एस कैनोपस' के पिछले हिस्से में आग लग गयी। उसके करीब ही अन्य दो अमेरिकी परमाणु-शक्ति चालित, बैलिस्टिक मिसाइलवाही सबमेरीन में भी लंगर बंधा हुआ था। उस अग्निकांड पर काबू पाने में चार घंटे से भी ज्यादा का वक्त लगा था।

(87) 24.02 : परमाणु शक्ति चालित सोवियत सबमेरीन में दुर्घटना हो गई और वह जहाज अपनी समूची शक्ति खो बैठा।

(88) 24.02 : यांत्रिक भूल के कारण इंडियन प्वाइंट में परमाणु-शक्ति-केन्द्र में तेज़-सक्रिय जल जम गया और उसे पम्प की मदद से बाहर निकालना पड़ा। **(यूक्रेन)**

(89) 16.02 : कोबाल्ट-60 नामक एक पूरा का पूरा जहाज उत्तरी सागर में खो गया।

(90) 20.04 : हजारों-हजार घन मीटर रेडियोधर्मी वर्ज्य पदार्थ का प्रवाह, हैलफोर्ड परमाणु अस्त्र के क्षेत्र से बाहर फैल गए।

(91) 24.09 : 7-11 अक्तूबर, 1957 में ब्रिटेन की प्लूटोनियम उत्पादक परमाणु रिएक्टर की दुर्घटना का इतिहास सबको ज्ञात है। इस दुर्घटना में निकली हुई विकिरण, हवा में मिलकर बाद में लिवरपूल इलाके में, दर्जनों-दर्जन लोगों में फैले कैंसर रोग का और उन लोगों की मृत्यु का कारण बनी। बाद में इस रिएक्टर का नामकरण हुआ—शोलाफील्ड रीप्रोसेसिंग शक्तिकेन्द्र! सन् 1973 की 24 सितम्बर को मशीनी गड़बड़ी के कारण, दुबारा जबर्दस्त दुर्घटना घटी। तेज़-सक्रिय प्रदूषण में 35 कर्मचारियों की मृत्यु हो गयी।

1974

(92) 07.01 : लेनिनग्राद परमाणु शक्ति केन्द्र में विस्फोट हुआ।

(93) 06.02 : लेनिनग्राद परमाणु शक्तिकेन्द्र में छेद हो गया और दुबारा विस्फोट हुआ। तेज-सक्रिय विकिरण बाहर निकल आई। इस दुर्घटना में तीन लोग मारे गए। (रूस)

(94) 14.02 : न्यूयार्क के प्लाट्सबर्ग में अमेरिकी विमान अड्डे की जमीन पर तेज दौड़ने के अभ्यास के शुरू में ही एक यू एस ए एफ बी-111 विमान का, नाक-बराबर-उतरने का गीयर टूट गया। विमान में आसमान से धरती पर हमला करनेवाले दो मिसाइल और दो परमाणु बम मौजूद थे। इस दुर्घटना में हथियारों को कोई नुकसान नहीं पहुंचा और उन्हें सुरक्षित ढंग से उस विमान से हटा लिया गया। (यूक्रेन)

(95) 03.05 : हैनकोर्ड परमाणु अस्त्र-क्षेत्र में छेद हो गया और खतरा पैदा हो गया।

(96) 20.05 : भारत ने पहली बार परमाणु विस्फोट किया।

(97) 20.08 : पता चला है कि बेजनाउ परमाणु शक्ति केन्द्र में एक दुर्घटना हो गयी। (स्विट्जरलैंड)

(98) 27.09 : कृष्ण सागर में सोवियत परमाणु-अस्त्र-क्षमता सम्पन्न ध्वंसास्त्र (destoryer) डूब गया।

(99) 13.11 : ट्रेड-यूनियन के एक अधिकारी और पत्रकार को एक महत्त्वपूर्ण कागज-पत्र देने जाते हुए, अमेरिकी शक्तिकेन्द्र के एक सक्रिय कर्मचारी, कैरेन सिल्कवुड की रहस्यजनक तरीके से मृत्यु हो गयी। इस मृत्यु को लेकर, अमेरिका और दुनिया की अन्यान्य जगहों में हलचल मच गयी। (यूक्रेन)

1975

(100) 05.01 : निहामा परमाणु शक्तिकेन्द्र से रेडियोधर्मी विकिरण हवा में बिखर गया। (जापान)

(101) 22.03 : ब्राउस फेरी परमाणु-शक्तिकेन्द्र के रिएक्टर में आग लग गयी।

(102) 23.10 : नेवेदा के भूगर्भ में परमाणु परीक्षण की तैयारी के समय, परमाणु अस्त्र के कोर की एक पेटी, खाई में 40 फुट नीचे गिर पड़ी। वायरहेड की शक्ति थी 20 किलो टन से कम थी। लेकिन यहां कोई विस्फोट नहीं हुआ। हालांकि उन अस्त्रों से रेडियोधर्मी पदार्थ भी नहीं निकले थे। लेकिन नेवेदा जाँच-स्थल के 11 कर्मचारी घायल हो गए।

(103) 22.11 : रात के समय इटली के सिसिली से 70 मील पूर्व, फौजी अभ्यास के दौरान अमेरिकी विमान-कर्मचारी, 'यू एस एस जॉन एफ केनेडी'

जंगी-जहाज, 'यू एस एस बेल्कनैपे' के साथ टकरा गया। बेल्कनैपे का बाहरी ढाँचा, केनेडी के झूलते हुए फ्लाइट-डेक के नीचे जा घुसा। नतीजा यह हुआ कि उस विमान-चालन कर्मचारी की ईंधन लाइन टूट गयी और गैमोलिन बेल्कनैपे डेक पर बिखर गयी तथा उत्तप्त हो गठी। दो घंटे से अधिक समय तक जलती रही।

ग्रीनपीस के कागजात से यह स्पष्ट है कि सर्वाधिक परिचित और प्रामाणिक परमाणु अस्त्र दुर्घटनाओं में यह दुर्घटना अन्यतम है। पेंटागन और अमेरिकी नौवाहिनी ने कभी भी बेल्कनैपे और केनेडी में परमाणु अस्त्रों की उपस्थिति खुली तौर पर कबूल नहीं की वैसे एक रिटायर्ड एड्मिरल, जो दुर्घटना के समय बेल्कनैपे में ही मौजूद थे, इस घटना की सच्चाई स्वीकार की।

इस दुर्घटना के समय, जो तमाम जहाज बेल्कनैपे की मदद के लिए दौड़ पड़े थे, उनमें एक था, परमाणु अस्त्र-क्षमता-सम्पन्न छोटा जंगी जहाज–'यू एस एस बोर्डेलन' इस घटना के लगभग साल भर बाद स्कॉटलैंड से 75 मील उत्तर में, इस जंगी जहाज का 'यू एस एस जॉन एफ केनेडी' से टक्कर हो गयी। परिणामस्वरूप इस के ऐंटी सबमेरीन रॉकेट का आधार–जहां शायद परमाणु अस्त्र मौजूद रहा हो–इस टक्कर के दबाव में लगभग पूरी तरह ध्वंस हो गया था।

(104) 30.11 : लेनिनग्राद में परमाणु शक्तिकेन्द्र में एक दुर्घटना की वजह से 15 लाख कूरी* विकिरण, हवा में फैल गई। **(रूस)**

(105) 07.12 : पूर्व-जर्मनी के बल्टिक सागर-तट पर, लुबमिन परमाणु-शक्ति क्षेत्र में इलेक्ट्रिशियन की भूल से शॉर्ट-सर्किट होने की वजह से आग लग गयी। समाचार-पत्रों की रिपोर्ट के मुताबिक रिएक्टर का कोर, प्रायः पूरी-पूरी तरह गल गया।

<u>1976</u>

(106) 05.01 : बहुनिस परमाणु-शक्तिकेन्द्र से तेज-सक्रिय कार्बन-डायऑक्साइड निकलने लगा। दो कर्मचारियों की मृत्यु हो गयी।

(स्लोवाकिया)

(107) 21.02 : बहुनिस परमाणु शक्तिकेन्द्र में दुर्घटना हुई।

(स्लोवाकिया)

(108) 16.04 : अमेरिकी जंगी-जहाज, 'यू एस एस ऐल्बनी' में परमाणु-अस्त्र को लेकर एक दुर्घटना हो गयी। जिसे नाम दिया गया–Dull Sword! इस घटना में धरती से धरती पर मार करनेवाला परमाणु-मिसाइल का वायर-हेड क्षतिग्रस्त हो गया।

---

* मदाम कूरी के नाम पर यह रेडियोधर्मी पदार्थ की सक्रियता का एक विशेष माप है। एक कूरी का अर्थ है–वह रेडियोधर्मी परिमाण पदार्थ के बराबर है, जिसमें प्रति सेकंड 3.7×1010 परमाणु-विभाजन होता है।

1977

(109) 04.05 : कोजलोडुइ परमाणु-शक्तिकेन्द्र भूकम्प में विध्वस्त हो गया। (बुलगेरिया)

(110) 20.03 : रैंचो सेको परमाणु शक्तिकेन्द्र में ताप मात्रा बढ़ गयी और खतरे की स्थिति पैदा हो गयी। (यू एस ए)

(111) 20.09 : अमेरिकी परमाणु सबमेरीन 'रे' (Ray) समुद्र तल से जा टकराया और इसमें तीन नाविक आहत हुए।

(112) 13.10 : हंटरस्टन परमाणु शक्तिकेन्द्र को शीतल रखने वाले सर्किट में समुद्र का पानी घुस आया। (यू के)

(113) 28.11 : भूतपूर्व पश्चिम जर्मनी में एक सी एच-47 जंगी विमान सैनिक अभ्यास के समय उड़ान भरने के दौरान ही दुर्घटनाग्रस्त हो गया और टूटकर जमीन पर आ गिरा। उस विमान में परमाणु वायर-हेड मौजूद था। इसके हैलीकॉप्टर में आग लग गयी। और इंजन की शक्ति खत्म हो गयी। वैसे जल्दी ही उसे बुझा भी दिया गया। और परमाणु अस्त्र भी सुरक्षित स्थान पर ले जाया गया।

1978

(114) 23.01 : कोलोराडो परमाणु-चुल्ली से रेडियोधर्मी हिलियम निकलने लगा। खतरे की स्थिति पैदा हो गई।

(115) 24.01 : परमाणु शक्ति-चालित सोवियत उपग्रह कॉसमॉस-954 कनाडा में टूट गिरा।

(116) 18.06 : ब्रुन्सबुवेल परमाणु शक्तिकेन्द्र में दुर्घटना घटी और दो टन रेडियोधर्मी भाप बाहरी हवा में फैल गए। (जर्मनी)

(117) 31.12 : बेलोयरस्क परमाणु शक्तिकेन्द्र में नियन्त्रण-व्यवस्था में गड़बड़ी आ गयी और उसमें आग लग गयी। 8 कर्मचारी निकलती हुई विकिरण में जल गए। (रूस)

1979

(118) 29.03 : अमेरिका के पेन्सिलवैनिया के हैरिसबर्ग के करीब थ्री-माइल आइलैंड परमाणु शक्तिकेन्द्र में उस देश की सबसे भयावह परमाणु दुर्घटना हुई। सुस्कुएहान्ना नदी पर आइलैंड का पहला परमाणु रिएक्टर (टी एम आई-वन) नए सिरे से ईंधन पूर्ति के इरादे से बंद कर दिया गया। इसीलिए दूसरा रिएक्टर पूरी शक्ति से चालू था। लेकिन इसकी शीतलीकरण व्यवस्था में भूल थी। इसलिए रिएक्टर के कोर का तापमान बढ़ गया। और कोर अंशतः पिघल गया। नतीजा यह हुआ कि शुरू में शक्तिकेन्द्र में रेडियोधर्मी जल और तेज-सक्रिय पदार्थ निकलने लगा। बाद में यह रेडियोधर्मी गैस बाहरी हवा में आ मिली। इससे इतना खतरा पैदा

हो गया कि अधिकारी शक्तिकेन्द्र के बाहर, आधिवासियों की सुरक्षा के लिए इसे अन्यत्र ले जाने को लाचार हो गए। अस्तु, इस दुर्घटना में कोई मौत नहीं हुई।

इस दुर्घटना के फलस्वरूप अमेरिका के परमाणु-शक्ति-शिल्प की सुरक्षा के और कड़े इन्तजाम किये गए।

(119) 02.04 : तोकाइमूरा परमाणु क्षेत्र में दो कर्मचारी रेडियोधर्मी प्रदूषण के शिकार हो गए और बीमार पड़ गए। **(जापान)**

(120) 13.04 : बेयरसबेक परमाणु-शक्तिकेन्द्र में बिजली-उत्पादन यंत्र में (generator) आग लग गयी। **(स्वीडन)**

(121) 02.05 : विस्टर क्रीक परमाणु-शक्तिकेन्द्र में तकनीकी नाकामी की वजह से खतरा पैदा हो गया। इमरर्जेन्सी के तौर पर परमाणु रिएक्टर बंद कर देना पड़ा। **(यू एस ए)**

1980

(122) 21.08 : एक सोवियत परमाणु सबमेरीन दुर्घटनाग्रस्त हो गयी।

(123) 15.09 : उत्तर डकोटा के ग्रैंड फरक्स विमानअड्डे में परमाणु-अस्त्र सज्जित ए जी एम-69, कम-दूरी का आक्रमणकारी मिसाइल के साथ एक बी-52 एच विमान में, ग्राउंड पर सतर्क अभ्यास के समय आग लग गयी। ईंधन-टैंक में छेद हो जाने की वजह से, उसमें से प्रवाहित तेल खत्म न होने तक तीन घंटे से ज्यादा, लगातार जलता रहा। सौभाग्यवश एक प्रबल विपरीत मुखी हवा और अग्निशामक यंत्रों के सहारे, सभी मिसाइलों को, आग की लपटों से दूर रखना संभव हो गया। वर्ना परमाणु अस्त्र के भंडार समेत पूरा विमान जलकर राख हो जाता।

(124) 19.09 : आरकनसस के दमास्कस में टाइटन-2 अन्तर्महादेशीय मिसाइल के ऊपर, जब हवाई फौज का एक मिस्त्री मरम्मत कर रहा था, असावधानीवश उसके हाथ से एक भारी रेंच सॉकेट गिर पड़ा और इससे उच्च दबावयुक्त ईंधन टैंक में छेद हो गया। इसके साढ़े आठ घंटे बाद उस ईंधन में आग लग गयी और विशाल विस्फोट हुआ। इसमें एक जन की मौत हो गयी और इक्कीस लोग घायल हो गए। अन्तर्महादेशीय मिसाइल के ईंधन-भाप ने मिसाइल के गड्ढे में विस्फोट करते समय गड्ढे के बेहद शक्तिशाली और कंकरीट तथा इस्पात से निर्मित, 740 टन वजन के ढक्कन को भी उड़ा दिया और मिसाइल के वायरहेड को गुलेल मारने की तरह 600 फुट दूर उछाल दिया। बहरहाल, री-एंट्री व्हेकल में जो परमाणु वायरहेड लगा हुआ था, उसे अक्षत हाल में बरामद कर लिया गया। **(यू. एस ए)**

(125) 22.09 : लॅ-हेग रीप्रोसेसिंग शक्तिकेन्द्र का पम्प फेल हो जाने की वजह से अचानक रेडियोधर्मी जल बह निकला।

(126) 19.11 : अमेरिका में एक स्थान पर फौजी ड्रिल के अभ्यास के दौरान

एक परमाणु मिसाइल प्रायः छोड़ा जा चुका था। मुसीबत से बाल-बाल बचाव हो सका।

(127) 19.12 : अमेरिका में प्लूटोनियम परिवहन के समय दुर्घटना हो गयी।

1981

(128) 06.01 : लॅ-हेगू रीप्रोसेसिंग शक्तिकेन्द्र में एक दुर्घटना हो गयी। **(फ्रांस)**

(129) 11.02 : इंग्लैंड के टेनेसी में 'टेनेसी वैली ऑथरिटीज सिकोया-1' प्लांट में दुर्घटना हो गयी और रिएक्टर से 1 लाख गैलन रेडियोधर्मी शीतलकारी जल रिएक्टर की बिल्डिंग में घुस आया। इस वजह से आठ कर्मचारी रेडियोधर्मी प्रदूषण के शिकार हो गए।

(130) 23.02 : जर्मनी में एक पार्सिंग-2 मिसाइल दुर्घटनाग्रस्त हो गया और उसमें विस्फोट हुआ।

(131) 12.03 : प्राकृतिक आपदा, भयंकर बवंडर, मारुरोया से परमाणु-वर्जना उड़ा ले गया और उसने प्रशान्त महासागर के लागून में बिखेर दिया।

(132) 09.04 : परमाणु शक्ति-चालित बैलिस्टिक मिसाइल सबमेरीन, 'यू एस एस जॉर्ज वांशिगटन' पूर्वी चीन सागर में एक जापानी मालवाही जहाज से टकरा गया। इस वजह से सबमेरीन के पाल को हल्का-सा नुकसान हुआ और वह मालवाही जहाज डूब गया। चूंकि उस सबमेरीन में समुद्र से छोड़े जाने वाले बैलिस्टिक मिसाइल पर 160 परमाणु वायरहेड फिट थे। इसलिए भयंकर दुर्घटना भी हो सकती भी।

(133) 25.04 : जापान के सुरुगा में, जब परमाणु-शक्तिकेन्द्र में मरम्मत का काम चल रहा था तब एक अधिकारी के बयान मुताबिक प्रायः 45 कर्मचारी रेडियोधर्मी विकिरण के शिकार हो गए।

(134) 03.07 : नॉर्थ अन्ना परमाणु-शक्तिकेन्द्र में आग लग गयी। **(यू एस ए)**

(135) 04.10 : शोलाफील्ड री-प्रोसेसिंग शक्तिकेन्द्र से एक बार फिर स्वाभाविक मात्रा से अपेक्षाकृत 300 गुने ज्यादा परिमाण में आयोडीन-131, हवा में फैल गयी। **(यू के)**

1982

(136) 25.01 : आर ई गिन्ना परमाणु शक्तिकेन्द्र में वाष्प-उत्पादक यंत्र फट गया । **(यू एस ए)**

(137) 01.02 : सालेम परमाणु शक्तिकेन्द्र से 100 घन मीटर रेडियोधर्मी जल निकलने लगा। **(यू एस ए)**

(138) 02.11 : परमाणु मिसाइल परिवहन के समय वाहक-गाड़ी धक्का खाकर टूट गयी और इसमें एक जन की मृत्यु हो गयी और दो जन आहत हुए। (जर्मनी)

(139) 29.11 : एक अमेरिकी परमाणु-सबमेरीन के साथ अन्य एक अमेरिकी ध्वंसक-विमान (destroyer) की टक्कर हो गयी।

<u>1983</u>

(140) 25.02 : सालेम परमाणु-शक्तिकेन्द्र का ऑटोमेटिक यंत्र बंद कर देने का इन्तजाम भी असफल हो गया। (यू एस ए)

(141) 27.02 : परमाणु शक्ति-चालित अमेरिकी उपग्रह भारत महासागर में गिर पड़ा।

(142) 15.04 : टर्की प्वाइंट परमाणु शक्तिकेन्द्र में एक दुर्घटना हो गयी। (यू एस ए)

(143) 22.04 : कुरस्क परमाणु शक्तिकेन्द्र में ईंधन-रॉड काम नहीं कर रहा था, इसलिए परमाणु-रिएक्टर बंद कर दिया गया।

(144) 30.06 : एम्बैल्स में परमाणु शक्तिकेन्द्र की भट्ठी का शीतलीकरण जल, पूरी-पूरी तरह बाहर निकल गया। (अर्जेन्टाइना)

(145) 01.07 : फिलिप्स वर्ग परमाणु शक्तिकेन्द्र की तकनीकी व्यर्थता के कारण आयोडीन-131, बाहर हवा में फैल गयी। (जर्मनी)

(146) 01.08 : अर्जेन्टाइना में एक रिसर्च में परमाणु-चुल्ली से एक इंजीनियर, भयंकर रूप से घायल हो गया क्योंकि उसने विकिरण की मात्रा निगल थी।

(147) 03.08 : दो दिनों पहले भट्ठी से विकिरण का डोज लेने वाला अर्जेन्टाइना का इंजीनियर मौत की नींद सो गया।

(148) 01.10 : तकनीकी असफलता और मानवकृत भूल—दोनों वजह से ब्लेयस परमाणु शक्तिकेन्द्र में दुर्घटना हो गयी। (फ्रांस)

(149) 16.11 : शोलफील्ड री-प्रोसेसिंग शक्तिकेन्द्र एक बार फिर सीधे-सीधे सागर में रेडियोधर्मी पदार्थ फेंका।

<u>1984</u>

(150) 17.02 : कोज़् लोडुई परमाणु शक्तिकेन्द्र में दुर्घटना घट गयी। (बुल्गेरिया)

(151) 12.03 : विमान के परिचालन कर्मियों के 'यू एस एस किट्टी हॉक' से जापान के समुद्र में विक्टर श्रेणी के परमाणु शक्ति-चालित सोवियत सबमेरीन की टक्कर हो गयी। टक्कर के समय 'यू एस एस किट्टी हॉक' में कई दर्जन

परमाणु-अस्त्र मौजूद थे। सोवियत सबमेरीन दो परमाणु टॉर्पेडो वहन करके ले जा रहा था।

(152) 17.03 : सन ओनोफेट में परमाणु शक्तिकेन्द्र की जरूरी ठंडी-सृष्टिकारी व्यवस्था फेल हो गयी। **(यू एस ए)**

(153) 21.03 : एक सोवियत परमाणु-सबमेरीन और अमेरिकी विमान-परिचालन-कर्मी 'किट्टी हॉक' में टक्कर हो गयी।

(154) 19.04 : सिकोया परमाणु शक्तिकेन्द्र में तकनीकी असफलता की वजह से भट्ठी ठंडा करने का जल उफनकर बाहर निकल आया। **(यू एस ए)**

(155) 12.05 : बहुनिस परमाणु शक्तिकेन्द्र में अनियन्त्रित शक्ति उत्ताल रूप में बढ़ती-घटती रही।

(156) 17.05 : अमेरिकी परमाणु-सबमेरीन 'गुइटररी' में आग लग गयी।

(157) 25.08 : 375 टन यूरेनियम हेक्साफ्लूओराइड लेकर जाता हुआ एक फ्रैंच मालवाही जहाज इंग्लिश चैनल में डूब गया।

(158) 19.09 : एक सोवियत सबमेरीन पानी में टकराकर डूब गया।

(159) 07.10 : पाक्स परमाणु शक्तिकेन्द्र को जरूरी तौर पर बंद कर देना पड़ा। **(हंगरी)**

(160) 18.12 : कालिनिन परमाणु शक्तिकेन्द्र में आग लग गयी। **(रूस)**

<u>1985</u>

(161) 11.01 : हेयिलब्लथ में एक पार्शिंग-2 परमाणु मिसाइल में आग लग गयी। तीन लोगों की मौत हुई। **(जर्मनी)**

(162) 06.03 : ग्रनूहद में परमाणु शक्तिकेन्द्र जरूरी शीतलकारी व्यवस्था फेल हो गयी। **(जर्मनी)**

(163) 09.06 : डेविस ब्लेस परमाणु शक्तिकेन्द्र के शीतल-सृष्टिकारी व्यवस्था में गड़बड़ी नजर आयी। **(यू एस ए)**

(164) 10.06 : एक ब्रिटिश परमाणु-सबमेरीन, अमेरिका के फ्लोरिडा के उपकूल के उपकंठ में टक्कर हो गयी।

(165) 20.06 : स्कॉटलैंड में परमाणु बमवाही दो ट्रकर के बीच में टक्कर हो गयी।

(166) 27.06 : बालकोवा परमाणु शक्तिकेन्द्र में विस्फोट हुआ और भाप बाहर निकलने लगा। 14 कर्मियों की जान गयी। **(रूस)**

(167) 10.08 : एक सोवियत परमाणु-सबमेरीन में विस्फोट हुआ।

(168) 30.08 : कार्लसू में रेडियोधर्मी पदार्थ के पीपे में आग लग गयी।

(जर्मनी)

(169) 31.08 : रुटीन मुताबिक फूकूशिमा परमाणु-शक्तिकेन्द्र बंद करते हुए आग लग गयी। (जापान)

(170) 08.10 : हिंकले प्वाइंट परमाणु शक्ति स्टेशन की दुर्घटना में रेडियोधर्मी विकिरण समुद्र के हवाले कर दी गयी। (यू के)

1986

(171) 05.02 : दुर्घटना में कुख्यात सेलाफील्ड री-प्रोसेसिंग शक्तिकेन्द्र में इस बार 'Amber Alert' एंबर अलर्ट दिया गया। जिसका अर्थ था कि जब शक्तिकेन्द्र के बाकी अंशों में विपत्ति और दुर्घटना की गहरी आशंका भी हो। तो भी केन्द्र की रक्षा के लिए कुल एक्मात्र बिल्डिंग में ही जरूरी स्तर पर काम करना होगा। (यू के)

(172) 11.02 : ट्रांसफिनिड, परमाणु-शक्तिकेन्द्र से 13 टन तेज-सक्रिय कार्बन-डाइऑक्साइड निकलने लगा।

(यू के)

(173) 19.02 : सेलाफील्ड री-प्रोसेसिंग शक्तिकेन्द्र में एक बार फिर तीन कर्मी विकिरण प्रदूषण के शिकार हो गए।

(174) 13.03 : एक अमेरिकी परमाणु-सबमेरीन धरती पर दौड़ता फिरा।

(175) 26.04 : चर्नोबिल परमाणु-शक्तिकेन्द्र में एक परीक्षण के अन्त में चार भट्ठियों में से आखिरी भट्ठी में (4 नम्बर) विस्फोट हुआ। और शक्तिकेन्द्र में आग लग गयी। परमाणु शक्ति केन्द्र के इतिहास में यह चरम क्षतिकर गैर-फौजी दुर्घटना थी। परमाणु-केन्द्र में लगातार नौ दिनों तक आग की लपटें उठती रहीं। हिरोशिमा नागासाकी पर जब अमेरिका ने परमाणु-बम बरसाया था और उस वजह से प्रकृति और लोगों पर जितना असर हुआ था, उससे कम से कम 100 गुने ज्यादा रेडियोधर्मी विकिरण, चर्नोबिल दुर्घटना में हवा में बिखर गया था। यह विकिरण यूरोप के अधिकांश भागों में, हवा के साथ प्रवाहित हो गयी। उत्तरी गोलार्ध के प्रायः हर देश ही रेडियोधर्मी विकिरण से प्रभावित हुए थे। विस्फोट होते ही दो लोगों की मौत हो गयी। इसके फौरन बाद ही विकिरण-सम्बन्धी बीमारी से 47 लोगों की मौत हो गयी। चर्नोबिल की चारों तरफ बसे लाखों-लाखों लोगों को सुरक्षित स्थानों में हटा ले जाना पड़ा। अनुमान है कि लाखों-लाखों लोग आज भी विकिरण के शिकार होकर, इसका कुप्रभाव झेल रहे हैं। यह भी आशंका की जाती है कि हजार-हजार लोगों के कैंसर रोग के शिकार होने और दम तोड़ने की वजह, यही दुर्घटना है। चर्नोबिल के वर्तमान प्रस्तर-शवाधार पर, सन् 2008 में, किसी समय न्यू सेफ क्नफाइनमेंट नामक, एक विशाल आच्छादान से ढंकने की बातचीत जारी है।

1987

(176) 10.01 : इंग्लैंड में परमाणु-अस्त्र परिवहन के समय दुर्घटना हुई ।

(177) 18.03 : ऑस्ट्रेलिया में रिसर्च-कार्यों में नियुक्त एक परमाणु भट्ठी में आग लग गयी और हवा में रेडियोधर्मी विकिरण निर्गत होने लगा।

(178) 05.05 : हेइलब्रोन में परिवहन दुर्घटना के फलस्वरूप एक परमाणु पार्शिंग मिसाइल खड्डे में गिर पड़ा।

(179) 02.08 : सोवियत परमाणु परीक्षण के फलस्वरूप विकिरण का स्तर काफी ऊपर उठ गया।

(180) 13.09 : ब्रेजिल में परित्यक्त परमाणु-मेडिकल यंत्र-सरंजाम इस्तेमाल करने की वजह से 249 लोग विकिरण दूषण से आक्रान्त हुए, अंत में 4 लोगों की मृत्यु हो गयी।

(181) 17.12 : बिब्लिस परमाणु शक्तिकेन्द्र में भयंकर हादसा हो गया। **(जर्मनी)**

(182) 22.12 : अटूचा परमाणु-शक्तिकेन्द्र में जो दुर्घटना हुई, उसमें 50 टन पानी बाहर निकल आया।

1988

(183) 26.01 : एक ब्रिटिश सबमेरीन में रखी हुई परमाणु भट्ठी का तापमान इमरजेंसी के हद तक बढ़ गया।

(184) 18.02 : सोवियत बर्फ-कटर यंत्र 'रोमियर' और परमाणु भट्ठी में कोर पिघल जाने की रिपोर्ट भी मिली है।

(185) 26.02 : बहुनिस परमाणु शक्तिकेन्द्र में एक बार फिर रेडियोधर्मिता का स्तर बढ़ गया। **(स्लोवाकिया)**

(186) 28.04 : रूइये के ले चैटेल फौजी परमाणु क्षेत्र से 5000 कूरी रेडियोधर्मी ट्रिटियम गैस बाहर निकल आयी। **(फ्रांस)**

(187) 16.06 : जोरिटा परमाणु शक्ति केन्द्र में तकनीकी व्यर्थता की वजह से खतरा पैदा हो गया। **(स्पेन)**

(188) 11.08 : अचूटा परमाणु शक्तिकेन्द्र में आग लग गयी। **(अर्जेन्टाइना)**

(189) 04.09 : पेरी परमाणु शक्तिकेन्द्र में आ लग गयी। **(यू एस ए)**

(190) 05.09 : इग्नालिया परमाणु शक्तिकेन्द्र में आग लग गयी। **(लिथुआनिया)**

(191) 17.09 : परमाणु-अस्त्रवाही फौजी पोत में दुर्घटना हुई और एक

व्यक्ति की मृत्यु हो गयी। (यू के)

(192) 18.09 : स्टैड में परमाणु शक्तिकेन्द्र में तकनीकी असफलता से खतरा गहरा उठा। (जर्मनी)

(193) 15.10 : फ्रेंच कर्मियों ने हवा में 7000 कूरी रेडियोधर्मी विकिरण छोड़ा और उसके नतीजों का परीक्षण किया।

(194) 13.03 : सोवियत परमाणुशक्ति चालित बर्फ-कटर यंत्र, 'लेनिन' द्वारा नये सिरे से ईंधन भरते हुए, दुर्घटना हो गयी।

(195) 03.12 : बर्घफील्ड परमाणु-परियोजना में विस्फोट हुआ। (यू के)

(196) 13.12 : ब्रोकदर्भ परमाणु शक्तिकेन्द्र की आठ आपातूकालीन व्यवस्था में से चार बेकाम हो गया।

(197) 23.12 : ब्लोइस परमाणु-शक्ति केन्द्र में दो कंट्रोल रॉड एक साथ फंस गया। (फ्रांस)

(198) 30.12 : ....

1989

(199) 18.01 : सभान्ना नदी रीप्रोसेसिंग शक्तिकेन्द्र में आठ कर्मचारी रेडियोधर्मी विकिरण के शिकार हो गए। (यू एस ए)

(200) 15.03 : पिकेरिंग परमाणु-शक्तिकेन्द्र में ईंधन रॉड में तकनीकी असफलता ने खतरा पैदा कर दिया। (कनाडा)

(201) 01.04 : ग्रैवेलाइन्स परमाणु-शक्तिकेन्द्र में कंट्रोल रॉड ने काम करना बंद कर दिया, अस्तु जानलेवा रेडियो धर्मी विकिरण की खतरे की आशंका जाग उठी। (फ्रांस)

(202) 08.04 : सोवियत परमाणु-सबमेरीन 'कोम्सोमोलेट्स' नॉर्वे के समुद्री उपकंठ में डूब गया।

(203) 06.05 : बहुनिस् परमाणु शक्तिकेन्द्र में एक बार फिर पम्प मशीन में आग लग गयी। (स्लोवाकिया)

(204) 04.06 : बहुनिस् परमाणु-शक्तिकेन्द्र के शीतलीकरण व्यवस्था के पम्प के केबल में आग लग गयी। (स्लोवाकिया)

(205) 11.06 : निःशेष ईंधन का हिस्सा स्टोरेज सरोवर में फेंक दिए जाने की वजह से क्रयेस्मेल परमाणु शक्तिकेन्द्र क्षतिग्रस्त हो गया। (जर्मनी)

(206) 26.06 : आग लग जाने की वजह से एक सोवियत सबमेरीन की परमाणु भट्ठी क्षतिग्रस्त हो गयी।

(207) 24.07 : आइजर परमाणु-शक्तिकेंन्द्र में ईंधन भरते समय दुर्घटना हो गयी। (जर्मनी)

(208) 14.08 : ग्रैंड गॉल्फ परमाणु-शक्तिकेन्द्र में यंत्र और कंट्रोल व्यवस्था नाकाम हो गयी। **(यू एस ए)**

(209) 26.08 : इग्नोलिया परमाणु शक्तिकेन्द्र, तकनीक सम्बन्धी असफलता झेलता रहा। **(लिथुआनिया)**

(210) 09.09 : डल्किलूयोटो परमाणु-शक्तिकेन्द्र में कंट्रोल रॉड का काम हो गया। **(फिनलैंड)**

(211) 21.09 : डब्लू एन पी परमाणु-शक्तिकेन्द्र में मुसीबत की आशंका में कर्मचारियों ने इसे बंद कर दिया। **(यू एस ए)**

(212) 23.10 : ड्रेसडेन परमाणु शक्तिकेन्द्र में कोर की शीतलीकरण व्यवस्था का काम बंद कर दिया गया। **(यू एस ए)**

(213) 14.11 : ओसोनी परमाणु शक्तिकेन्द्र के ईंधन रॉड की नियन्त्रण व्यवस्था टूट गई। **(यू एस ए)**

(214) 15.11 : अमेरिकी परमाणु सबमेरीन 'फिनमैन' के भीतरी हिस्से में आग लग गयी।

(215) 20.11 : कोज़ूलोडुई परमाणु शक्तिकेन्द्र में टरबाइन के ऊपरी हिस्से में आग लग गयी। **(बुलगेरिया)**

(216) 24.11 : ग्रेइफ्सवाल्ड परमाणु शक्तिकेन्द्र में तकनीकी व्यर्थता ने कोर को लगभग पिघला दिया।

1990

(217) 16.01 : ड्रेसडन परमाणु शक्तिकेन्द्र में एक बार फिर बाहरी विद्युत शक्ति में कमी हो गयी और यंत्र में बहुमुखी कमी और नाकामी की वजह से, मुसीबत की आशंका घिर आयी। **(यू एस ए)**

(218) 28.01 : ग्रावलाइन्स परमाणु शक्तिकेन्द्र बंद कर देने के समय पम्प नाकाम हो गया। **(फ्रांस)**

(219) 20.02 : प्वाइंट लेप्रिऊ में 8 कर्मचारी विकिरण के शिकार हो गए। **(कनाडा)**

(220) 25.04 : बहुनिस परमाणु शक्तिकेन्द्र में भट्ठी शीतलीकरण के पानी का स्तर बढ़ गया और इसकी बिल्डिंग जलमग्न हो गयी। **(स्लोवाकिया)**

(221) 26.05 : फेसेनहाइम परमाणु शक्तिकेन्द्र में ईंधन भरते समय 5 घन मीटर रेडियोएक्टिव. जल उफनकर बाहर आ गया। **(फ्रांस)**

(222) 27.08 : चेरनोबिल परमाणु शक्तिकेन्द्र के केबल में आग लग गयी और कंट्रोल रॉड पर नियंत्रण न रहा। **(यूक्रेन)**

(223) 16.09 : तकनीकी असफलता की वजह से सुपरफेनिक्स फास्ट-ब्रीडर

परमाणु भट्ठी बंद कर दी गयी। **(फ्रांस)**

(224) 28.09 : बहुनिस परमाणु शक्तिकेन्द्र में एक बार फिर परमाणु-चुल्ली नियंत्रण और रक्षण-व्यवस्था की सप्लाई केबल, अतिरिक्त ताप सृष्टि करने लगा। **(स्लोवाकिया)**

(225) 30.09 : पैलिसेड्स परमाणु शक्तिकेन्द्र में कोर शीतलीकरण व्यवस्था नाकाम हो गयी। **(यूक्रेन)**

(226) 03.11 : डोएल परमाणु शक्तिकेन्द्र में कोर शीतलीकरण के यंत्र-सरंजाम नाकाम हो गए। **(बेल्जियम)**

(227) 04.12 : ब्लेथीआइस परमाणु शक्तिकेन्द्र की भट्ठी में ईंधन भरते समय, एक बार फिर दो कर्मी विवरण से दग्ध हो गए।

(228) 20.12 : नोवोवोरोनेझ परमाणु शक्तिकेन्द्र के कर्मचारियों ने अचानक आविष्कार किया कि नियंत्रण-व्यवस्था के यंत्र-सरंजाम क्षतिग्रस्त हालत में मिले। **(रूस)**

(229) 28.12 : लेनिनग्राद परमाणु शक्तिकेन्द्र से दुर्घटना में विकिरण भट्ठी से बाहर निकल आया। **(रूस)**

1991

(230) 08.02 : फूकी परमाणु शक्तिकेन्द्र से तेज-सक्रिय पदार्थों का प्रवाह निकल पड़ा। **(जापान)**

(231) 09.02 : मिहिमा परमाणु शक्तिकेन्द्र में वाष्प-उत्पादन का नल चूर-चूर हो गया और हवा में तेज-सक्रिय पदार्थ आ मिले। **(जापान)**

(232) 26.03 : वेर्गैसेन परमाणु शक्तिकेन्द्र में ईंधन भरते समय दुर्घटना हो गयी। **(जर्मनी)**

(233) 23.04 : 'वर्मेंट यास्की' सबमेरीन बाहरी सप्लाई शक्ति के अभाव में तकनीकी असफलता का शिकार हो गया। **(यू एस ए)**

(234) 01.06 : बेलेविले परमाणु शक्तिकेन्द्र में कोर शीतलीकरण व्यवस्था नाकाम हो गयी। **(फ्रांस)**

(235) 29.06 : यंत्र में निर्देशित और प्रकृत शक्ति के मध्य त्रुटि के कारण पार्थक्य आ गया और पिकेरिंग परमाणु शक्तिकेन्द्र में सीमित शक्ति उपलब्ध हुई। **(कनाडा)**

(236) 09.07 : वेरगैसेन परमाणु शक्तिकेन्द्र में शीतलीकरण व्यवस्था में त्रुटि नजर आयी।
(जर्मनी)

(237) 10.07 : बिलिबिनो परमाणु शक्तिकेन्द्र में छेद से होकर विकिरण

बाहर निकल आया। (रूस)

(238) 17.07 : सेन्दाइ परमाणु शक्तिकेन्द्र में नियंत्रण व्यवस्था टूट गयी। भट्ठी बंद कर देना पड़ी।

(239) 18.08 : पाक्स परमाणु शक्तिकेन्द्र के छेद से होकर भाप बाहर आने लगा। चुल्ली बंद कर देनी पड़ी। (हंगरी)

(240) 16.09 : माइलस्टोन प्वाइंट परमाणु शक्तिकेन्द्र की भट्ठी आपात् बंद करने के दौरान, कंट्रोल रॉड की क्रिया काफी धीमी नजर आयी। (यू एस ए)

(241) 18.08 : सेन्दाइ परमाणु शक्तिकेन्द्र में त्रुटि के कारण, एक बार फिर ऑटोमेटिक बंद हो गया।

(242) 06.09 : बार्सबेक परमाणु शक्तिकेन्द्र में ईंधन भरते समय किसी कारणवश वाष्प बाहर निकल आया। (स्वीडन)

(243) 18.09 : कोज़लोडुइ परमाणु शक्तिकेन्द्र में एक बार फिर छेद हो गया और रेडियोएक्टिव पदार्थ बाहर आने लगे। (बुलगेरिया)

(244) 09.10 : यूग्नो-यूक्लेनस्क्रोया परमाणु शक्तिकेन्द्र में तकनीकी त्रुटि नजर आयी। (यूक्रेन)

(245) 18.10 : जापेरोझे परमाणु शक्तिकेन्द्र में भी तकनीकी त्रुटि नजर आयी। (यूक्रेन)

(246) 19.10 : स्मोलेनस्क शक्तिकेन्द्र में बाहरी सप्लाई शक्ति में कमी नज़र आयी। (रूस)

(247) 21.10 : स्कॉटलैंड में 'स्केप्टर' परमाणु-सबमेरीन के भीतरी हिस्से में आग लग गयी।

(248) 25.10 : नोवोभोरोनेझ परमाणु शक्तिकेन्द्र में 'शट डाउन' व्यवस्था काम नहीं कर रही थी। (रूस)

(249) 27.10 : जापारोझे में परमाणु शक्तिकेन्द्र में ऑटोमेटिक बंद हो गया। (रूस)

(250) 29.10 : तकनीकी व्यर्थता के कारण कालीमिन परमाणु शक्तिकेंद्र ऑटोमेटिक बंद हो गया।

(251) 18.11 : बालाकोज में परमाणु शक्तिकेन्द्र की तकनीकी असफलता के कारण चुल्ली बंद हो गयी। (रूस)

(252) 23.11 : ओसोनी परमाणु शक्तिकेन्द्र में छेद हो गया और 1 लाख 90 हज़ार लीटर पानी बाहर निकल आया और चुल्ली बंद कर देना पड़ी। (यू एस ए)

(253) 25.11 : कुरस्क परमाणु शक्तिकेन्द्र में शीतलीकरण व्यवस्था नाकाम हो गयी। चुल्ली ऑटोमेटिक बंद हो गयी। (रूस)

(254) 27.11 : बिलिबिनो परमाणु शक्तिकेन्द्र में ऑटोमेटिक शटडाउन व्यवस्था में गड़बड़ी आ गयी। (रूस)

(255) 28.11 : नियंत्रण व्यवस्था की व्यर्थता के कारण कुरस्क परमाणु शक्तिकेन्द्र की चुल्ली बंद कर देना पड़ी। (रूस)

(256) 01.12 : बेलोयार्कस् परमाणु शन्तिकेन्द्र में तकनीकी व्यर्थता नजर आयीं। (रूस)

(257) 06.12 : ईंधन भरते समय चूंकि नियंत्रण व्यवस्था काम नहीं कर रही थी, इसलिए एक बार फिर स्मोलेनस्क परमाणु शक्तिकेन्द्र की चुल्ली बंद कर देना पड़ी। (रूस)

(258) 07.12 : कोला परमाणु शक्तिकेन्द्र में शीतलीकरण व्यवस्था नाकाम हो गयी। (रूस)

(259) 10.12 : चूंकि टर्बो-जेनरेटर काम नहीं कर रहा था, इसलिए बालाकोवा परमाणु शक्तिकेन्द्र बंद हो गया। (रूस)

(260) 11.12 : मानवीय त्रुटि के कारण कोला परमाणु शक्तिकेन्द्र की चुल्ली ऑटोमेटिक बंद हो गयी।

(261) 14.12 : तकनीकी त्रुटि के कारण बालाकोवा परमाणु शक्तिकेन्द्र का ऑटोमेटिक दुबारा बंद हो गया। (रूस)

(262) 15.12 : कालीनिन परमाणु शक्तिकेन्द्र में एक बार फिर तकनीकी व्यर्थता नजर आयी। (रूस)

(263) 21.12 : कोल्स्काया परमाणु शक्तिकेन्द्र से छेद से होकर विकिरण निकलने लगी। (रूस)

(264) 24.12 : कालीनिन परमाणु शक्तिकेन्द्र में एक बार फिर तकनीकी गड़बड़ी की वजह से चुल्ली बंद हो गयी। (रूस)

(265) 27.12 : बालाकोवा परमाणु शक्तिकेन्द्र का ऑटोमेटिक बंद हो गया। (रूस)

<u>1992</u>

(266) 01.01 : राजस्थान परमाणु शक्तिकेन्द्र से 4 टन भारी जल छलककर गिर गया। (भारत)

(267) 19.01 : कोला परमाणु शक्तिकेन्द्र में रेडियो किरणें छेद से होकर निकलती रहीं, चुल्ली बंद कर देना पड़ी। (रूस)

(268) 22.01 : बालाकोवा परमाणु शक्ति केन्द्र में शट डाउन व्यवस्था में तकनीकी त्रुटि और असफलता नजर आयी।

(269) 27.01 : डार्लिंगटन परमाणु शक्तिकेन्द्र में छेद से होकर रेडियो

एक्टिव पदार्थ निकलने की वजह से चुल्ली बंद कर देना पड़ी। **(कनाडा)**

(270) 03.02 : कोज़्लोडुइ परमाणु शक्तिकेन्द्र में शीतलीकरण भाप नाकाम हो गया। **(बुल्गेरिया)**

(271) 10.02 : जापोरोझे परमाणु शक्तिकेन्द्र में तकनीकी कारणों से वाष्प व्यवस्था ठहर गयी। **(यूक्रेन)**

(272) 28.02 : एम्बैलसे परमाणु-शक्तिकेन्द्र नियंत्रक कम्प्यूटर सॉफ्टवेयर काम नहीं कर रहा था। **(अर्जेन्टाइना)**

(273) 03.03 : नोभोभोरोनेझ परमाणु शक्तिकेन्द्र में तकनीकी व्यर्थता नजर आयी। **(रूस)**

(274) 09.03 : कोला परमाणु शक्तिकेन्द्र में आग लग गयी। **(रूस)**

(275) 24.03 : पिटर्सबर्ग के नजदीक सोसनेवी कोर स्टेशन में परमाणु-चुल्ली के चैनल में दबाव कम हो जाने की वजह से, रेडियोधर्मी आयोडीन, हवा में फैल गयी।

(276) 25.03 : तकनीकी व्यर्थता की वजह से लेनिनग्राद परमाणु शक्ति केन्द्र बंद कर देना पड़ा।

(277) 29.03 : इग्नालिया परमाणु शक्तिकेन्द्र में एक बार फिर शट डाउन व्यवस्था निष्क्रिय हो गयी। **(लिथुआनिया)**

(278) 31.03 : पम्प व्यवस्था निष्क्रिय हो जाने की वजह से एक बार फिर कलिनिन परमाणु शक्तिकेन्द्र का ऑटोमेटिक बंद हो गया। **(रूस)**

(279) 07.04 : नोभोभोरोनेझ परमाणु शक्तिकेन्द्र में ऑटोमेटिक शट डाउन व्यवस्था अचल हो गयी। **(रूस)**

(280) 16.04 : कोला परमाणु शक्तिकेन्द्र की चुल्ली की तकनीकी व्यर्थता नजर आयी। **(रूस)**

(281) 18.04 : ईंधन भरते समय एक बार फिर कोला परमाणु शक्तिकेन्द्र नाकाम हो गया। **(रूस)**

(282) 30.04 : नोभोभोरोनेझ परमाणु शक्ति की शीतलीकरण व्यवस्था दुबारा टूट गयी। **(रूस)**

(283) 01.05 : इग्नालिया परमाणु शक्तिकेन्द्र में दुबारा तकनीकी व्यर्थता नज़र आयी।

(284) 07.05 : स्मोलेन्स्क परमाणु शक्ति केन्द्र में आपात् व्यवस्था बेकाम हो गयी। **(रूस)**

(285) 09.05 : हच परमाणु शक्तिकेन्द्र की शीतलीकरण व्यवस्था में

तकनीकी खराबी नजर आयी। (यू एस ए)

(286) 13.05 : तारापुर परमाणु पावर स्टेशन की ट्यूब में छेद हो जाने के कारण 12 कूरी रेडियोधर्मी विकिरण हवा में फैल गयी। (भारत)

(287) 16.05 : कोला परमाणु शक्तिकेन्द्र में चुल्ली बंद हो गयी। (रूस)

(288) 02.06 : स्मोलेन्स्क परमाणु शक्तिकेन्द्र की केन्द्रीभूत नियंत्रण व्यवस्था पूरी तरह बेकाम हो गयी। (रूस)

(289) 08.06 : कोला परमाणु शक्तिकेन्द्र शीतलीकरण व्यवस्था एक बार फिर व्यर्थ हो गयी। (रूस)

(290) 15.06 : साइजवेल परमाणु शक्तिकेन्द्र तकनीकी असफलता का शिकार हो गया। (यू. के)

(291) 19.06 : लेनिनग्राद परमाणु शक्तिकेन्द्र में शीतलीकरण व्यवस्था में समुद्र का पानी परिवहन के लिए नियोजित पाइप में छेद हो गया। (रूस)

(292) 24.06 : लेनिनग्राद परमाणु शक्तिकेन्द्र की नियंत्रण-व्यवस्था में एक बार फिर तकनीकी व्यर्थता नजर आयी। (रूस)

(293) 14.07 : शीतलीकरण व्यवस्था की व्यर्थता के कारण, नोभोभोरोनेझ परमाणु शक्तिकेन्द्र की भट्ठी बंद कर देना पड़ी। (रूस)

(294) 20.07 : इग्नालिया परमाणु शक्तिकेन्द्र में शीलतीकरण व्यवस्था फेल हो गयी। इस वजह से रेडियोधर्मी विकिरण, छेद से बाहर निकल आया। (लिथुआनिया)

(295) 22.07 : दामूपियेर परमाणु शक्तिकेन्द्र में दो कर्मचारी रेडियोधर्मी विकिरण के शिकार हो गए। (फ्रांस)

(296) 26.07 : ग्रविलाइन्स परमाण शक्तिकेन्द्र के स्टोरेज सरोवर में तापमात्रा बढ़ गयी। (फ्रांस)

(297) 22.08 : नोभोभोरोनेझ परमाणु शक्तिकेन्द्र की शटडाउन व्यवस्था दुबारा व्यर्थ हो गयी। (रूस)

(298) 28.08 : सेंट एल्वान परमाणु शक्तिकेन्द्र के इलेक्ट्रो जेनरेटर में आग लग गयी। (फ्रांस)

(299) 12.09 : कोला परमाणु शक्तिकेन्द्र के छेद से तेज-सक्रिय जल निकलने लगा। (रूस)

(300) 01.11 : ब्रून्सबुएल परमाणु शक्तिकेन्द्र की शीतलीकरण व्यवस्था में दरार पड़ गयी। (जर्मनी)

(301) ... 11 : फ्रांस में सर्वाधिक भयंकर परमाणु दुर्घटना में तीन कर्मचारी संगीन रूप से रेडियोधर्मी विकिरण के शिकार हो गए जब वे लोग सुरक्षा के उपयुक्त

कपड़े बिना पहने ही, फोर बैक अंचल में एक न्यूक्लिआइ कण, त्वरण-सृष्टिकारी यंत्र में घुस गया। इस घटना में यथावत् सुरक्षा व्यवस्था ग्रहण करने में व्यर्थ होकर, तीन-तीन कार्यवाही अफसरों को सन् 1973 में जेल हो गयी।

(302) 25.12 : बेलोयरस्क परमाणु शक्तिकेन्द्र से रेडियोधर्मी जल, छेद से बाहर निकल आया। **(रूस)**

1993

(303) 02.01 : कोज़् लोडुई परमाणु शक्तिकेन्द्र में दुबारा छेद हो गया और उससे रेडियोधर्मी भाप निकलने लगा। **(बुलगेरिया)**

(304) 09.01 : पेरी परमाणु शक्तिकेन्द्र में ईंधन रॉड से तेज-सक्रिय पदार्थ बाहर निकलने लगा। **(यू एस ए)**

(305) 20.01 : पालूयेल में तकनीकी असफलता की वजह से अतिरिक्त कूलिंग होने लगी और वहाँ दुर्घटना घटी। **(फ्रांस)**

(306) 15.02 : डार्लिंगटन परमाणु शक्तिकेन्द्र में 18 हजार लिटर भारी जल उफन आया। **(कनाडा)**

(307) 22.02 : फुकुसिया परमाणु शक्तिकेन्द्र में उच्च दबाव की वाष्प-दुर्घटना घटने की वजह से एक कर्मी की मौत हो गयी और दो लोग आहत हुए। **(जापान)**

(308) 06.04 : टॅमूस्क परमाणु क्षेत्र में विस्फोट हुआ। क्षेत्र में एक यूरेनियम और प्लूटोनियम का टैंक फट गया। उससे निकली हुई रेडियोधर्मी गैस वायुमंडल में फैल गयी और 120 वर्ग मीटर अंचल को कलुषित कर गयी। समूचे गांव खाली करा लिये गए और उस क्षेत्र को हमेशा के लिए इन्सानों के निवास के अयोग्य घोषित कर दिया गया। यह भी अन्यतम भयावह परमाणु दुर्घटना के तौर पर स्वीकार की गयी। **(रूस)**

(309) 27.05 : कोला परमाणु शक्तिकेन्द्र में शीलतीकरण व्यवस्था फेल हो गयी, इसीलिए भट्ठी बंद कर देना पड़ी। **(रूस)**

(310) 12.07 : सुसुकुएहान्ना परमाणु शक्तिकेन्द्र में नियंत्रण व्यवस्था नाकाम हो गयी। **(यू एस ए)**

(311) 31.07 : विन्फा परमाणु शक्तिकेन्द्र में ईंधन भरने के यंत्र में गड़बड़ी शुरू हो गयी। **(यू के)**

(312) 01.09 : बालाकोवा परमाणु शक्तिकेन्द्र में आग लग गयी। **(रूस)**

(313) 22.10 : सेंट एलबैन परमाणु शक्तिकेन्द्र में यंत्र और नियंत्रण

व्यवस्था की व्यर्थता के कारण मुसीबत आ पड़ी। (फ्रांस)

(314) 12.11 : 'लंदन कन्वेंशन' समुद्र-गर्भ में परमाणु-वर्ज्य जमा करने के विरोध में निषेधाज्ञा जारी की गयी।

1994

(315) 02.03 : कोला परमाणु शक्तिकेन्द्र में दूसरी बार शीतलीकरण व्यवस्था चरमरा गयी। (रूस)

(316) 06.06 : बेलोयर्स्क परमाणु शक्तिकेन्द्र में आग लग गयी। (रूस)

1995

(317) ...11 : जापान के मंजु फास्ट ब्रीडर परमाणु रिएक्टर की आनुषंगिक शीतलीकरण व्यवस्था से, 2-3 टन सोडियम, छेद से बाहर निकल आया। फलस्वरूप आग लग गयी और रिएक्टर बंद कर देना पड़ा। जापान के परमाणु-शिल्प-अधिकारियों ने इस दुर्घटना के विवरण को दबाने की कोशिश की।

1996

(318) 31.01 : इन्सानी भूल की वजह से ही और तकनीकी व्यर्थता की वजह से मिमिएभूग्राड परमाणु रिसर्च सेंटर की भट्ठी से विकिरण बाहर निकलने लगा। (रूस)

1997

(319) ...03 : राष्ट्र-संचालित तोकाइमूरा में परमाणु-चुल्ली और परमाणु ईंधन उन्नतिकरण कार्पोरेभा रीप्रोसेसिंग शक्तिकेन्द्र से विकिरण निकलने की वजह से कम से कम 35 कर्मी विकिरण के शिकार हो गए।

1999

(320) 30.09 : तोकइमूरा परमाणु ईंधन प्रक्रियाकरण प्रकल्प के कर्मचारियों ने सुरक्षा नियम-कानून तोड़कर, बेहद खतरनाक ढंग से, विशाल परिमाण में यूरेनियम धातु तैयार करने वाले पात्र में मिलाया। फलस्वरूप तीव्र न्यूक्लिआइ क्रिया शुरू हो गयी। उच्च विकिरण के शिकार होकर, दो व्यक्तियों ने तत्काल दम तोड़ दिया और अन्य चालीस बीमार लोगों का इलाज किया गया।

□□□